Евгений
Водолазкин

Евгений Водолазкин
Лавр

Роман

РЕДАКЦИЯ
ЕЛЕНЫ ШУБИНОЙ

Издательство АСТ

Москва

УДК 821.161.1-31
ББК 84(2Рос=Рус)6-44
    В62

Оформление переплета и макет – Андрей Рыбаков

В62   **Водолазкин, Евгений Германович.**
       Лавр : роман / Евгений Водолазкин. –
Москва : Издательство АСT : Редакция Елены
Шубиной, 2019. – 440, [8] с. – (Новая русская
классика).

       ISBN 978-5-17–078790-6

Евгений Водолазкин – филолог, специалист по
древнерусской литературе, автор книг «Авиатор»,
«Брисбен», «Совсем другое время» и «Дом и остров,
или Инструмент языка».

Герой романа «Лавр» – средневековый врач.
Обладая даром исцеления, он тем не менее не
может спасти свою возлюбленную и принимает
решение пройти земной путь вместо нее. Так жизнь превращается в житие. Он выхаживает чумных и раненых,
убогих и немощных, и чем больше жертвует собой,
тем очевиднее крепнет его дар. Но возможно ли
любовью и жертвой спасти душу человека, не сумев
уберечь ее земной оболочки?

Лауреат премии «БОЛЬШАЯ КНИГА».

                                    УДК 821.161.1-31
                                    ББК 84(2Рос=Рус)6-44

Подписано в печать 11.12.18. Формат 84x108/32.
Усл. печ. л. 23,52. Доп. тираж 10 000 экз. Заказ № 12261.

Отпечатано с готовых файлов заказчика
в АО «Первая Образцовая типография»,
филиал «УЛЬЯНОВСКИЙ ДОМ ПЕЧАТИ»
432980, г. Ульяновск, ул. Гончарова, 14

Татьяне

Пролегомена

В разное время у него было четыре имени. В этом можно усматривать преимущество, поскольку жизнь человека неоднородна. Порой случается, что ее части имеют между собой мало общего. Настолько мало, что может показаться, будто прожиты они разными людьми. В таких случаях нельзя не испытывать удивления, что все эти люди носят одно имя.

У него было также два прозвища. Одно из них – Рукинец – отсылало к Рукиной слободке, месту, где он появился на свет. Но большинству этот человек был известен под прозвищем Врач, потому что для современников прежде всего он был врачом. Был, нужно думать, чем-то бо́льшим, чем врач, ибо то, что он совершал, выходило за пределы врачебных возможностей.

Предполагают, что слово *врач* происходит от слова *врати* – заговаривать. Такое родство подразумевает, что в процессе лечения существенную роль играло слово. Слово как таковое – что бы оно ни означало. Ввиду ограниченного набора медикаментов роль слова в Средневековье была значительнее, чем сейчас. И говорить приходилось довольно много.

Говорили врачи. Им были известны кое-какие средства против недугов, но они не упускали возможности обратиться к болезни напрямую. Произнося ритмичные, внешне лишенные смысла фразы, они *заговаривали* болезнь, убеждая ее покинуть тело пациента. Грань между врачом и знахарем была в ту эпоху относительной.

Говорили больные. За отсутствием диагностической техники им приходилось подробно описывать все, что происходило в их страдающих телах. Иногда им казалось, что вместе с тягучими, пропитанными болью словами мало-помалу из них выходила болезнь. Только врачам они могли рассказать о болезни во всех подробностях, и от этого им становилось легче.

Говорили родственники больных. Они уточняли показания близких или даже вносили в них поправки, потому что не все болезни позволяли страдальцам дать о пережитом достоверный отчет. Родственники могли открыто выразить опасение, что болезнь неизлечима, и (Средневековье не было временем сентиментальным) пожаловаться на то, как трудно иметь дело с больным. От этого им тоже становилось легче.

Особенность человека, о котором идет речь, состояла в том, что он говорил очень мало. Он помнил слова Арсения Великого: много раз я сожалел о словах, которые произносили уста мои, но о молчании я не жалел никогда. Чаще всего он безмолвно смотрел на больного. Мог сказать лишь: тело твое тебе еще послужит. Или: тело твое пришло в негодность, готовься его оставить; знай, что оболочка сия несовершенна.

Слава его была велика. Она заполняла весь обитаемый мир, и он нигде не мог от нее укрыться. Его появление собирало множество народа. Он обводил присутствующих внимательным взглядом, и его безмолвие передавалось собравшимся. Толпа замирала на месте. Вместо слов из сотен открытых ртов вырывались лишь облачка пара. Он смотрел, как они таяли в морозном воздухе. И был слышен хруст январского снега под его ногами. Или шуршание сентябрьской листвы. Все ждали чуда, и по лицам стоявших катился пот ожидания. Соленые капли гулко падали на землю. Расступаясь, толпа пропускала его к тому, ради кого он пришел.

Он клал руку на лоб больного. Или касался ею раны. Многие верили, что прикосновение его руки исцеляет. Прозвище Рукинец, полученное им по месту рождения, получало таким образом дополнительное обоснование. От года к году его врачебное искусство совершенствовалось и в зените жизни достигло высот, недоступных, казалось, человеку.

Говорили, что он обладал эликсиром бессмертия. Время от времени высказывается даже мысль, что даровавший исцеления не мог умереть, как все прочие. Такое мнение основано на том, что тело его после смерти не имело следов тления. Лежа много дней под открытым небом, оно сохраняло свой прежний вид. А потом исчезло, будто его обладатель устал лежать. Встал и ушел. Думающие так забывают, однако, что от сотворения мира только два человека покинули землю телесно. На обличение Антихриста был взят Господом Енох, и в огненной колеснице вознесся на небо Илия. О русском враче предание не упоминает.

Судя по его немногочисленным высказываниям, он не собирался пребывать в теле вечно – потому хотя бы, что занимался им всю жизнь. Да и эликсира бессмертия у него, скорее всего, не было. Подобного рода вещи как-то не соответствуют тому, что мы о нем знаем. Иными словами, можно с уверенностью сказать, что в настоящее время его с нами нет. Сто́ит при этом оговориться, что сам он не всегда понимал, какое время следует считать настоящим.

КНИГА
ПОЗНАНИЯ

а

Он появился на свет в Рукиной слободке при Кириллове монастыре. Это произошло 8 мая 6948 года от Сотворения мира, 1440-го от Рождества Спасителя нашего Иисуса Христа, в день памяти Арсения Великого. Семь дней спустя во имя Арсения он был крещен. Эти семь дней его мать не ела мяса, чтобы подготовить новорожденного к первому причастию. До сорокового дня после родов она не ходила в церковь и ожидала очищения своей плоти. Когда плоть ее очистилась, она пошла на раннюю службу. Пав ниц в притворе, лежала несколько часов и просила для своего младенца лишь одного: жизни. Арсений был третьим ее ребенком. Родившиеся ранее не пережили первого года.

Арсений пережил. 8 мая 1441 года в Кирилло-Белозерском монастыре семья отслужила благодарственный молебен. Приложившись после молебна к мощам преподобного Кирилла, Арсений с родителями отправились домой, а Христофор, его дед, остался в монастыре. На следующий день завершался седьмой десяток его лет, и он решил спросить у старца Никандра, как ему быть дальше.

В принципе, ответил старец, мне нечего тебе сказать. Разве что: живи, друже, поближе к кладбищу. Ты такой дылда, что нести тебя туда будет тяжело. И вообще: живи один.

Так сказал старец Никандр.

В

И Христофор переместился к одному из окрестных кладбищ. В отдалении от Рукиной слободки, у самой кладбищенской ограды он нашел пустую избу. Ее хозяева не пережили последнего мора. Это были годы, когда домов стало больше, чем людей. В крепкую, просторную, но выморочную избу никто не решался вселиться. Тем более – возле кладбища, полного чумных покойников. А Христофор решился.

Говорили, что уже тогда он вполне отчетливо представлял себе дальнейшую судьбу этого места. Что якобы уже в то отдаленное время знал о постройке на месте его избы кладбищенской церкви в 1495 году. Церковь была сооружена в благодарность за благополучный исход 1492 года, семитысячного от Сотворения мира. И хотя ожидавшегося конца света в том году не произошло, тезка Христофора неожиданно для себя и других открыл Америку (тогда на это не обратили внимания).

В 1609 году церковь разрушена поляками. Кладбище приходит в запустение, и на его месте вырастает сосновый лес. Со сборщиками грибов время от времени заговаривают привидения. В 1817 году для производства досок лес приобретает купец Козлов. Через два года на освободившемся месте строят больницу для бедных. Спустя ровно сто лет в здание больницы въезжает уездная ЧК. В соответствии с первоначальным предназначением территории ведомство организует на ней массовые захоронения. В 1942 году немецкий пилот Хайнрих фон Айнзидель метким попаданием стирает здание с лица земли. В 1947 году участок переоборудуется под военный полигон и передается 7-й Краснознаменной танковой бригаде им. К. Е. Ворошилова. С 1991 года земля принадлежит садоводству «Белые ночи». Вместе с картофелем члены садоводства выкапывают большое количество костей и снарядов, но жаловаться в волостную управу не торопятся. Они знают, что другой земли им все равно никто не предоставит.

Уж на такой земле нам выпало жить, говорят.

Подробное это предвидение указывало Христофору, что на его веку земля останется нетронутой, а избранный им дом пятьдесят четыре года пребудет в целости. Христофор понимал, что для страны с бурной историей пятьдесят четыре года – немало.

Это был дом-пятистенок: помимо четырех внешних стен в срубе имелась пятая внутренняя стена. Перегораживая сруб, она образовывала две комнаты – теплую (с печью) и холодную.

Въехав в дом, Христофор проверил, нет ли в нем щелей между бревнами, и заново затянул окна бычьим пузырем. Взял масличных бобов и можжевеловых ягод, смешал с можжевеловой щепой и ладаном. Добавил дубовых листьев и листьев руты. Мелко истолок, положил на уголья и в течение дня занимался прокуриванием.

Христофор знал, что со временем моровое поветрие и само выходит из изб, но эту меру предосторожности не счел лишней. Он боялся за родных, которые могли его навещать. Он боялся и за всех тех, кого лечил, потому что они бывали у него постоянно. Христофор был травником, и к нему приходили разные люди.

Приходили мучимые кашлем. Он давал им толченой пшеницы с ячменной мукой, смешав их с медом. Иногда – вареной полбы, поскольку полба вытягивает из легких влагу. В зависимости от вида кашля мог дать горохового супа или воды из-под вареной репы. Кашель Христофор различал по звуку. Если кашель был размытым и не определялся, Христофор прижимал ухо к груди больного и долго слушал его дыхание.

Приходили сводить бородавки. Таковым Христофор велел прикладывать к бородавкам толченый лук с солью. Или мазать их воробьиным пометом, растертым со слюной. Однако же лучшим средством ему казались толченые семена васильков, которыми бородавки следовало присыпать. Васильковые семена вытягивали из бородавок корень, и на том месте они уже больше не росли.

Помогал Христофор и в делах постельных. Пришедших по этому поводу определял сразу – по тому, как входили и мялись на пороге. Трагический и виноватый их взгляд смешил Христофора, но он не подавал виду. Без долгих предисловий травник призывал гостей снимать штаны, и гости беззвучно повиновались. Иногда отправлял их помыться в соседнее помещение, особое внимание предлагая обратить на крайнюю плоть. Он был убежден, что правил личной гигиены следует придерживаться и в Средневековье. С раздражением слушал, как вода из ковша прерывисто льется в деревянную кадку.

Что убо о сем речеши, записывал он в сердцах на куске бересты. И как это женщины таких к себе подпускают? Кошмар.

Если тайный уд не имел очевидных повреждений, Христофор расспрашивал о проблеме в подробностях. Рассказывать ему не боялись, потому что знали – он не болтлив. При отсутствии эрекции Христофор предлагал добавлять в пищу дорогие анис и миндаль или дешевый сироп из мяты, которые умножают семя и движут постельные помыслы. То же действие приписывалось траве с необычным названием *воронье сало*, а также простой пшенице. Существовала, наконец, *лас-трава*, имевшая два корня – белый и черный. От белого эрекция возникала, а от черного пропадала. Недостаток средства состоял в том, что белый корень в ответственный момент следовало держать во рту. На это готовы были пойти не все.

Если все это не умножало семени и не двигало постельных помыслов, травник переходил от растительного мира к животному. Лишившимся потенции рекомендовалось есть утку или почки петуха. В критических случаях Христофор распоряжался достать яйца лиса, растолочь их в ступе и пить с вином. Тем, кому такая задача была не по

плечу, предлагал есть обычные куриные яйца
вприкуску с луком и репой.

Христофор не то чтобы верил в травы, скорее
он верил в то, что через всякую траву идет помощь Божья на определенное дело. Так же, как
идет эта помощь и через людей. И те, и другие
суть лишь инструменты. О том, почему с каждой
из знакомых ему трав связаны строго определенные качества, он не задумывался, считая это вопросом праздным. Христофор понимал, Кем эта
связь установлена, и ему было достаточно о ней
знать.

Помощь Христофора ближним не ограничива-
лось медициной. Он был убежден, что таинствен-
ное влияние трав распространяется на все области человеческой жизни. Христофору было известно, что трава *осот* с корнем светлым, как воск,
приносит удачу. Ее он давал торговым людям,
чтоб, куда бы они ни шли, принимаемы были с че-
стью и вознеслись бы великою славой.

Токмо не гордитеся паче меры, предупреждал
их Христофор. Гордыня бо есть корень всем грехом.

Траву *осот* он давал лишь тем, в ком был абсолютно уверен.

Больше всего Христофор любил красную, вы-
сотой с иголку траву *царевы очи.* Он всегда держал
ее у себя. Знал, что, начиная всякое дело, хорошо
иметь ее за пазухой. Брать, например, на суд, дабы не быти осужденну. Или сидеть с ней на пиру,
не боясь еретика, подстерегающего всякого рас-
слабившегося.

Еретиков Христофор не любил. Он выявлял
их посредством *адамовой главы.* Собирая эту траву

ереси – отклонение от всеобщепринятого религиозного учения

у болот, осенял себя крестным знамением со словами: помилуй мя, Боже. Затем, дав траву освятить, Христофор просил священника положить ее на алтарь и держать там сорок дней. Нося ее по истечении сорока дней с собой, даже в толпе он мог безошибочно угадать еретика или беса.

Ревнивым супругам Христофор рекомендовал *ряску* – не ту ряску, что затягивает болота, а синюю, стелющуюся по земле траву. Класть ее полагается в головах у жены: заснув, она сама все о себе расскажет. Хорошее и плохое. Было еще одно средство заставить ее разговориться – совиное сердце. Его следовало приложить к сердцу спящей жены. Но на этот шаг мало кто шел: было страшно.

Самому Христофору эти средства были без надобности, потому что тридцать лет назад жена его погибла. За сбором трав их застала гроза, и на опушке леса ее убило молнией. Христофор стоял и не верил, что жена мертва, поскольку только что была живой. Он тряс ее за плечи, и ее мокрые волосы струились по его рукам. Он растирал ей щеки. Под его пальцами беззвучно шевелились ее губы. Широко открытые глаза смотрели на верхушки сосен. Он уговаривал жену встать и вернуться домой. Она молчала. И ничто не могло заставить ее говорить.

В день переезда на новое место Христофор взял среднего размера кусок бересты и записал: в конце концов, они уже взрослые люди. В конце концов, их ребенку уже исполнился год. Считаю, что без меня им будет лучше. Подумав, Христофор добавил: а главное, так посоветовал старец.

Г

Когда Арсению исполнилось два года, его стали приводить к Христофору. Иногда, пообедав, уходили вместе с ребенком. Но чаще Арсения оставляли на несколько дней. Ему нравилось бывать у деда. Эти посещения оказались первым воспоминанием Арсения. И они были последним, что ему предстояло забыть.

В дедовой избе Арсений любил запах. Он состоял из ароматов множества трав, сушившихся под потолком, и такого запаха не было больше нигде. Он любил также павлиньи перья, привезенные Христофору одним из паломников и прикрепленные к стене в виде веера. Узор павлиньих перьев удивительно напоминал глаза. Находясь у Христофора, мальчик чувствовал себя некоторым образом под наблюдением.

Еще ему нравилась икона святого мученика Христофора, висевшая под образом Спасителя. В ряду строгих русских икон она смотрелась необычно: святой Христофор был песьеголовцем. Дитя часами рассматривало икону, и сквозь трогательный облик кинокефала мало-помалу проступали черты деда. Лохматые брови. Пролегшие от носа складки. От глаз растущая борода. Проводя большую часть времени в лесу, дед все охотнее растворялся в природе. Он становился похожим на собак и на медведей. На травы и на пни. И говорил скрипучим древесным голосом.

Иногда Христофор снимал икону со стены и давал поцеловать Арсению. Ребенок задумчиво целовал святого Христофора в мохнатую голову и касался потускневших красок подушечками пальцев. Дед Христофор наблюдал, как таинственные токи иконы перетекают в руки Арсения. Однажды он сделал следующую запись: у ребенка какая-то особая сосредоточенность. Его будущее представляется мне выдающимся, но я просматриваю его с трудом.

С четырех лет Христофор стал учить мальчика травному делу. С утра до вечера они бродили по лесам и собирали разные травы. При оврагах искали траву *стародубку*. Христофор показывал Арсению ее острые маленькие листья. Стародубка помогала при грыже и жа́ре. При жа́ре эту траву давали с гвоздикой, и тогда с больного ручьями начинал катиться пот. Если пот был густым и издавал тяжелый запах, надлежало (посмотрев на Арсения, Христофор осекся) готовиться к смерти. От недетского взгляда ребенка Христофору стало не по себе.

Что такое смерть, спросил Арсений.

Смерть – это когда не двигаются и молчат.

Вот так? Арсений растянулся на мхе и не мигая смотрел на Христофора.

Поднимая мальчика, Христофор сказал в себе: моя жена, его бабушка, тоже тогда так лежала, и потому сейчас я очень испугался.

Не надо бояться, закричал мальчик, потому что я опять живой.

В одну из прогулок Арсений спросил Христофора, где его бабушка пребывает сейчас.

На небе, ответил Христофор.

В тот день Арсений решил долететь до неба. Небо давно его привлекало, и сообщение о пребывании там не виденной им бабушки сделало влечение неодолимым. В этом ему могли помочь только перья павлина – птицы безусловно райской.

По возвращении домой Арсений взял в сенях веревку, снял со стены перья павлина и по приставной лестнице забрался на крышу. Разделив перья на две равные части, он крепко привязал их к рукам. В первый раз Арсений не собирался на небо надолго. Он хотел лишь вдохнуть его лазурный воздух и, если получится, наконец увидеть бабушку. Заодно, возможно, передать ей привет от Христофора. По представлениям Арсения, он вполне мог вернуться до ужина, который как раз готовил Христофор. Арсений подошел к коньку, взмахнул крыльями и сделал шаг вперед.

Полет его был стремителен, но недолог. В правой ноге, которая первой коснулась земли, Арсений почувствовал резкую боль. Он не мог встать и молча лежал, втянув ноги под крылья. Поломанные и бьющиеся о землю павлиньи перья заметил Христофор, когда вышел звать мальчика к ужину. Христофор ощупал его ногу и понял, что это перелом. Чтобы кость срослась поскорей, он приложил к поврежденному месту пластырь с толченым горохом. Чтобы нога пребывала в покое, он примотал к ней дощечку. Чтобы крепла не только плоть, но и дух Арсения, он повез его в монастырь.

Знаю, что собираешься на небо, сказал с порога кельи старец Никандр. Но образ действий твой считаю, прости, экзотическим. В свое время я расскажу тебе, как это делается.

Как только Арсений смог ступать на ногу, они вновь занялись сбором трав. Сначала ходили только в окрестном лесу, но с каждым днем, пробуя силы Арсения, уходили все дальше. Вдоль рек и ручьев собирали *одоленъ* – красно-желтые цветы с белыми листами – против отравы. Там же, у рек, находили траву *баклан*. Христофор учил узнавать ее по желтому цвету, круглым листьям и белому корню. Этой травой лечили лошадей и коров. На опушках собирали траву *пострел*, растущую только весной. Рвать ее следовало девятого, двадцать второго и двадцать третьего апреля. При постройке избы пострел клали под первое бревно. А еще ходили за травой *савой*. Здесь Христофор проявлял осторожность, потому что встреча с ней грозит смятением ума. Но (он садился перед ребенком на корточки) если эту траву положить на след вора, ворованное вернется. Он клал траву в лукошко и прикрывал лопухом. По пути домой всякий раз собирали стручки травы *перенос*, отгоняющей змей.

Положи ее семечко в рот – расступится вода, сказал однажды Христофор.

Расступится, серьезно спросил Арсений.

С молитвой – расступится. Христофору стало неловко. Все дело ведь в молитве.

Зачем же тогда это семечко? Мальчик поднял голову и увидел, что Христофор улыбается.

Таково предание. Мое дело тебе сообщить.

Собирая травы, они однажды увидели волка. Волк стоял в нескольких шагах от них и смотрел им в глаза. Его язык свешивался из пасти и подрагивал от частого дыхания. Волку было жарко.

Не будем двигаться, сказал Христофор, и он уйдет. Великомучениче Георгие, помози.

Он не уйдет, возразил Арсений. Он же пришел, чтобы быть с нами.

Мальчик подошел к волку и взял его за загривок. Волк сел. Из-под задних лап торчал конец его хвоста. Христофор прислонился к сосне и внимательно смотрел на Арсения. Когда они двинулись в сторону дома, волк пошел за ними. Красным флажком все так же свешивался его язык. У границы деревни волк остановился.

С тех пор они часто встречали волка в лесу. Когда они обедали, волк садился рядом. Христофор бросал ему куски хлеба, и волк, клацая зубами, ловил их на лету. Растягивался на траве и задумчиво смотрел перед собой. Когда дед и внук возвращались, волк провожал их до самого дома. Иногда ночевал во дворе, и утром они втроем отправлялись на поиски трав.

Когда Арсений уставал, Христофор сажал его в холщовую сумку за спиной. Через мгновение он чувствовал его щеку на своей шее и понимал, что мальчик спит. Христофор тихо ступал по теплому летнему мху. Свободной от корзины рукой он поправлял на плече лямки и отгонял от спящего мальчика мух.

Дома Христофор доставал из длинных волос Арсения репьи, иногда мыл ему голову щелоком. Щелок он делал из кленового листа и белой травы *Енох*, которую они вместе собирали на возвышенностях. От щелока золотые волосы Арсения становились мягкими, как шелк. В солнечных лучах они светились. В них Христофор вплетал листочки дягиля – чтобы люди любили. При этом он замечал, что Арсения люди любили и так.

Появление ребенка поднимало настроение. Это чувствовали все жители Рукиной слободки. Когда они брали Арсения за руку, ее не хотелось отпускать. Когда целовали его в волосы, им казалось, что они припадали к роднику. Было в Арсении что-то такое, что облегчало их непростую жизнь. И они были ему благодарны.

На ночь Христофор рассказывал ребенку о Соломоне и Китоврасе. Эту историю оба знали наизусть и всегда воспринимали ее как в первый раз.

Когда Китовраса вели к Соломону, он увидел человека, покупавшего себе сапоги. Человек захотел узнать, хватит ли этих сапог на семь лет, и Китоврас рассмеялся. Идя далее, Китоврас увидел свадьбу и расплакался. И спросил Соломон у Китовраса, почему он смеялся.

Видех на человеке сем, сказал Китоврас, яко не будет до седми дний жив.

И спросил Соломон у Китовраса, почему он плакал.

Сжалихся, сказал Китоврас, яко жених той не будет жив до тридцати дний.

Однажды мальчик сказал:

Я не понимаю, почему смеялся Китоврас. Потому что знал, что этот человек воскреснет?

Не знаю. Не уверен.

Христофор и сам чувствовал, что лучше бы Китоврасу было не смеяться.

Чтобы Арсений легко засыпал, Христофор клал ему под подушку траву *плакун*. Оттого Арсений засыпал легко. И сны его были безмятежны.

Ӑ

В начале второй седмицы Арсениевых лет отец привел мальчика к Христофору.

В слободке неспокойно, сказал отец, ждут морового поветрия. Пусть мальчик здесь побудет вдалеке от всех.

Побудь и ты, предложил Христофор, и жена твоя.

Имам, отче, пшеницу жати, где бо зимою брашно обрящем? Только плечами пожал.

Христофор растолок горячей серы и дал ему с собой, чтобы принимали в яичном желтке и запивали соком шиповника. Велел окон не открывать, а утром и вечером раскладывать во дворе костер на дубовых дровах. Когда затлеют уголья, бросать на них полынь, можжевельник и руту. Всё. Это все, что можно сделать. Христофор вздохнул. Блюдися сея скорби, сыне.

Глядя, как отец идет к телеге, Арсений заплакал. Как невысокий, прыгающей походкой идет. Полуприсев на борт, забрасывает ноги на сено телеги. Берется за вожжи и чмокает лошади. Лошадь храпит, дергает головой, мягко трогает. На утоптанном грунте копыта звучат глухо. Отец слегка покачивается. Обернувшись, машет. Уменьшается в размерах и сливается с телегой. Превращается в точку. Исчезает.

Что убо плачеши, спросил мальчика Христофор.

Зрю на нем знамение смертно, ответил мальчик.

Он плакал семь дней и семь ночей. Христофор молчал, потому что знал, что Арсений прав. Он тоже видел знамение. И еще знал, что его травы и слова здесь бессильны.

В полдень восьмого дня Христофор взял мальчика за руку, и они направились в Рукину слободку. Стоял ясный день. Они шли, не приминая травы и не поднимая пыли. Словно на цыпочках.

Словно входя в комнату с покойником. На подходе к Рукиной слободке Христофор достал из кармана вымоченный в винном уксусе корень дягиля и разломил его на две части. Половину взял себе, половину дал Арсению.

Вот, держи во рту. С нами Божья сила.

Селение встретило их воем собак и мычанием коров. Христофор хорошо знал эти звуки, их нельзя было спутать ни с чем. То была музыка чумы. Дед и внук медленно шли по улице, но только собаки рвались с цепей им навстречу. Людей не было. Когда они приблизились к дому Арсения, Христофор сказал:

Дальше не ходи. Здесь в воздухе смерть.

Мальчик кивнул, потому что видел ее крыла. Они витали над домом. Разогретым воздухом дрожали над коньком крыши.

Христофор перекрестился и вошел во двор. У ограды лежали снопы необмолоченной пшеницы. Дверь в избу была открыта. Под августовским солнцем этот зияющий прямоугольник выглядел зловеще. Из всех красок дня он вобрал в себя только черноту. Всю возможную черноту и холод. Попав туда, как можно было остаться в живых? Поколебавшись, Христофор сделал шаг к двери.

Стой, раздалось из темноты.

Этот голос напоминал голос его сына. Но только напоминал. Как будто кто-то, не его сын, этим голосом воспользовался. Христофор не поверил ему и сделал еще один шаг к двери.

Стой, убью.

В темноте раздался грохот, и, словно выпав из чьей-то руки, о дверной косяк ударился молоток.

Дай осмотреть вас, прохрипел Христофор.

У него перехватило горло.

Мы уже умерли, сказал голос. И непричастны живым. Не входи, чтобы Арсений выжил.

Христофор остановился. Он слышал, как пульсирует на виске вена, и понимал, что сын говорит правду.

Пить, простонала из темноты мать.

Мама, крикнул Арсений и бросился в избу.

Он зачерпнул из бадьи воды и подал упавшей с лавки матери. Он целовал ее желеобразное лицо, но она словно спала и не могла открыть глаз. Он пытался оторвать ее от пола и ладонями чувствовал воспаленные узлы ее подмышек.

Сынок, я уже не могу проснуться...

Рука отца схватила Арсения и швырнула его к порогу. От порога его оттаскивал уже Христофор. Арсений закричал так, как не кричал никогда, но в слободке его никто не услышал. Когда наступила тишина, он увидел на пороге мертвое тело отца.

є

С тех пор Арсений поселился у Христофора.

Мальчик несомненно одарен, записал однажды Христофор. Он схватывает все на лету. Я обучил его травному делу, и оно прокормит его в жизни. Я передам ему многие другие знания, чтобы расширился его кругозор. Пусть узнает, каким сотворен мир.

В звездную октябрьскую ночь Христофор повел мальчика на луг и показал ему схождение твердей – небесной и земной:

В начале сотвори Господь небо и землю. Того ради сотвори, дабы не мнели человеци, яко без начала суть небо и земля. И разлучи Бог межи светом и тьмою. И нарече Бог свет день, а тьму нарече нощь.

Трава ласково терлась об их ноги, а над головами пролетали метеориты. Затылком Арсений ощущал тепло руки Христофора.

И сотвори Бог солнце на просвещение дня, а луну и звезды на просвещение нощи.

Велики ли светила, спросил мальчик.

Да в общем... Христофор наморщил лоб. Окружность Луны составляет сто двадцать тысяч стадий, а окружность Солнца – приблизительно, конечно, – три миллиона стадий. Это они только кажутся маленькими, но настоящие их размеры трудно себе даже представить. Взыди на гору высоку и воззри на поле. Тамо пасома стада не яко ли мравие мнятся зраку твоему? Тако и светила.

Несколько последовавших дней они говорили о светилах и предвестиях. Христофор рассказывал мальчику о двойном солнце, которое видел в жизни не раз: его появление на востоке или на западе знаменует великий дождь и ветер. Иногда солнце кажется людям кровавым, но это происходит от мглистых испарений и указывает на высокую влажность. Иногда же солнечные лучи похожи на волосы (Христофор гладит Арсения по волосам), а облака будто горят, и это – к ветру и холоду. Если же лучи пригнутся к солнцу, а облака на закате почернеют – к ненастью. Когда на закате солнце чистое – к тихой и ясной погоде. Ясную погоду знаменует и трехдневная луна, если она чистая и тонкая. Если же она тонкая, но как бы огненная, – к сильному ветру, а уж когда оба рога месяца равны и северный рог чист – к упокоению западных ветров. В случае потемнения полной луны жди дождей, а в случае ее утончения с двух сторон – ветра, а венец вокруг луны – признак ненастья, потемневший венец – тяжкого ненастья.

Раз мальчика это очевидным образом интересует, почему же ему об этом не рассказать, спросил Христофор сам себя.

Однажды они пришли на берег озера, и Христофор сказал:

Повелел Господь, чтобы воды произвели рыб, плавающих в глубинах, и птиц, парящих по тверди небесной. И те и другие созданы для плаванья в свойственных им стихиях. Еще повелел Господь, чтобы земля произвела душу живую – четвероногих. До грехопадения звери были Адаму и Еве покорны. Можно сказать, любили людей. А теперь – только в редких случаях, как-то все разладилось.

Христофор потрепал по загривку трусившего за ними волка.

И если разобраться, то птицы, рыбы и звери во многом подобны человекам. В этом, видишь ли, наша всеобщая соединенность. Мы учим друг друга. Львенок, Арсение, всегда рождается у львицы мертвым, но на третий день приходит лев и вдыхает в него жизнь. Это напоминает нам о том, что и дитя человеческое до своего крещения мертво для вечности, а с крещением – оживает. А еще есть рыба-многоножица. К камню какого цвета она подплывет, такого цвета и сама становится: к белому – белая, к зеленому – зеленая. Таковы, чадо, и иные люди: с христианами они христиане, а с неверными – неверные. Есть же и птица феникс, которая не имеет ни супруга, ни детей. Она ничего не ест, но летает среди ливанских кедров и наполняет свои крылья их ароматом. Когда она стареет, то взлетает ввысь и воспламеняется от небесного огня. И, спустившись вниз, зажигает гнездо и сгорает сама, и в пепле гнезда своего возрождается червем, из которого со временем и вырастает птица феникс. Так, Арсение, принявшие мучение за Христа возрождаются во всей славе для Царства Небесного. Есть, наконец, птица харадр, вся сплошь белая. И аще кто в болезнь впадет, есть от харадра разумети, жив будет или умрет. Да аще будет ему умрети, отвратит лице свое харадр, аще ли будет ему живу быти, то харадр, веселуяся, взлетит на воздух противу солнца – и все понимают, что харадр взял язву болящего и развеял ее в воздухе. Так и Господь наш Иисус Христос вознесся на древо крестное и источил нам пречистую кровь Свою на исцеление греха.

Где же нам взять эту птицу, спросил мальчик.

Будь сам этой птицей, Арсение. Ты ведь немного летаешь.

Мальчик задумчиво кивнул, и от его серьезности Христофору стало не по себе.

Последние листья с берега сдувало в черную воду озера. Листья в замешательстве катились по бурой траве, а затем дрожали на озерной ряби. Отплывали всё дальше. У самой воды виднелись глубокие следы сапог рыбаков. Следы были полны воды и казались извечными. Раз и навсегда оставленными. В них тоже плавали листья. Лодка

рыбаков покачивалась недалеко от берега. По-
красневшими от холода руками рыбаки тянули
сеть. Их лбы и бороды были мокры от пота. Рукава их одежд отяжелели от воды. В сети билась
среднего размера рыба. Блестя на тусклом осен-
нем солнце, она взбивала вокруг лодки брызги.
Рыбаки были довольны уловом и что-то громко
кричали друг другу. Их слов Арсений не разби-
рал. Он не мог бы повторить ни одного слова рыбаков, хотя слышал их отчетливо. Сбросив смыс-
ловую оболочку, слова неторопливо превращались в звуки и растворялись в пространстве.
Небо было бесцветным, потому что все краски
уже отдало лету. Пахло печным дымом.

Арсений почувствовал радость от того, что,
придя домой, они также затопят печь и насладят-
ся особым осенним уютом. Топили они, как и все
вокруг, по-черному. После топки стены избы были теплыми. Толстые бревна долго держали тепло. Еще дольше его держала глиняная печь. Уло-
женные у дальней печной стенки камни раска-
лялись докрасна. Дым поднимался под высокий
потолок и задумчиво выходил через открывав-
шийся над дверью дымоход. Дым казался Арсению живым существом. Его неторопливость успо-
каивала. Дым жил в верхней, черной от копоти
части избы. Нижняя была нарядной и светлой.
Верхняя и нижняя части избы разделялись *пола-
вочниками* – широкими досками, на которые ссы-
палась сверху сажа. При правильной топке ниже
полавочников дым не опускался.

Топить печь было обязанностью Арсения.
Из дровяника он приносил березовые поленья
и складывал их в печи домиком. Между поленья-

ми проталкивал хворост. Огонь разводил при помощи тлеющих углей. Он доставал их из *очелков*, особых печных ниш, где угли для растопки хранились под слоем золы. Он зарывал угли в сухие листья и изо всех сил дул. Листья медленно меняли цвет. Уже горя с внутренней стороны, они еще изображали безразличное усыхание, но с каждым мгновением это было для них все сложнее: огонь охватывал их внезапно и сразу со всех сторон. С листьев огонь перебрасывался на хворост, с хвороста – на поленья. Поленья начинали гореть с боков. Если они были влажными, то трещали, выстреливая снопами искр. В огненной метели ребенок видел птицу феникс и указывал на нее сидевшему рядом волку. Волк время от времени жмурился, но было непонятно, видит ли он птицу на самом деле. Посматривая с сомнением на волка, Арсений сообщал Христофору:

Он сидит неестественно, я бы сказал, напряженно. По-моему, он просто боится за свою шкуру.

Мальчик был прав. Вылетавшие из печи снопы искр доставляли волку определенное беспокойство. Лишь когда огонь приступал к ровному завершающему горению, волк растягивался на полу и по-собачьи клал голову на лапы.

Мы в ответе за тех, кого приручили, говорил, гладя волка, Христофор.

Глядя в печь, Арсений видел там порой свое лицо. Его обрамляли седые волосы, собранные в пучок на затылке. Лицо было покрыто морщинами. Несмотря на такое несходство, мальчик понимал, что это его собственное отражение. Только много лет спустя. И в иных обстоятельствах. Это отражение того, кто, сидя у огня, видит лицо светловолосого мальчика и не хочет, чтобы вошедший его беспокоил.

Вошедший топчется у порога и, приложив палец к губам, шепчет кому-то через плечо, что Врач всея Руси сейчас занят. Наблюдает пламя.

Впусти ее, Мелетий, говорит старец, не оборачиваясь. Чего ты хочешь, жено?

Жити хощу, Врачу. Помози ми.

А умереть не хочешь?

Есть которые хотят умереть, поясняет Мелетий.

У меня сын. Пожалей его.

Вот такой? Старец показывает на устье печи, где в контурах пламени угадывается образ мальчика.

Ты напрасно, княгиня, на колени становишься (Мелетий взволнован и грызет ногти), он ведь этого не любит.

Старец отрывает взгляд от пламени. Подходит к стоящей на коленях княгине и опускается на колени рядом с ней. Мелетий, пятясь, выходит. Старец берет княгиню за подбородок, смотрит ей в глаза. Тыльной стороной ладони вытирает ее слезы.

У тебя, жено, опухоль в голове. Оттого ухудшается твое зрение. И притупляется слух.

Он обнимает ее голову и прижимает к своей груди. Княгиня слышит биение его сердца. Затрудненное стариковское дыхание. Сквозь его рубаху чувствует прохладу нательного креста. Жесткость его ребер. Ей самой удивительно, что она все это замечает. За закрытыми дверями режет лучины Мелетий. Выражение на его лице отсутствует.

Веруй Господу и Пречистой Его Матери и обрящеши помощь. Старец касается сухими губами ее лба. А опухоль твоя будет уменьшаться. Иди с миром и более не печалься.

Отчего ты плачешь, Арсение?

Я плачу от радости.

Арсений безмолвно поворачивается к волку. Волк слизывает его слезы.

ᚱ

Человек сотворен из праха. И в прах обратится. Но тело, которое ему дано на время жизни, прекрасно. Ты должен знать его как можно лучше, Арсение.

Так говорил Христофор, бальзамируя Андрона Новгородца перед отправкой покойника на родину. В одной из бань Рукиной слободки Христофор втирал в кожу Андрона кедровую смолу, смешанную с медом и солью. От прикосновений Христофора Андрон подрагивал всем телом и казался живым. Это впечатление усиливал большой член покойного, вроде бы не соответствовавший низкорослому, хотя и крепко сложенному Андрону. Арсению казалось, что Андрон сейчас встанет, поблагодарит Христофора за хлопоты и выйдет на свежий воздух. Но Андрон не вставал. После ночной драки он лежал с проломленным черепом и первыми трупными пятнами в области спины. Приезжего Андрона интересовали слободские девушки (еще вчера). Это стало причиной драки. Сегодня Андрон готовился к своей последней дороге в Новгород.

В малом человеческом теле (говорил Христофор), подобно солнцу в капле воды, отражается безграничная премудрость Божия. Всякий орган продуман до мелочей. Сердце, например, питает все тело кровью, и в нем, как говорят, сосредоточены наши чувства, вот почему оно надежно защищено ребрами. Зубы – жуют, и потому они из твердой кости, язык – распознает вкус, а потому мягкий и пористый, как губка, ухо создано в виде раковины, чтобы ловить летящие звуки. Между прочим, оттопыренные уши (Христофор провел пальцем по уху Андрона) – признак празднословия. Но есть еще внутреннее ухо, которого не видно. Оно ведет звуки от внешнего уха к мозгу, и мозг превращает звуки в речь. К мозгу идут жилы и от глаз, и опять-таки мозг превращает буквы в слова. Он – царь всего тела и находится на самом верху, потому что из всех тварей земных лишь человек – разумный и прямоходящий. Его бесплотная мысль, находясь в теле, возносится к небесам и постигает совершенство мира сего. Ум – очи души. Когда эти очи повреждаются, душа становится слепа.

Что такое душа, спросил Арсений.

То, что Господь вдыхает в тело, то, что отличает нас от камней и растений. Душа делает нас живыми, Арсение. Уподоблю ее пламени, исходящему от земной свечи, но земной природы не имеющему, стремящемуся ввысь к соприродным стихиям.

Если живым делает душа, значит, она есть и у животных? Арсений показал на стоявшего рядом волка.

Да, у животных есть душа, но она соприродна их телу и заключена в крови их. И заметь: до потопа люди не ели животных, щадя их душу, ибо с телом животного душа его умирает. Душа же человеческая телу иноприродна и с телом не умирает, несть бо душа человеческа от вещи иныя, но от самого Творца вдуновена благодатию.

Что судится телеси человеческому?

Тело наше в персть разыдется. Но Господь, создавый тело из перси, наша телеса разшедшася купно восставит. Ведь это, знаешь, только кажется, что тело разлагается без следа, что смешивается с другими элементами, становясь землей, рекой, травой. Наше тело, Арсение, как разлитая ртуть, которая лежит, распавшись на мелкие шарики, на земле, но с землей не смешивается. Она лежит себе до тех пор, пока не придет некий умелец и не соберет ее обратно в сосуд. Так и Всевышний вновь соберет наши разложившиеся тела для всеобщего воскресения.

Трудами Христофора разложение тела Андрона приостанавливалось. Тело матово поблескивало и издавало запах кедра. Оно было неправдоподобно белым. Исключение составляли лицо и руки до локтя, хранившие следы недавнего загара. Завершив втирание бальзамирующей мази, Христофор стал обматывать Андрона холщовыми лентами. С громким треском он отрывал их от принесенного ему куска полотна, обмакивал в мазь и туго прижимал к телу усопшего. Андрон не сопротивлялся. Неплотно сомкнутые веки придавали ему саркастический и какой-то даже бесшабашный вид. Казалось, что Андрон посмеивался над усилиями вспотевшего Христофора. Всем своим обликом как бы давал понять, что уж до Новгорода он доберется при любых обстоятельствах.

Христофор не смотрел на лицо Андрона. Он оборачивал его тело лента за лентой, плотно завязывая концы.

Раз уж зашел разговор о теле, сказал Христофор, я расскажу тебе, как зачинаются дети. В конце концов, сам ты уже не ребенок, и тебе пора знать, что со времени грехопадения Адама и Евы люди более не творятся Господом, но сами рождают своих детей. Впоследствии же они умирают, потому что с даром рождения обрели дар смерти. Ребенок зачинается от мужского семени и женской крови. Мужское семя дает твердость костей и жил, женская же кровь дает мягкость плоти. Кровь, как ты знаешь, красная и течет по сосудам, а мужское семя находится здесь (показав на крупные яйца Андрона, Христофор примотал их к бедру), и оно белого цвета.

Арсений знал, какого цвета семя, но Христофору этого не сказал. Он говорил об этом на исповеди старцу Никандру.

Держи руки поверх покрывала, посоветовал старец Никандр.

Это было не дома, а на кладбище, сказал Арсений.

Ничего себе, присвистнул старец. Еще и на кладбище. Там ведь лежат живые люди.

Я видел только мертвых.

Для Бога все живые.

Арсений отвернулся:

А я стал бояться смерти.

Старец провел рукой по волосам Арсения. Сказал:

Каждый из нас повторяет путь Адама и с потерей невинности осознает, что смертен. Плачь и молись, Арсение. И не бойся смерти, потому что смерть – это не только горечь расставания. Это и радость освобождения.

3

Читать Арсений выучился рано. Буквы, показанные ему Христофором, он запомнил за несколько дней и вскоре без труда складывал их в слова. Поначалу ему мешало, что слова в большинстве книг не отделялись друг от друга, а шли сплошной чередой. Однажды Арсений спросил, почему слова не пишутся порознь.

А разве они произносятся порознь, спросил его в свою очередь Христофор. Я тебе больше скажу. Порой уже не существенно, как и кем слово сказано. Важно лишь то, что оно было сказано. На худой конец подумано.

Первым и любимым чтением Арсения стали записи Христофора на бересте. На то имелось несколько причин. Берестяные грамоты были написаны крупным четким почерком. Они были невелики по размеру. Они были самым доступным чтением, поскольку лежали в избе повсюду. Наконец, Арсений видел, как они изготовлялись.

Весной, в пору движения древесных соков, Христофор занимался заготовкой бересты. Он обдирал ее со стволов аккуратными широкими полосами и несколько часов вываривал в рассоле. Береста становилась мягкой и теряла свою хрупкость. После обработки Христофор разрезал бересту на ровные листы. Теперь она была готова к употреблению, вполне заменяя собой дорогую бумагу.

Специального времени для письма у Христофора не было. Он мог писать утром, днем и вечером. Иногда, если в голову ему приходила важная мысль, он вставал и записывал ее ночью. Христофор записывал прочитанное в книгах: бысть у Соломона царя седмь сот жен, а наложниц триста, а книг осмь тысящ. Записывал свои собственные наблюдения: месяца септемврия в десятый день выпаде Арсениеви зуб. Записывал врачевательные молитвы, состав лекарств, описания трав, сведения о природных аномалиях, приметы погоды и короткие назидательные высказывания: блюдися молчаниа злаго мужа, акы отай хапающаго злаго пса. На внутренней стороне бересты процарапывал буквы костяным писалом.

Христофор писал не потому, что боялся что-либо позабыть. Даже достигнув старости, он не забывал ничего. Ему казалось, что слово записанное упорядочивает мир. Останавливает его текучесть. Не позволяет понятиям размываться. Именно поэтому так широк был круг интересов Христофора. По мысли писавшего, этот круг должен был соответствовать широте мира.

Записи свои Христофор обычно оставлял там, где они были сделаны, – на лавке, на печи, на поленнице. Не поднимал, когда они сваливались на пол, смутно предвидя их позднейшее обнаружение в культурном слое. Христофор понимал, что написанное слово останется таковым навсегда. Что бы ни случилось впоследствии, будучи записанным, это слово уже состоялось.

Следя за перемещениями Христофора, Арсений уже знал, где искать его записи. Порой на месте обнаруженной грамоты в тот же день находилась другая, а то и не одна. Временами дед казался Арсению курицей, несущей золотые яйца, их надо было только успевать собирать. По выражению лица Христофора мальчик научился отгадывать даже характер записываемого. Сдвинутые брови позволяли предполагать, что в текущей грамоте обличались еретики. Выражение тихой радости сопровождало преимущественно назидательные высказывания. При указании высот, объемов и расстояний Христофор, по наблюдениям Арсения, задумчиво почесывал нос.

Берестяные грамоты дитя читало вслух. В Средневековье вообще читали преимущественно вслух, на худой конец просто шевелили губами. Наиболее понравившиеся записи складывались Арсением в особую корзину. Аще кто костию подавится, призови на помощь святаго Власия. Василий Великий глаголет, яко Адам бысть в Раи сорок дний. Не имей дружбы с женою, да не сгориши огнем. Разнообразие сведений поражало воображение ребенка.

Но круг его чтения берестяными грамотами не ограничивался. Под одной из икон в красном углу лежала *Александрия*, древняя повесть об Александре Македонском. Эта книга была некогда переписана Феодосием, дедом Христофора. Се аз, Феодосий грешный, преписах книгу сию в память храбрых человек, дабы деяния их не беспамятны были. Так на первом листе обращался к потомкам Феодосий. В лице Арсения он нашел самого благодарного своего читателя.

Арсений осторожно отставлял икону вбок и двумя руками снимал книгу с подставки. Сдувал с переплета пыль и проводил рукой по его почерневшей коже. Пыли на переплете не было, но Арсений видел, что так поступал Христофор. Затем мальчик брался за застежки и отщелкивал их с тихим медным звуком. Се аз, Феодосий... Под записью помещался выполненный прапрадедом портрет Александра. Герой сидел в неудобной позе с царским венцом на голове.

Александрию Арсений читал постоянно. Он читал ее сидя на лавке и лежа на печи, зажав руки между колен и навалившись головой на ладони, утром и вечером. Иногда – ночью, при свете лучины. Христофор не возражал: ему нравилось, что мальчик много читает. При первых словах *Александрии* к Арсению подходил волк. Он укладывался у его ног и слушал необычное повествование. Вместе с Арсением внимательно следил за событиями жизни македонского царя.

Так, выяснялось, что, прибыв на Восток, Александр обнаружил там диких людей. Рост их составлял две сажени, а головы (рука Арсения на голове волка) были косматы. Через шесть дней в глубине пустыни Александрово войско встретило удивительных людей, имевших каждый по шесть рук и по шесть ног. Александр многих из них убил, а многих схватил живыми. Он хотел привести их в обитаемый мир, но никто не знал, что едят эти люди, и все они умерли. Муравьи в той земле были такого размера, что один из них, схватив коня, уволок его в свою нору. И тогда Александр велел принести соломы и поджечь ее, и муравьи сгорели. Потом же, пройдя еще шесть дней, Александр увидел гору, к которой железными цепями был привязан человек. Этот человек был тысячу саженей в высоту и двести саженей в ширину. Видя его, Александр удивился, но подойти к нему не посмел. И человек этот плакал, и еще четыре дня они слышали его голос. Оттуда пришел Александр в лесистую местность и увидел других странных людей: выше пояса – люди, ниже пояса – лошади. Когда он попытался привести их в обитаемый мир, на них подул холодный ветер, и все они умерли. И прошел Александр от того места сто дней, и приблизился к пределам вселенной, ощутив тоску.

Арсений закрыл книгу, которую читал на кладбище в лучах уходящего солнца. Еще не было холодно. Камни, нагретые за день, излучали тепло. Вытянувшись на могильной плите, мальчик ощущал его всем телом. Плита была безымянной.

Почему на могилах нет имен, спросил однажды Арсений.

Потому что Господу они и так известны, ответил Христофор. А потомкам имена без надобности. Через сто лет уже никто не вспомнит, кому они принадлежали. Бывает, что и через пятьдесят. А может быть, даже через тридцать.

Так помнят во всем мире или только в Рукиной слободке?

Пожалуй, что во всем мире. Но особенно – в Рукиной слободке. Мы не строим мраморных склепов и не высекаем имен, ибо нашим кладбищам дано право превращаться в леса и поля. Что отрадно.

Значит, у наших людей короткая память?

Можно сказать и так. Только память не должна быть слишком длинной. Это, знаешь, тоже ни к чему. Нужно ведь что-то и забывать. Я вот помню (Христофор показал на плиту серого камня), что здесь лежит Елеазар Ветродуй. Он был состоятельным человеком и мог позволить себе такую плиту. Но я помнил бы его и без нее. Этот человек слегка прихрамывал и говорил резким гортанным голосом. Говорил отрывочно, время от времени замолкая, так что речь его тоже была хромой. Страдал от избытка газов. Громко пукал, и я давал ему настой ромашки. Давал укропную воду, другие ветрогонные средства. И запрещал пить на ночь парное молоко. Но, владея коровой, Елеазар любил молоко паче меры и упивался им в вечерние часы. Что приводило к ветрам во чреве. А еще Елеазар любил резьбу по дереву. И лучше его не резал никто в Рукиной слободке, особливо когда дело касалось оконных наличников. Работая, сопел. Приговаривал что-то вполголоса, как бы про себя. Проводил по губам ладонью, словно останавливая речь. Словно боясь сказанного. Хотя ничего опасного он, если разобраться, не говорил. Так, рассуждал о свойствах дерева, о том, что нам всем в слободке и без того известно: что дуб – твердый, а сосна – мягкая. И веришь ли, Арсение, еще висят его наличники, а Елеазара уже не помнят. Спросишь, бывало, молодого: кто сей Елеазар? Не дает ответа. Да и старики помнят смутно, потому что помнят равнодушно, без любви. А Господь помнит с любовью, и в своей памяти не упустит никакой мелочи, и не нужно Ему его имени.

Арсений лежит на теплой плите. Лежит животом вниз, рядом с ним закрытая *Александрия*. Его лица касаются желтые головки лютиков. Ему щекотно, и он улыбается. Волк едва заметно виляет хвостом.

Елеазар, пукни, тихо просит мальчик. Хотя бы раз. Пусть это будет твоим сигналом оттуда.

Елеазар обиженно молчит.

И

Душными июльскими днями убили старца Нектария. Старец жил в лесном скиту недалеко от монастыря. По утрам на плечи его садились птицы, и он отдавал им доставленный из монастыря хлеб. Перед смертью старца Нектария пытали в расчете найти деньги, но денег у него не было. Имелось лишь несколько книг. Их и забрали, оставив измученное тело старца на поляне у скита. На следующий день тело нашли монастырские послушники и думали, что оно мертво. В теле, однако, еще бодрствовал дух, но оставалось его на одно лишь слово: прощаю. Злодеи же, томясь в ожидании Страшного Суда, продолжали шататься по округе. Они нападали на одиноких путников и отдаленные хутора, и никто не знал, как они выглядят, потому что никто еще не уходил от них живым.

Но однажды они убили человека, шедшего с собакой. Они сняли с него одежду и бросили тело лежать на дороге, собака же осталась сторожить своего хозяина. И нашел его милосердный человек, содержавший придорожную корчму. Он прочел молитву об упокоении раба Божьего, его же имя Бог весть, и предал нагое тело земле. Собака, увидев явленное милосердие, пошла за ним, да так и осталась в его корчме.

В один из дней попытался войти в корчму некто пьяный, и собака отчаянно залаяла, возбраняя ему войти. И когда все повторилось несколько раз, вспомнили историю этой собаки и заподозрили неладное.

Человек был схвачен и подвергнут испытанию водой. Брошенный в озеро связанным, стал он тонуть, и все уж было подумали, что испытуемый, как и утверждал, невиновен, но через мгновение он показался над озерной рябью и плавал себе как ни в чем не бывало. Он кричал, что на поверхности его держит алкоголь, который легче воды, но все понимали, что держит его нечистая сила.

И когда его вина явилась всем, он был подвергнут испытанию каленым железом, какового также не выдержал, потому что по характеру ожогов стало очевидно, что он лжет. Когда же его прижгли как следует, он рассказал, что остальных злодеев числом три следует искать на заброшенном хуторе в пяти верстах отсюда. Пять верст проскакали как одну. Окружили хутор, чтобы никто не ушел. В первой же избе обнаружили двоих, при них книги, взятые у старца. Пока их связывали, не заметили, как убили. А вернулись обратно и узнали, что прежде схваченный по испытании умре. И будучи человеколюбивы, вздохнули с облегчением, потому что дали усопшим надежду на Страшном Суде – если не на оправдание (святого ведь человека убили), то на снисхождение, чтобы им, претерпевшим му́ку зде, уменьшилась бы му́ка тамо.

Но четвертый злодей остался непойманным. Его пытались и дальше ловить, но это было затруднительно, поскольку неизвестен был ни вид его, ни то вообще, кто он.

Кто он, спросил в печали Арсений.

Русский человек, кто же еще, ответил Христофор. Других здесь вроде бы не водится.

В один из дней, когда сгустились сумерки, они заметили на кладбище движение. Почувствовали скорее. От безмолвного деревенского погоста на них дохнуло неспокойствием. В мелькнувшей тени Арсению привиделась тень умершего, но Христофор призвал его сохранять присутствие духа. Старику было известно, что бояться надо живых. Все случавшиеся с ним доселе неприятности исходили именно от них. Ничего не объясняя Арсению, он велел ему незаметно покинуть дом и идти в деревню звать людей.

Пойдем вместе, дедушка. Не нужно здесь оставаться.

Нет, сказал Христофор, зажигая лучину. Мне надо остаться, чтобы не вызывать у него подозрений. Иди, Арсение.

Арсений вышел.

Через минуту он вновь показался в дверях. Влетел в них, словно внесенный посторонней силой. Эта сила немедленно явилась и Христофору. За спиной Арсения стояла фигура, и старик сразу ее узнал. То была смерть. Она распространяла запах немытого тела и ту нечеловеческую тяжесть, от которой в душе рождался ужас. Которую чувствовало все живое. От которой за окном прежде времени облетели деревья. И попадали птицы. С хвостом между ног полез под лавку волк.

Далеко птичка собралась, да недалеко отлетела.

Он сказал это хриплым несмазанным голосом. Почесывая свалявшуюся бороду. Поколебавшись, задвинул засов на двери. Подошел к Христофору, и тот ощутил его испорченный выдох.

Что, страшно, земляк?

Веруеши ли во Христа, твердо спросил его Христофор.

Живем в лесу, молимся колесу. Такая наша вера. А еще, земляк, нам деньги требуются. Поищи, что ли.

Отчего ж это я тебе земляк?

Вошедший подмигнул. Ты оттого земляк, что уже, считай, земле принадлежишь. (Из-за голенища сапога достал нож.) Я тебя туда и отправлю.

Дам тебе денег, а ты уходи с Богом. Мы про тебя никому не скажем.

Да уж не скажете. (Беззубо улыбнулся. Развернулся и ударил Арсения рукоятью ножа. Арсений упал.) Поторопись, земляк: дальше бью лезвием.

Преувеличенно замахнулся.

Волк прыгнул.

Волк прыгнул и повис у пришедшего на руке. Висел, вцепившись выше локтя и упираясь лапами в бок. Это была рука без ножа. Рука с ножом несколько раз погрузилась в волчью шерсть, но волк продолжал висеть. Он сжал свои челюсти навсегда. И тогда нож выпал. Неживым механическим движением правая рука протянулась на помощь левой. Она схватила волка за загривок и стала отрывать его от страдающей плоти. Морда волка вытянулась, как стаскиваемая маска. Глаза превратились в два белых шара. Они глядели куда-то в потолок и отражали разгоревшуюся лучину.

Христофор подобрал нож, но пришедший не думал о ноже. Он мучительно отрывал от себя волка и, наконец, оторвал. Что оставалось у волка в пасти – кусок рубахи? Мяса? Кости? Волк и сам этого не знал. Он лежал на полу и рычал, не разжимая зубов. Только это была не рука, потому что пришедший уходил вроде бы с рукой. Что-то вроде бы висело у него на плече, но что именно – понять уже не было возможно. Оно висело, как плеть, безвольно и непрочно, Арсению показалось, что даже может отвалиться. Пришедший бился в дверь и все никак не мог выйти. Христофор удержал его за целую руку и открыл засов. Тот, выходя, ударился головой о притолоку. Ударился в сенях еще раз. Мелкими шагами зашуршал по осенним листьям. Стих. Исчез. Растворился.

Слава Тебе, Господи Вседержителю, яко не остави ны. Христофор опустился на колени и осенил себя крестным знамением. Склонился над Арсением. Мальчик все еще лежал на полу, по щеке и волосам была размазана кровь. На светлых волосах Арсения кровь смотрелась особенно ярко – даже при свете лучины.

Только бровь рассечена, ничего страшного. Христофор помог Арсению встать. Сейчас заклеим подорожником.

Подожди, остановил его Арсений. Посмотри, что с волком.

Волк лежал в луже крови. Не двигался. Христофор разомкнул ему пасть и вынул оттуда что-то страшное. Не показывая Арсению, вынес это из избы. Когда Христофор вернулся, у волка дрогнул хвост.

Жив, обрадовался Арсений.

Жив ли? Христофор, сопя, осматривал волка. Прочной жизни я в нем не вижу. Только кратковременные признаки.

Волк мелко дрожал, голова его лежала на лапах.

Спаси его, дедушка.

Христофор взял нож и срезал шерсть вокруг ран. Нагрев смесь целебных масел, осторожно нанес на рассеченную плоть. Волк дрогнул, но головы не поднял. Остриженные части волчьего тела Христофор присыпал толчеными листьями дуба. Прикрыл согретыми после ледника кусками ветчины и стал обматывать холстиной. Арсений приподнимал волка, а Христофор пропускал под ним холстину. Волк не сопротивлялся. Никогда еще тело его не было так податливо. В мышцах больше не было упругости. Глаза были открыты, но в них не отражалось ничего, кроме мучения.

Арсений растопил печь, а Христофор принес из сарая соломы. Они аккуратно сложили солому у печи и перенесли на нее волка. Волк смотрел на огонь не мигая. Огонь больше не доставлял ему беспокойства.

Арсений почувствовал, что сил у него больше не осталось. Он сел на лавку и уперся в нее руками. Последнее, что запомнил, было успокоительное прикосновение Христофора, подложившего ему под голову подушку.

Когда утром они проснулись, волка в избе не было. Кровавый след тянулся от печи к двери, оттуда – во двор. Терялся в скользкой подгнивающей листве на дороге.

Он не мог далеко уйти, и мы его найдем. Арсений посмотрел на Христофора. Почему ты молчишь?

Он ушел умирать, сказал Христофор. Так свойственно животным.

По настоянию Арсения они отправились на поиски волка. Они не знали, где искать, и отправились туда, где когда-то его встретили. Но волка там не было. Они ходили и по другим знакомым волку местам, но не нашли его. Короткий осенний день клонился к закату.

Уже в полумраке они увидели приходившего накануне. Он улыбался им отвалившейся челюстью и гостеприимно распахивал объятия. В этих объятиях не было естественности. В широко разбросанных руках застыли остатки агонии. Безнадежное стремление подняться. Арсений старался не видеть страшного месива на месте левой руки, но взгляд неумолимо возвращался именно туда, где ниже плеча белела кость. Поврежденная волком рука была уже объедена. Не приходилось сомневаться, что их появление прервало чей-то ужин. Когда Христофор вплотную подошел к покойному, Арсения вырвало.

Теперь будет легче, сказал Христофор.

Почти до самого дома они не разговаривали. Когда уже подходили к кладбищу, Арсений сказал:

Не знаю, как волк уходил в этой холстине. Это ведь было так тяжело.

Тяжело, подтвердил Христофор.

Арсений уткнулся Христофору в грудь и зарыдал. С рыданиями выходили его слова. Они двигались толчками, отрывисто и громко. Нарушая безмолвие кладбища.

Почему он ушел умирать? Почему не умер среди нас, его любивших?

Шершавым прикосновением Христофор вытер слезы Арсения. Поцеловал в лоб.

Так он предупреждал нас, что в последнюю минуту каждый остается наедине с Богом.

Ѳ

На Покров Христофор решил причаститься в Кирилловом монастыре. О поездке договорился с посещавшими его слободскими. В ночь перед Покровом за Христофором и Арсением заехала телега. На ней сидело еще четыре человека, отправлявшихся к празднику в монастырь. Они поздоровались, и из уст их изошло четыре струйки пара. Больше за всю дорогу они не произнесли ни звука, храня слова для грядущей исповеди. Эхом их безмолвия по мерзлой земле звенели копыта. Под ободами колес хрустел наст. Мороз ударил накануне, и грязь смерзлась бороздами и комками, превратив дорогу в стиральную доску. Арсений слышал постукивание своих зубов. Чтобы не прикусить язык, он старался покрепче сжимать челюсти. Сам не заметил, как заснул.

Проснулся оттого, что телега остановилась. Рваные края облаков подсвечивались луной. Несшиеся сквозь облака кресты рассекали их на части. Глядя на темные громады куполов, Арсений подумал, что больше нигде не видел таких высоких зданий. В ночной тьме они выглядели еще значительнее и таинственнее, чем днем. Это был Дом Божий. Светом сотен свечей он сиял изнутри.

Первым делом приехавшие поклонились святому Кириллу, исчислявшему двадцать восемь лет со дня умертвия. И восемь лет со дня прославления. Поставив свечи у раки преподобного, Христофор и Арсений отступили в полумрак. Оттуда они слушали окончание всенощного бдения. Оттуда видели, как на середину храма вышел старец Никандр и начал готовить пришедших к исповеди.

Произнеся молитвы, старец достал из подрясника маленькую – в осьмушку – тетрадь, озаглавленную *Грехи средней тяжести, присущие мирянам и духовным*. Мелкие грехи в тетрадь не попадали, поскольку не считались достойными произнесения вслух. (Кайтесь в них про себя, учил он паству, и не морочьте мне этим голову. За такой дребеденью вы можете не дойти до главного!) Тяжких же грехов старец не записывал, опасаясь их увековечения. Он просил сообщать их ему на ухо и в этом ухе погребал навеки.

В списке грехов средней тяжести было опоздание на церковную службу или – наоборот – преждевременный уход со службы. Во время оной – разговоры, блуждание по храму, мысли о постороннем. Недолжное соблюдение поста, смех до слез, ругань, празднословие, подмигивание, пляски со скоморохами, обмер и обвес покупателя, кража сена, плевок в лицо, удар ножнами, распускание сплетен, осуждение монаха, чревоугодие, пьянство, подглядывание за купающимися. Арсений чувствовал, как его глаза вновь слипаются, а список старца Никандра был только в самом начале.

Под утро, когда перешли к личной исповеди, Арсению и Христофору почти уже нечего было добавить. Жизненных ситуаций, не предусмотренных старцем Никандром, было, как выяснилось, на удивление мало. Исповедовавшись, Христофор помедлил и заглянул старцу в глаза.

Что ты хочешь прочесть в моих глазах, спросил старец.

То ты и сам, отче, ведаеши.

Скажу тебе лишь, что счет идет не на годы. И даже не на месяцы. Прими эту информацию спокойно, без соплей, как то и подобает истинному христианину.

Христофор кивнул. Он видел, как в другом конце храма утомленный Арсений присел на корточки у столпа. Из то и дело открывавшихся дверей врывался ветер, и над головой мальчика покачивалось паникадило. Пламя свечей трепетало, вытягивалось, но не гасло. По влажности ветра Христофор понимал, что к исходу ночи потеплело. Он слышал крики далеких петухов, но за стенами храма по-прежнему зияла темнота, нарезанная аккуратными ромбами оконной решетки.

Ꚍ

Вернувшись из монастыря, Христофор внимательно осмотрел дом. Через два дня из слободки по его заказу привезли бревен и досок. Подпирая каркас крыши брусом, Христофор и Арсений поменяли верхние венцы, прогнившие от дождя и теплых испарений. Христофор проверил стыки между бревнами сруба и во многих местах заново законопатил щели льном и мхом. Потом он заменил прохудившиеся доски пола на новые. Помимо запаха трав по избе распространился аромат свежеструганого дерева. В работе Христофора Арсений чувствовал спешку, но помогал деду, ни о чем не спрашивая.

Когда сгущались сумерки, Христофор экзаменовал Арсения на предмет знания трав. В необходимых случаях поправлял или дополнял его ответы, но таких случаев было мало. Все рассказанное ему когда-либо Арсений помнил превосходно.

В иные вечера Христофор просматривал имевшиеся книги и грамоты. Что-то он пролистывал быстро, на некоторых же листах останавливался и читал их, словно в раздумье. Шевелил губами. Иногда отрывался от листа и подолгу смотрел на лучину. Арсения это удивляло, потому что в доме все обычно читалось вслух.

Что убо чтеши, Христофоре?

Книги Авраамовы не от Священных Писаний.

Чти же в голос, да и аз послушаю.

И Христофор читал. По-стариковски отодвигая рукопись подальше от глаз, он читал о том, как Господь послал к Аврааму архангела Михаила.

Господь рече:

Глаголи Аврааму, яко пришло ему время изыти из жизни сея.

Архангел Михаил отправлялся к Аврааму и снова возвращался.

Это непросто, говорил он, сообщить о смерти Аврааму, другу Божию.

И тогда все открылось во сне Исааку, сыну Авраама. И среди ночи встал Исаак, и стал стучаться в комнату к отцу, говоря:

Отопри мне, отец, потому что я хочу увидеть, что ты еще здесь.

Когда же открыл двери Авраам, Исаак бросился к нему на шею, плача и лобзая его. Архангел же Михаил, который ночевал в доме Авраамовом, увидел их плачущими и плакал с ними, и были его слезы, как камни. Плакал и Христофор. Плакал Арсений, глядя, как в каплях Христофоровых слез на листе становятся яркими чернила.

И повелел Господь архангелу Михаилу украсить Смерть, идущую к Аврааму, красотою великою. И увидел Авраам, как Смерть приступает к нему, и убоялся весьма, и сказал Смерти:

Молю тя, поведай ми, кто еси? И прошу, отойди от меня, ибо как увидел тебя, пришла душа моя в смятение. Не могу вынести твоей славы и вижу, что красота твоя не от мира сего.

По ночам, когда мальчик уже спал, Христофор писал на бересте о тех свойствах трав, которые по малолетству внука прежде не раскрывались им в полной мере. Он писал о травах, дающих забытье, и о травах, движущих постельные помыслы. Об укропе, которым присыпают геморрой, о траве *чернобыль* против колдовства, о толченом луке от укуса кота. О траве *попугай*, что растет по низким землям (носити при себе тамо, идеже хощеши просити денег или хлеба; аще у мужеска пола просиши, положи по правую сторону пазухи, аще у женска – по левую; коли же скоморохи играют, кинь им ту траву под ноги, они и передерутся). Для отгнания соблазна и блудных мечтаний пить отвар *лаванды*. Для проверки девственности – воду, в которой три дня лежал агат: выпив агатовой воды, потерявшая девственность ту воду в себе не удержит. Бирюза, если носить ее с собой, предохраняет от убийства, потому что никогда еще этого камня не видели на убитом человеке. Камень из желудка петуха возвращает отобранные неприятелем государства. Кто носит на себе магнит, нравится женщинам. Злато терто и внутрь приято исцеляет тех, кои сами с собою глаголют, и сами ся спрашивают, и сами отвещают, и во уныние впадают. Легкое вепря иссушить, растереть и развести в воде. Кто эту воду выпьет, не будет пьян на пиру. Все.

Декабрьским утром 1455 года Христофор, вопреки обыкновению, не покинул постели. Он приподнялся и сел на ней, но двигаться дальше сил у него не было. Пришедшим к нему по некой надобности Христофор сказал:

Не глагольте ми мирская, яко боле не имам части с живыми. Расслабишася ми уды, и не возвещает се ничтоже, разве скорыя смерти и Суда Страшного Спасова будущаго века.

И пришедшие ушли.

Ближе к полудню Арсений помог Христофору выйти по нужде. Только тут он понял, что старик уже почти не мог ходить. Забросив руку Христофора себе на плечо, Арсений тащил его через двор. Ноги Христофора бессильно волочились. По старой привычке ходить они все еще двигались поочередно. Загребали свежевыпавший снег. По возвращении в избу Арсений спросил:

Что тебе дать, дедушка?

Дай отдышаться, чадо. Христофор сидел, сгорбившись, на краю постели. На лбу его выступила испарина. Дай отдышаться.

Ляг, дедушка.

Аще лягу, в той же час умру.

Не умирай, дедушка, потому что я останусь на свете один.

Сего ради, чадо, объя мя страх смертный. Разрывается сердце мое, и тяжко мне тебя оставлять, но возложу, по пророку, свою печаль на Господа. Отныне Он будет тебе дедушкой. Се аз отхожу света сего, Арсение. Лечи людей травами, тем и прокормишься. А лучше иди в монастырь, буди тамо свещою Господеви. Послушаешь меня?

Не умирай, дедушка. Не умирай... Арсений вдохнул и захлебнулся.

Так что же мне делать, крикнул из последних сил Христофор, если я умру, как только лягу?

Я тебя буду подпирать, дедушка.

Три дня и две ночи Христофор сидел на постели, спустив одну ногу на пол и протянув вторую вдоль лавки. Сидячее положение ему помогал сохранять Арсений. Своей спиной он подпирал спину деда и прижатым к деду сердцем выравнивал его сердцебиение. Восстанавливал участившееся дыхание. Мальчик отлучался всего несколько раз – выпить глоток воды и сходить по нужде. На третий день из монастыря приехал старец Никандр и велел Арсению выйти из избы. Просидел он с Христофором довольно долго. Уходя, посмотрел, как Арсений подпирает Христофора. Сказал:

Отпусти его, Арсение. Он ведь из-за тебя уйти не отваживается.

Но Арсений только крепче уперся спиной в спину деда.

Бодрствуй с ним до полуночи, сказал старец, а потом отпусти.

Около полуночи Арсению показалось, что Христофору стало легче. И что дышит он уже не так тяжко. Арсений видел улыбку деда, удивляясь, что может видеть ее спиной. С облегчением следил за тем, как дед прошелся по комнате и коснулся висящего в углу бессмертника. Все развешанные под потолком травы от этого закачались. Закачался и сам потолок. Погладив спящего мальчика по щеке, Христофор сказал Господу:

В руце Твои предаю дух мой, Ты же мя помилуй и живот вечный даруй ми. Аминь.

Перекрестился, лег рядом с внуком и закрыл глаза.

Проснулся Арсений рано утром. Посмотрел на лежащего рядом Христофора. Вдохнул весь доступный в избе воздух и закричал. Услышав крик в монастыре, старец Никандр сказал Арсению:

Не надо так громко кричать, ибо кончина его была мирной.

Услышав крик в слободке, люди отложили житейское попечение и двинулись в сторону Христофорова дома. Память о добрых делах Христофора хранили их излеченные тела.

И начался первый день без Христофора, и первую половину этого дня Арсений проплакал. Он смотрел на приходивших слободских, но слезы размывали их лица. Обессиленный горем, во второй половине дня Арсений заснул.

Когда он проснулся, была уже ночь. Он вспомнил, что Христофора больше нет, и снова заплакал. Христофор лежал на лавке, а в головах его стояла свеча. Другая свеча освещала Вечную Книгу, лежавшую прежде на полке. Свечу держал старец Никандр. Он стоял спиной к Христофору с Арсением и глухим голосом зачитывал Книгу иконам.

Вот, почитай, сказал не оборачиваясь старец, а я посплю немного. И будь другом, перестань уже, пожалуйста, реветь.

Арсений принял из рук старца свечу и встал перед Книгой. Краем глаза видел, как, слегка подвинув Христофора, старец устроился рядом с ним на лавке. Строки псалмов все еще плыли перед глазами, а голос не слушался. Арсений прочистил горло и начал читать. На аспида и василиска наступиши и попереши льва и змия. Арсений читал и думал о том, что эти поступки, возможно, предназначалось совершить Христофору. Арсений обернулся к старцу Никандру.

Кто сей василиск?

Но старец спал. Он лежал плечо в плечо с Христофором, и руки обоих были сложены на груди. Их носы тускло поблескивали в свете свечи. Оба были одинаково неподвижны, и оба как бы мертвы. Арсений, однако же, знал, что мертв из них был только Христофор. Временное омертвение Никандра было проявлением солидарности. Чтобы поддержать Христофора, он решил проделать с ним первые шаги в смерть. Потому что первые шаги – самые трудные.

$\overline{аї}$

Похороны Христофора состоялись на следующий день. Когда могилу забросали землей, старец Никандр сказал:

Проводивший дни жизни своей в доме у кладбища, дни своей смерти он будет проводить на кладбище у дома. Убежден, что подобная симметрия покойным только приветствуется.

Кладбище было тихим. Со времени последнего мора оно посещалось редко, потому что те, что ходили туда прежде, теперь пребывали в местах иных. С переселением Христофора на кладбище покой его стал всеобъемлющ.

После похорон благодарные жители слободки звали Арсения переселиться к ним, но Арсений отказался.

Память о Христофоре, сказал он, должна храниться по месту его последнего жительства, которое он по мере сил обустроил. Здесь каждая стена, сказал, бережет тепло его взгляда и шершавость его прикосновения. Как же, спрашивается, я могу отсюда уйти?

Его не отговаривали. В известном смысле всем было легче оттого, что он остается в Христофоровом доме. Знакомое и привычное обиталище лекаря таким образом сохранялось. Продолжая выдавать необходимые снадобья из Христофорова дома, Арсений и сам в глазах людей незаметно становился Христофором. И даже путь, который слободским приходилось проделывать для получения лекарства, окупался твердым осознанием того, что все продолжает оставаться на своих местах.

Это осознание сразу упростило отношения между врачом и его пациентами. И мужчины, и женщины раздевались перед Арсением с той же легкостью, с какой прежде раздевались перед Христофором. Порой Арсению казалось, что женщины это делали даже легче, чем мужчины, и тогда он испытывал неловкость. Первое время касался их плоти кончиками пальцев, но уже вскоре – поскольку речь все-таки шла о больной плоти – без волнения клал на нее всю ладонь, а если требовалось, сжимал и мял.

Умение возлагать руку, облегчать возложением руки боль в какой-то мере определило первое прозвище Арсения – Рукинец. В сущности, это прозвище было для его краев типичным. Так чужие называли рукинских слобожан. Люди, приходившие издалека, Рукинцем именовали и Христофора.

Для жителей слободки это прозвище не имело смысла, поскольку все они были рукинцами. Иначе сложилось с Арсением. Даже внутри самой слободки его стали определять как Рукинца. Это воспринималось как своего рода выдача почетного гражданства, как именование любимого им Александра – Македонцем. Когда же слава об удивительных руках Арсения дошла до земель, где о Рукиной слободке никогда не слышали (а таких было большинство), прозвище опять потеряло свой смысл. И тогда Арсения стали называть Врачом.

Пухлые детские ладони у подростка Арсения обрели благородные контуры. Пальцы вытянулись, чуть выступили суставы, а под кожей напряглись прежде невидимые жилы. Движения рук стали плавны, жесты – выразительны. Это были руки музыканта, которому достался в дар самый удивительный из инструментов – человеческое тело.

Прикасаясь к телу больного, руки Арсения теряли материальность, они словно струились. В них было что-то родниковое, остужающее. Приходившие к Арсению в его ранние годы затруднились бы сказать, целебны ли его прикосновения, но уже тогда были убеждены, что эти прикосновения приятны. Привыкшие к тому, что лечению обычно сопутствует боль, в глубине души эти люди, возможно, испытывали сомнения в полезности приятных врачебных действий. Это, однако, их не останавливало. Во-первых, Арсений лечил теми же средствами, какими прежде лечил Христофор, и откровенных неудач у него было не больше. Во-вторых (и это, вероятно, было главным), особого выбора у слободских попросту не было. В этих обстоятельствах приятное лечение можно было со спокойной совестью предпочесть неприятному.

Что касается Арсения, то встречи с людьми были для него также важны. Помимо мелких денег больные несли ему хлеб, мед, молоко, сыр, горох, сушеное мясо и многое другое, что позволяло не задумываться о еде. Но дело было не только и не столько в том, что они обеспечивали Арсению пропитание. Речь в первую очередь шла об общении, от которого Арсению становилось легче.

Получив необходимую помощь, больные не уходили. Они рассказывали Арсению о свадьбах, похоронах, постройках, пожарах, оброках и видах на урожай. О приезжавших в слободку и о путешествиях слободских. О Москве и Новгороде. О белозерских князьях. О китайском шелке. Они ловили себя на том, что прерывать беседу с Арсением им не хотелось.

Со смертью Христофора оказалось вдруг, что другого общения у Арсения, в сущности, не было. Христофор был его единственным родственником, собеседником и другом. В течение многих лет Христофор занимал собой всю его жизнь. Смерть Христофора превратила жизнь Арсения в пустоту. Жизнь вроде бы оставалась, но наполнения уже не имела. Став полой, жизнь настолько потеряла в весе, что Арсений не удивился бы, если порывом ветра ее унесло в заоблачные выси и, возможно, тем самым приблизило бы к Христофору. Иногда Арсению казалось, что именно этого он и хотел.

Единственным связующим звеном с жизнью были для Арсения приходившие люди. Их появлению Арсений, несомненно, радовался. Но радовали не посещения сами по себе и даже не возможность поговорить. Арсений знал, что больные в нем по-прежнему видят Христофора, так что их приход всякий раз был как бы продлением жизни деда. Закрывая возникшую пустоту, Арсений и сам понемногу начинал чувствовать себя Христофором, и это тождество молчаливо удостоверялось приходившими.

Несмотря на то, что это общение Арсений ценил, со своими посетителями он был немногословен. Так получалось, возможно, потому, что все его слова уходили на беседы с Христофором. Эти беседы занимали бо́льшую часть дня и проходили по-разному.

Поднявшись утром с постели, Арсений первым делом шел на кладбище. Понятно, что слово *шел* несет в себе преувеличение: чтобы попасть на кладбище, следовало лишь выйти за ограду дома. Это была общая для дома и кладбища ограда, в которой с незапамятных времен существовала калитка. Рядом с калиткой и был похоронен Христофор. Не желая посмертного удаления от дома, место упокоения он наметил еще при жизни – и теперь в этом не раскаивался. Он не только знал все происходившее в доме, но почти был в нем. Почти – потому что, помня об относительности смерти, Христофор отдавал себе отчет и в том, что живым и мертвым предназначено раздельное пребывание.

У холма из смерзшихся комьев земли слободским плотником была сколочена лавка. Каждое утро Арсений сидел на лавке и беседовал с лежавшим под холмом Христофором. Он рассказывал ему о посетителях и об их болезнях. О сказанных ему словах, настоянных им травах, толченных им корнях, движении облаков, направлении ветра – словом, обо всем, в чем Христофору ныне трудно было ориентироваться самостоятельно.

Самым тяжелым временем для Арсения был вечер. К отсутствию Христофора у печи привыкнуть не получалось. Мерцание огня на его броватстом и морщинистом лице казалось чем-то изначальным, древним, как сам огонь. Это мерцание было свойством огня, неотделимой принадлежностью печи, тем, что, по сути, не имело права на исчезновение.

То, что произошло с Христофором, не было отсутствием ушедшего в неизвестность. Это было отсутствие лежавшего рядом. В морозы Арсений набрасывал на холм кожух из овчины. Он, безусловно, знал, что в нынешнем своем состоянии Христофор к холоду нечувствителен, но при мысли о необогретом лежании деда жизнь в натопленном доме становилась невыносимой. Единственным, что спасало вечерами, было чтение Христофоровых грамот.

Соломон рече: лучше жити в земли пусте, неже жити с женою сварливою, и язычною, и гневливою; Филон сказал: справедливый человек не тот, кто не обидит, а тот, кто мог бы обидеть, но не захотел; Сократ увидел друга своего, спешащего к художникам, чтобы выбили на камне его изображение, и сказал ему: ты спешишь камень себе уподобить, почему же не заботишься о том, чтобы самому не уподобиться камню; царь Филипп приставил некоего судить с судьями, когда же стало ему известно, что тот краской красит волосы и бороду, он отстранил его от судейства, сказав: аще власом своим неверен еси, то како людем и суду верен можеши быти; Соломон рече: трие ми суть невозможни уразумети, и четвертаго не вем: следа орла, паряща по воздуху, и пути змия, ползуща по камени, и стези корабля, пловуща по морю, и путий мужа в юности его. Этого не понимал Соломон. Этого не понимал Христофор. Как показала жизнь, этого не понимал и Арсений.

в҃і

В конце февраля запахло весной. Снег еще не таял, но приближение северной весны было очевидно. Крики птиц стали по-весеннему пронзительны, а воздух наполнился незимней мягкостью. Озарился светом, которого в этих краях не видели с конца осени.

Когда ты умирал, сказал Арсений Христофору, в природе было уже темно. А сейчас – опять светло, и я плáчу о том, что ты этого не видишь. Если говорить о главном, то небеса поднялись и стали голубыми. Происходят еще кое-какие изменения, о которых я буду тебе сообщать по мере их развития. В сущности, некоторые вещи я могу описать уже сейчас.

Арсений хотел было продолжить, но что-то его остановило. Это был взгляд. Он чувствовал его, еще не видя. Взгляд не был тяжелым, скорее – голодным. В большой степени – несчастным. Он мерцал из-за дальних надгробных камней. Проследив за его направлением, Арсений увидел платок и рыжую прядь.

Кто ты, спросил Арсений.

Я Устина. Она поднялась с корточек и с минуту молча смотрела на Арсения. Я есть хочу.

От Устины веяло неблагополучием. Ее одежда была в грязи.

Заходи. Арсений показал ей на избу.

Не могу, ответила Устина. Я из тех мест, где мор. Вынеси мне чего-нибудь поесть и оставь. Ты уйдешь – я подберу.

Заходи, сказал Арсений. Иначе замерзнешь.

По щекам Устины прокатилось несколько крупных слезинок. Они были видны издалека, и Арсений удивился их величине.

Вчера меня не пустили в слободку. Сказали, что я несу с собой мор. Разве ты не боишься мора?

Арсений пожал плечами.

У меня дедушка умер, я теперь мало чего боюсь. На все воля Божья.

Устина входила, не поднимая глаз. Когда сняла свой рваный тулуп, стало понятно, что делает это впервые за много дней. По избе распространился запах немытого тела. Молодого женского тела. Несвежесть запаха только усиливала его молодость и женственность, заключала в себе предельное сосредоточение того и другого. Арсений почувствовал волнение.

Лицо и руки Устины были в ссадинах. Арсений знал, что от бессменного ношения одежды на теле также бывают язвы. Телу нужно было вернуть чистоту. Он поставил в печь большой глиняный горшок с водой. В то давнее время ничто не варилось *на* огне: варилось *сбоку* от огня. Так была задумана печь.

Устина сидела в углу, сложив руки на коленях. Рассматривала пол, где лежало присыпанное сажей сено. Ее одежда казалась продолжением этого сена – черная и свалявшаяся. И была не одеждой даже – чем-то, не для человека предназначенным.

Когда на поверхности воды начали собираться мелкие пузырьки, Арсений взял самый большой ухват и осторожно (кончик языка на губе) вытащил горшок из огня. Поставив в центре комнаты кадушку, налил в нее холодной воды. Затем горячей из горшка. Добавил щелока из травы *Енох*, смешанной с кленовым листом. Рядом поставил кувшин с прохладной водой для ополаскивания.

Измыйся, аще хощеши.

Он вышел в соседнюю холодную комнату и закрыл за собой дверь. Устина шуршала своими тряпками. Арсений услышал, как она осторожно ступила в кадушку и черпаком коснулась ее стенки. Услышал шум воды. Шум в собственной голове. Прислонился спиной к заиндевевшей стене и почувствовал облегчение. Протяжно выдохнув, наблюдал, как медленно растворяется в воздухе пар.

Во что ми облещися, спросила из-за двери Устина.

Арсений задумался. В его с Христофором доме не было ничего женского. Одежду умершей Христофоровой жены донашивала мать Арсения, но после мора все это пришлось сжечь. Отвернувшись от Устины, Арсений вошел в комнату и открыл сундук. Часть лежавших сверху вещей отложил на откинутую крышку. Нашел то, что искал. Все так же, не глядя на Устину, протянул ей свою красную рубаху. Покраснел и сам. Как все светловолосые люди, он легко краснел.

Устина продела руки в рукава, и полотно мягко легло на ее плечи. Одежда, что ранее носил Арсений, теперь обнимала такое непохожее тело. В этом заключалось странное их соединение. Арсений не знал, чувствовалось ли оно обоими в равной степени.

Рубаха оказалась Устине длинна, и она закатала рукава. В открытом сундуке увидела кусок льняного полотна.

Можно?

Конечно.

Поверх рубахи она обернула полотно вокруг талии и бедер. Получилась понева. Обвязалась найденной в сундуке веревкой. Посмотрела на Арсения. Он кивнул и почувствовал, как нахлы-

нувшая нежность отразилась в его взгляде. Он
опустил глаза и снова покраснел. От сочувствия
к худой рыжей девушке, надевшей его рубаху, к горлу Арсения подкатил ком. Он подумал, что так
страстно не жалел еще никого.

Да, забыл. Если имеешь язвы на теле своем, по-
кажи мне.

Устина отвела ворот рубахи и показала ему язву на шее. Поколебавшись, расстегнула пуговицу
и показала еще одну язву в подмышке. Арсений
вдохнул аромат ее кожи. Ранки были небольшими, но влажными. Арсений знал, что их нужно
подсушить. Подойдя к полке со множеством завя-
занных тряпками горшочков, на минуту задумался. Нашел горшочек с пережженной ивовой ко-
рой. Высыпал немного на чистый лоскут и смо-
чил уксусом. Поочередно приложил к язвам.
Устина прикусила губу.

Потерпи, пожалуйста. Имеешь ли еще язвы?

Имею, но не могу показать.

Арсений протянул ей лоскут.

На, помажь сама, я не буду смотреть. Он отвернулся к печи.

У печи лежали лохмотья Устины, и их близость
к огню решила дело. Не говоря ни слова, Арсений
бросил их в печь. Это было естественное движение, и он его сделал. Но был в этом и знак беспо-
воротности. Как в какой-то сказке, слышанной им
от Христофора. Глядя, как ветхую одежду охватывает пламя, Арсений подумал, что его рубаху Устина будет теперь носить постоянно. Еще подумал,
что она в сущности его ровесница.

Он дал Устине хлеба с квасом и ощутил на руке
прикосновение ее губ.

Пока есть только это, сказал Арсений, отдергивая руку.

Он хотел что-то еще добавить, но почувствовал, что голос его не слушается.

Горячей пищи в доме не было, потому что Арсений ничего не варил. В свое время Христофор научил его готовить простые блюда, но с уходом деда – так казалось Арсению – в этом больше не было смысла. Устина старалась есть не торопясь, но это ей плохо удавалось. Она отламывала от краюхи небольшие кусочки и медленно клала их в рот. Проглатывала же, почти не жуя. Арсений наблюдал за Устиной и чувствовал ее поцелуй на своей руке.

Из мешка он отсыпал цельного зерна овса, очищенного от шелухи. Залил водой и поставил распариваться в печи. На ужин он решил угостить Устину кашей.

В нашей деревне все умерли, сказала Устина, осталась только я. И страшусь часа смертного. А ты страшишься?

Арсений не ответил.

Устина вдруг запела неожиданно сильным высоким голосом:

Душа с белым телом распрощается,
прости, мое тело белое (*набрала воздуха*),
тебе, тело, идти во сырую землю,
сырой земле на предание (*на горле набухла вена*),
лютым червям на съедение.

Замолчав, Устина спокойно смотрела на него. Как будто и не пела. Не отводила глаз. Высыхающие, еще не заплетенные в косу волосы пушисто светились вокруг головы. Власи твои, яко стада коз, яже взыдоша от Галаада. В те забытые времена волосы волновали больше, чем сейчас, потому что обычно были скрыты. Они были деталью почти интимной.

Глядя на Устину, Арсений не опускал глаз. Он удивлялся, что им нетрудно выдерживать взгляды друг друга. Что протянувшаяся между ними нить выше чувства неловкости. Любовался рыжим свечением. Тем, как на ключице поднималась и опускалась в такт дыханию льняная веревка креста. Это было единственным, что на Устине оставалось своего.

Вечером они ели кашу, которую Арсений заправил льняным маслом. Держа глиняные миски на коленях, сидели у очага. Последний раз он сидел так с Христофором. Арсений незаметно наблюдал за игрой света на ее волосах, соприродных пламени. Теперь они были заплетены в косу и выглядели совсем по-другому. Поднося деревянную (вырезал Христофор) ложку ко рту, Устина забавно вытягивала губы. Это было как поцелуй. Поцелуй Христофору. Арсений помнил, как вырезались эти ложки: тоже зимой, тоже у печи. Когда он в очередной раз посмотрел на Устину, та спала.

Он осторожно взял из ее рук миску и ложку. Устина не проснулась. Она продолжала сидеть ровно и тревожно, словно и во сне преодолевала какой-то нелегкий, одной ей ведомый путь. Арсений постелил Устине на лавке. Стараясь не разбудить, потихоньку поднял со стула и удивился ее легкости. Ее голова откинулась на руку Арсения. Чтобы поддержать голову, он выставил локоть. Сквозь прозрачную кожу Устины он видел вены на висках. Чувствовал аромат ее губ. Яко вервь червлена, устне твои. Прижался щекой к ее лбу. Потихоньку положил ее на лавку и укрыл кожухом.

Арсений сидел у изголовья и смотрел на Устину. Сначала сидел, сложив руки на груди, затем – упершись в подбородок ладонью. Иногда по лицу Устины проходила легкая судорога. Иногда она вскрикивала. Арсений проводил ей по лицу ладонью, и она успокаивалась.

Спи, спи, Устина, шептал Арсений.

И Устина спала. Холстина под ней сбилась в складки. Ее щека касалась дерева лавки. Арсений осторожно приподнял ее голову, чтобы расправить складки. Не просыпаясь, Устина взяла ладонь Арсения и подложила под щеку. Ему пришлось согнуться и поддерживать правую руку левой. Через несколько минут Арсений почувствовал боль в спине и в руках, но это было ему приятно. Ему казалось, что своим легким страданием он снимает часть груза с Устины. Он сам не заметил, как задремал.

Проснулся от щекочущего движения ресниц по его ладони. Устина лежала с открытыми глазами. В них мерцало отражение печных угольев. Ладонь Арсения была мокра от ее слез. Он коснулся губами век Устины и ощутил их солоноватость. Устина подвинулась, как бы освобождая ему место:

Мне стало страшно в темноте.

Он сел рядом с ней на краешек лавки, и она положила голову ему на колени.

Пребуди со мною, Арсение, до сна моего.

Сквозь одежду он чувствовал ее теплое дыхание, исходившее со словами.

Аз пребуду с тобою до сна твоего.

У меня кроме тебя никого нет. Я хочу крепко обнять тебя и не отпускать.

Я тоже хочу тебя обнять, потому что мне страшно одному.

Тогда ляг рядом.

Он лег. Они обнялись и лежали так долго. Он потерял счет времени. Он дрожал мелкой дрожью, хотя был весь в поту. И его пот смешался с ее по́том. А затем его плоть вошла в ее плоть. Наутро же они увидели, что холстина стала алой.

ГІ

У Арсения началась другая жизнь – полная любви и страха. Любви к Устине и страха, что она исчезнет так же внезапно, как пришла. Он не знал, чего именно боялся – урагана ли, молнии, пожара или недоброго взгляда. Может быть, всего вместе. Устина не отделялась от его любви к ней. Устина была любовью, а любовь – Устиной. Он нес ее, будто свечу в темном лесу. Он страшился того, что тысячи жадных ночных существ слетятся на это пламя и погасят его своими крыльями.

Он мог любоваться Устиной часами. Брал ее руку и, медленно поднимая рукав, ощущал губами едва заметные золотые волоски. Клал голову ей на колени и кончиком пальца водил по призрачной линии между шеей и подбородком. Пробовал языком ее ресницы. Осторожно снимал с ее головы плат и распускал волосы. Заплетал их в косу. Снова расплетал и медленно вел по ним гребнем. Представлял, что волосы были озером, а гребень – ладьей. Скользя по золотому озеру, видел в этом гребне себя. Чувствовал, что тонет, и больше всего боялся спасения.

Устину он никому не показывал. Услышав стук в дверь, набрасывал на Устину Христофоров кожух и отправлял в смежную комнату. Бросал взгляд на лавки в поисках вещей, способных выдать Устину. Но таких вещей не было. В хозяйстве Христофора и Арсения вообще не было ничего женского. Убедившись, что дверь за Устиной плотно закрылась, он открывал дверь входную.

Устина беззвучно сидела в соседней комнате, а Арсений осматривал пациентов. Его приемы стали более краткими, и посетители это отметили. Арсений больше не поддерживал бесед. Не произнося лишних слов, он осматривал и ощупывал больную плоть. Сосредоточенно выслушивал жалобы и давал предписания. Принимал посильную плату. Когда все медицинские слова были сказаны, выжидающе смотрел на гостя. Связывая это с возросшей занятостью врача, пациенты относились к нему с еще бóльшим уважением.

Об Устине никто не знал. Во дворе она почти не показывалась, а снаружи сквозь маленькие окна, затянутые бычьим пузырем, ничего не было видно. Строго говоря, сквозь них ничего не было видно и изнутри. Так что даже если бы кто-нибудь решил заглянуть в окно Арсения, он узнал бы немногое. Но никто ведь и не заглядывал.

Однажды во время приема страдавшего мужским бессилием Устина за стеной чихнула. Негромко, но – чихнула, поскольку помещение было все-таки холодным. Пациент вопросительно посмотрел на Арсения и спросил, что это за шум. Арсений ответил непонимающим взглядом. Предложил пришедшему не отвлекаться от его проблемы, иначе он никогда с ней не справится.

Никогда, подчеркнул Арсений и посоветовал есть побольше моркови.

Провожая гостя, хозяин ступал нарочито громко, но Устина больше не чихала. Когда она наконец вошла, Арсений попросил ее чихать во внутреннюю часть кожуха, потому что мех заглушает звуки.

Обычно я так и делала, сказала Устина. В этот же раз все произошло внезапно, и я просто не успела укрыться кожухом.

В общении Арсения с посетителями появилась некая рассеянность. Все заметнее становилось, что мыслями Арсений был в местах иных. Знай его посетители об Устине, они поместили бы эти мысли в соседней комнате. И были бы не вполне правы.

Арсений не просто думал об Устине. Мало-помалу он погружался в особый завершенный мир, из него и Устины состоявший. В этом мире он был отцом Устины и ее сыном. Был другом, братом, но главное – мужем. Все эти обязанности сиротство Устины оставляло свободными. И он в них вступил. Его собственное сиротство предполагало такие же обязанности для Устины. Круг замыкался: они становились друг для друга всем. Совершенство этого круга делало для Арсения невозможным чье-либо иное присутствие. Это были две половины целого, и любое прибавление казалось Арсению не просто избыточным – недопустимым. Даже минутное и ни к чему не обязывающее.

Совершенство союза виделось Арсению и в том, что их уединенность не тяготила Устину. Ему казалось, что причину и смысл такого хода жизни она видела с той же пронзительностью, что и он. А если даже и не видела, то просто-напросто бесконечно устала от скитаний и постоянное его присутствие воспринимала как незаслуженное счастье.

По вечерам они читали. Чтобы не вставать то и дело для смены лучин, использовали масляный светильник. Он горел тускло, но ровно. Читал Арсений, потому что Устина не владела грамотой.

Благодаря Арсению она впервые услышала о предсказании Антифонта Александру. Владыка всего мира, сказал Антифонт, умрет на железной земле под костяным небом. И когда Александр оказался в медной земле, его охватил страх. Этот страх мерцал из полумрака в глазах Устины. И повелел Александр своим воинам изучить состав земли. Они же, изучив состав земли, нашли в ней одну лишь медь без железа. Александр, имея душу крепче железа, приказал продолжать двигаться вперед. И они шли по медной земле, и стук лошадиных копыт по меди казался им громом...

Устина ласково касалась плеча Арсения:

Разумееши ли, еже чтеши, или токмо листы обращаеши?

Прижавшись к нему покрепче, Устина обхватывала руками свои колени. Просила его читать не торопясь. Он кивал, но незаметно для себя опять начинал торопиться. Пять отведенных ими на вечер листов с каждым разом прочитывались все быстрее, и Устина вновь и вновь спрашивала Арсения, что заставляет его так спешить. Вместо ответа он прижимался щекой к ее щеке. Возникала ревнивая мысль, что в вечернее время Александр интересовал ее больше Арсения.

Иногда читали о Китоврасе. Чтобы скрыть свою жену от других, Китоврас носил ее в ухе. Арсений тоже хотел бы носить Устину в ухе, но у него не было такой возможности.

Д҃І

В конце марта Устина сказала:
Я понесла во чреве моем, ибо у меня прекратилось обычное женское.

Сказала, упершись ладонями в дерево лавки, чуть ссутулившись, глядя мимо Арсения. В то мгновение Арсений бросал в печь поленья. Он сделал шаг к Устине и встал перед ней, сидящей, на колени. Рука его все еще сжимала полено. Оно выпало и звонко прокатилось по полу. Арсений зарылся лицом в красную рубаху Устины. На своем затылке чувствовал ее руку – любящую и безвольную. Мягким движением уложил Устину на лавку и медленно – складка за складкой – начал приподнимать ее рубаху. Обнажив живот, прижался к нему губами. Живот Устины был плоским, как долина, а кожа его была упругой. Живот ограничивала трепетная линия ребер. И ничто не предвещало изменений. Ничто не указывало на того, кто в нем уже готовился нарушить эти линии. Скользя губами по животу, Арсений осознавал, что лишь беременность Устины могла выразить его безмерную любовь, что это он прорастает сквозь Устину. Он почувствовал счастье оттого, что теперь присутствовал в Устине постоянно. Он был ее неотъемлемой частью.

Арсений понимал, что новое положение Устины делало ее еще более зависимой от него. Может быть, потому страх потерять ее стал чуть меньше, а нежность к ней, наоборот, ощущалась им с небывалой остротой. Арсений испытывал нежность, видя, с какой охотой Устина начала есть. Ее аппетит казался смешным ей самой. Она фыркала, и во все стороны летели хлебные крошки. Арсений испытывал нежность, когда лицо Устины серело и ее мутило. Он доставал мускатное масло и давал его Устине с ложки. Медленно тянул ложку к себе, следя, как скользят по ней губы Устины. А еще без устали любовался ее глазами, ставшими с беременностью совсем другими. В них появилось что-то влажное, беззащитное. Напоминавшее Арсению глаза теленка.

Иногда в этих глазах сквозила грусть. Уединенное существование с Арсением было, безусловно, ее счастьем. Но было и чем-то другим, что становилось с каждым днем заметнее. Арсений, казавшийся ей всем миром, заменить целого мира все-таки не мог. Чувство оторванности от общей жизни рождало в Устине беспокойство. И Арсений это видел.

Однажды Устина спросила, нельзя ли ей купить женскую одежду. Все время своего пребывания у Арсения она ходила в том же, что носил он.

Тебе неприятно носить мою одежду, спросил Арсений.

Мне приятно, милый, очень приятно, просто я хотела бы носить и свою. Я ведь женщина...

Арсений обещал подумать. Он действительно думал, но в размышлениях своих ни к чему не пришел. Не открывая тайны Устины, женского платья он купить не мог. Довериться в этом деле ему было некому. О том, чтобы отправить Устину в слободку одну, не могло быть и речи. Во-первых, слободским бы не составило труда узнать, откуда она пришла, а во-вторых... Арсений шумно выдыхал и чувствовал, как к горлу подкатывает ком. Он не мог себе представить, что Устина покинет его хотя бы на полдня.

По прошествии некоторого времени она напомнила Арсению о своей просьбе, но не получила ответа. Спустя еще несколько недель думать о покупке было уже поздно: найти подходящую одежду не позволял выросший живот Устины. И тогда она стала перешивать для себя вещи Арсения.

Гораздо больше одежды его беспокоило то, что они не ходили к причастию. Идти в храм Арсений боялся, потому что путь к Святым Дарам лежал через исповедь. А исповедь предполагала рассказ об Устине. Он не знал, что ему будет сказано в ответ. Венчаться? Он был бы счастлив венчаться. А если скажут – бросить? Или жить пока в разных местах? Он не знал, что могут сказать, потому что ничего подобного с ним еще не было.

Боясь ослушаться, Арсений не ходил в храм и не исповедовался. И Устина не ходила.

Однажды она спросила:

Ты возьмешь меня в жены?

Ты – жена моя, которую люблю больше жизни.

Я хочу быть твоею, Арсение, перед Богом и людьми.

Потерпи, любовь моя. Он поцеловал ее в ямку над ключицей. Ты будешь моею перед Богом и людьми. Только потерпи немного, любовь моя.

Почти ежедневно они ходили в лес. Сначала это было совсем непросто, потому что там все еще лежал глубокий снег. Они шли, проваливаясь в снег по колено, но все-таки шли. Арсений знал, что Устине нужен свежий воздух. Кроме того, даже такая нелегкая прогулка была для нее лучше сидения дома. Обуваясь в сапоги Христофора, Устина часто стирала ступни. Многочисленные намотанные на ноги лоскуты положения не спасали. И хотя в те времена сапоги шили из мягкой кожи, не учитывая различия правой и левой ног, размер все же имел значение. Ноги Устины очень отличались от ног Христофора.

Устина двигалась за Арсением след в след. Каждое утро они шли по одной и той же дорожке и каждое утро протаптывали ее как в первый раз, потому что за сутки дорожку заметало. Даже если не было снегопада, протоптанный путь разравнивала поземка. На открытом пространстве между кладбищем и лесом всегда дул сильный ветер.

Когда они входили в лес, ветер стихал. И там они иногда находили свои следы. Эти следы были тоже припорошены, порой их пересекали другие следы – звериные или птичьи, – но они существовали. Не исчезали, думалось Арсению, бесследно.

В лесу было не так холодно, как на пути к нему. Может быть, даже тепло. Многодневный снежный покров на ветках казался Устине мехами. Она любила стряхивать его с веток и любовалась тем, как он лежал на ее и Арсения плечах.

Ты купишь мне такую шубу, спрашивала Устина.

Конечно, отвечал Арсений. Обязательно куплю.

Он очень хотел купить ей такую шубу.

В середине апреля снег начал таять и сразу же стал старым и облезлым. Пористым от начавшихся дождей. Такой шубы Устина уже не хотела. Внимательно глядя себе под ноги, она переступала с одной оттаявшей кочки на другую. Из-под снега полезла вся лесная неопрятность – прошлогодние листья, потерявшие цвет обрывки тряпок и потускневшие пластиковые бутылки. На открытых солнцу полянах уже пробивалась трава, но в глухих местах снег был еще глубок. И там было холодно. В конце концов растаял даже этот снег, но лужи от него стояли до середины лета.

В мае Устина сменила сапоги на лапти, сплетенные Арсением. Лапти Устине нравились, потому что сплетены они были по ее ноге и – главное – сплетены Арсением. Не позволяя ей наклоняться, он осторожно оборачивал завязки лаптей вокруг ее ног, и это ей тоже нравилось. Обувь была легкой, но пропускала воду. Иногда Устина приходила домой с мокрыми ногами, но вернуться к сапогам ни за что не хотела.

Просто я буду аккуратнее ходить, говорила она Арсению.

Их прогулки стали гораздо длиннее. Теперь они ходили не только в ближний лес, но и в отдаленные от всякого жилья места, показанные когда-то Арсению Христофором. В этих местах Арсений чувствовал себя спокойнее. В ближнем лесу они, случалось, видели людей и, заметив их еще издали, спешили скрыться. Теперь же, уходя далеко, они не встречали никого.

Ты не боишься заблудиться, спрашивала у Арсения Устина.

Не боюся, яко познах дебри сии от младых ногтей.

В эти прогулки Арсений брал мешок с едой и питьем. Там же лежала овечья шкура, на которой они сидели во время длительных привалов – Арсений следил за тем, чтобы Устина не переутомлялась. Гуляя, они собирали травы, которыми прорастала ожившая природа. Арсений описывал Устине свойства растений, и она удивлялась широте его знаний. Он рассказывал ей также о строении человеческого тела и повадках животных, о перемещении планет, исторических событиях и символике чисел. В такие минуты он чувствовал себя ее отцом. Или, если иметь в виду источник его знаний, – дедом. Рыжая девочка казалась Арсению глиной в его руках, из которой он лепил себе Жену.

ҔІ

Сказать, что о существовании Устины никто не знал, теперь было бы преувеличением. Пусть издали, но в лесу их обоих не раз видели. С Устиной, конечно, знакомы не были, но узнать Арсения могли без затруднений – даже издали. Посещая же Арсения в его доме, Устину слышали за стенкой, потому что быть бесшумным человек постоянно не может. Многие догадывались, что у Арсения кто-то живет, но раз уж он это скрывал, его ни о чем не спрашивали. Арсений был их врачом, а раздражать врачей боялись всегда. Со своей стороны, об этих подозрениях Арсений, видимо, тоже догадывался. Свои догадки он не пытался ни подтвердить, ни опровергнуть. Его устраивало, что его ни о чем не спрашивали – что бы за этим ни стояло. Арсению было достаточно того, что к его миру никто не прикасался. Миру, где существовали только он и Устина.

В начале лета, когда от долгих прогулок Устина стала уставать, они все чаще сидели возле дома. После починки избы оставалось небольшое количество бревен и досок, и Арсений решил соорудить во дворе навес. Прилаживая доски одна к другой, он с болью вспоминал, как менее года назад подобной работой руководил Христофор. Голосом деда Арсений просил Устину подать ему тот или иной инструмент, но получалось это хуже, чем у Христофора. Доски прилаживались тоже хуже. Что сказал бы Христофор о его работе? И что сказал бы он об Устине?

Навес примыкал к тыльной стороне дома и с дороги виден не был. По протянутым Арсением веревкам через несколько недель он густо зарос вьюном. Крыша его была укрыта соломой и не протекала. Теперь находиться на воздухе можно было в любую погоду. Больше всего они любили сидеть под навесом вечерами.

В один из длинных июльских вечеров Устина попросила Арсения выучить ее грамоте. Такая просьба вначале его удивила. Все, что им требовалось читать, мог прочесть он, и это было частью их двуединства. Сорвав цветок вьюна, Арсений осторожно надел его на кончик носа Устины. Зачем тебе это, хотел спросить ее Арсений, но не спросил. Он вошел в дом и вернулся оттуда с Псалтирью. Сев рядом с Устиной, Арсений раскрыл книгу. Указательным пальцем коснулся первого же киноварного инициала. Буква рдела в лучах заходящего солнца.

Это буква **Б**. Здесь с нее начинается слово «Блажен».

Блажен муж, иже не иде на совет нечестивых, не спеша прочла Устина. И на пути грешных не ста, и на седалищи губителей не седе.

Арсений молча посмотрел на Устину. Она положила голову ему на плечо.

Многие псалмы я знаю наизусть. Со слуха.

При изучении грамоты ей это очень пригодилось. Прочтя несколько букв, Устина вспоминала всю фразу, что помогало ей мгновенно узнавать следующие буквы. Арсений даже не ожидал, что учеба пойдет так быстро.

Больше всего Устине нравилось, что у букв есть имена. Она произносила их про себя, и губы ее постоянно шевелились. Аз. Буки. Веди. Обломав ветку, писала имена букв на утоптанной земле двора и на лесных тропинках. Глаголь Добро. Имена давали буквам самостоятельную жизнь. Они давали им неожиданный смысл, который завораживал Устину. Како Людие Мыслете. Рцы Слово Твердо.

Наконец, буквы имели числовое значение. Буква **а** под титлом обозначала единицу, **в** – двойку, **г** – тройку.

Почему после $\overline{а}$ идет $\overline{в}$, удивилась Устина. Где же, спрашивается, $\overline{б}$?

Обозначение чисел следует греческому алфавиту, а в нем этой буквы нет.

Ты знаешь греческий?

Нет (Арсений положил ладони на щеки Устины и потерся носом о ее нос), так говорил Христофор. Он тоже не знал греческого, но многие вещи чувствовал интуитивно.

Поражавшие Устину свойства букв подкреплялись не менее удивительными свойствами чисел. Арсений показывал ей, как числа складывались и вычитались, умножались и делились. Они обозначали вершину истории человечества: год $_{\ast}\overline{ефй}$ (5500-й) от Сотворения мира, когда родился Христос. Они же знаменовали завершение истории, явленное в страшном числе Антихриста: $\overline{хзе}$ (666). И все это выражалось буквами.

У чисел была своя гармония, отражавшая общую гармонию мира и всего в нем сущего. Множественные сведения такого рода Устина вычитывала из грамот Христофора, которые ей охапками приносил Арсений. Неделя имат семь дний и прообразует житие человеческое: $\overline{а}$ -й день рождение детища, $\overline{в}$ -й день юноша, $\overline{г}$ -й день совершен муж, $\overline{д}$ -й день средовечие, $\overline{є}$ -й день седина, $\overline{ѕ}$ -й день старость, $\overline{з}$ -й день скончание.

Впрочем, Христофор увлекался не только символикой чисел. Среди его грамот Устина находила и указание расстояний. От Москвы до Киева верст полторы тысящи, от Москвы до Волги ҫм верст, от Бела озера до Углича ҫм верст. Зачем он все это выписывал, думала, читая, Устина. Христофор, мысленно отвечал ей Арсений, не был, конечно, ни в Москве, ни в Киеве, ни на Волге. Возможно, в этих данных его внимание привлекли 240 верст, которые встречаются дважды. Таким совпадениям (отвечал Арсений) покойный придавал особое значение, хотя и не вполне осознавал их смысл. Важно, что мы с тобой уже понимаем друг друга без слов.

ह्यं

Беременность Устины протекала непросто. Время от времени она жаловалась на головную боль и головокружение. В таких случаях Арсений растирал ей виски укропным маслом или отваром земляники. Возникали недомогания, которых Устина стеснялась, а потому молчала о них. Например, запоры. Заметив это, Арсений стыдил Устину и говорил, что теперь они одно целое и что она не может его стесняться. От запоров он давал ей настойку из молодых листьев бузины. Весной они вместе собирали эти листья и вместе варили их в меде.

У Устины нарушился сон. О том, что среди ночи она проснулась, Арсений догадывался, не слыша ее дыхания. Когда Устина спала, она дышала носом – шумно и равномерно. Чтобы восстановить ее сон, Арсений давал ей на ночь настой древесного мха.

Тело Устины очевидным образом испытывало на прочность ее дух. Устину постоянно мучила изжога. В утробе своей, там, где находился ребенок, она испытывала тяжесть и боль. Выросший живот немилосердно зудел от соприкосновения с холщовой рубахой Арсения. От носимого Устиной груза стопы отекли. Оплывшими казались черты лица. Глаза стали сонными. Во взгляде Устины появилась непривычная рассеянность. Эти перемены были заметны Арсению и волновали его. В потухших глазах Устины он видел начинавшуюся усталость от беременности.

Новизна состояния помогала ей преодолевать недомогания в первые месяцы. Спустя время это состояние уже не было новым. Было привычным и обременительным. А еще пришла осень, и дни стали по-северному короткими. Окутавший Белозерье мрак наводил на Устину тоску. Она видела, что природа умирает, и ничего не могла с этим поделать. Глядя, как облетают с деревьев листья, Устина также роняла слезы.

Изменения в своем теле она наблюдала теперь как бы со стороны. В раздутом неповоротливом существе все труднее было видеть себя прежнюю – гибкую, быструю, сильную. Помещенную кем-то в чужое тело.

Так ведь не кем-то – Арсением. Дойдя до этой мысли, Устина словно бы достигала дна, отталкивалась от него и снова плыла к поверхности. И здесь открывалась всем радостям, которые окружали ее. И радости Устины были ярче ее страданий.

Она радовалась проснувшемуся в ней аппетиту, потому что знала, что ест уже не одна, но с ребенком. Радовалась молозиву, то и дело появлявшемуся на ее сосках. Предавалась безудержным фантазиям о будущем ребенке и делилась ими с Арсением:

Если родится дочь, она вырастет самой красивой в Рукиной слободке и выйдет замуж за князя.

Но в Рукиной слободке нет князей.

Знаешь, приедет по такому случаю. Если же родится сын – что, в общем, предпочтительнее, – он будет светловолосым и мудрым, как ты, Арсение.

Зачем же нам два светловолосых и мудрых?

Так мне хочется, милый, что в этом плохого? Думаю, что ничего ведь плохого нет.

Однажды Арсений медленно провел по животу Устины ладонью и сказал:

Это мальчик.

Слава Тебе, Господи, как я рада. Всему рада. Особенно мальчику.

Сидя на лавке, Устина обычно поглаживала живот. Временами чувствовала движения сидящего внутри. После слов Арсения она не сомневалась, что это мальчик. Иногда Арсений прикладывал к ее животу ухо.

Что он говорит, спрашивала Устина.

Просит тебя потерпеть еще немного. До начала декабря.

Ладно уж – раз просит. Ему и самому, я думаю, надоело там сидеть.

Ты даже представить себе не можешь, как надоело.

Чтобы развлечь мальчика, Устина пела:

Мати-Мати, Мать Божия,
Мария Пресвятая (*Устина крестилась сама
    и крестила живот*),
где ты, Мати, ночи ночевала?
Ночевала я в городе Салиме,
во Божией во церкви за престолом,
не много спалось, много виделось,
будто я Христа Сына породила,
во пелены его пеленала,
во шелковы поясы свивала.

Арсений думал о том, что ее пронзительный голос может быть слышен с дороги, но ничего не говорил. Пусть, думал, поет, ребенку как-никак веселее.

Шила одежду.

Плохая, говорила, примета – шить неродившемуся одежду.

Но все-таки шила. Материал брала из Христофоровых вещей.

Из выморочного имущества, говорила, шить тоже не приветствуется.

Кладя стежок за стежком, глубоко вздыхала, и весь ее огромный живот приходил в движение. Из-под ее рук выходили пеленки, кукольных размеров порты и рубашки.

Делала и кукол. Изготовляла их из тряпок и разрисовывала по-разному. Вязала кукол из соломы. Все соломенные были одинаковыми и все походили на Устину. Когда ей Арсений об этом сказал, она разрыдалась.

Спасибо (кивнула) за комплимент. Большое спасибо.

Арсений обнял ее:

Я же любя, дурочка ты такая, никто тебя, как я, не любит и не будет любить, наша любовь – особый случай.

Прижался щекой к ее волосам. Она осторожно от него освободилась и сказала:

Арсений, я хочу перед родами причаститься, мне страшно рожать без причастия.

Он положил ей ладонь на губы:

Причастишься, родив, любовь моя. Как ты сейчас в таком положении поедешь в церковь? А после родов, знаешь, мы всем откроемся, и покажем сына, и причастимся, и станет легче, потому что когда будет ребенок – и объяснять никому ничего не нужно, он все оправдает, это как жизнь с чистого листа, понимаешь?

Понимаю, ответила Устина. Мне страшно, Арсение.

Она часто плакала. Старалась, чтобы Арсений не видел, но он видел, потому что все эти месяцы они были неразлучны друг с другом и трудно ей было плакать втайне.

Читать Устине было все тяжелее. Внимание ее рассеивалось. Ей было тяжело сидеть и тяжело лежать. Лежать приходилось не на спине, а на боку. Теперь она все чаще просила Арсения почитать ей, и он, конечно же, читал.

И случилось Александру прийти в болотистые края. И заболел Александр, но не находилось в тех болотах даже места, чтобы лечь. С чужих ему небес пошел снег. Повелел же Александр воинам, сняв с себя доспехи, складывать их друг на друга. Так сложили они в топком месте для него постель. Он лежал на ней, изнемогая, а от снега его накрыли щитами. И понял вдруг Александр, что лежит на железной земле под костяным небом...

Перестань. Устина тяжело перевернулась на другой бок и теперь лежала спиной к Арсению. Сегодня у нас тоже выпал снег, зачем ты мне все это читаешь...

Я найду тебе что-нибудь другое, любовь моя.

Устина вновь повернулась к нему.

Найди мне повивальную бабку. Это то, что мне скоро понадобится.

Зачем тебе какая-то темная бабка, удивился Арсений. Ведь у тебя есть я.

Разве ты когда-нибудь принимал роды?

Нет, но Христофор мне об этом подробно рассказывал. А еще он мне все записал. Арсений порылся в корзине и достал оттуда грамоту. Вот.

Можно ли принимать роды по написанному, спросила Устина. И кроме всего прочего, знаешь, я не хочу, чтобы ты меня такой видел. Не хочу, Арсение.

Но разве мы не одно целое?

Конечно, одно. И все-таки – не хочу.

Арсений не спорил. Но никого и не искал.

Зı

27 ноября в час сумерек у Устины отошли воды. Она поняла это не сразу, только когда постель ее намокла. Пока она сидела над горшком, Арсений перестелил холстину. Его начала бить дрожь. Когда Устина снова легла, он зажег два имевшихся масляных светильника и одну лучи-

ну. Устина взяла его за руку и усадила рядом с собой. Не волнуйся, милый, все будет хорошо. Арсений прижался губами к ее лбу и заплакал. Он чувствовал страх, какого не чувствовал еще никогда в жизни. Устина гладила его по затылку. Через час у нее начались схватки. В полумраке ее лицо страшно блестело горошинами пота, и он не узнавал это лицо. За привычными чертами проступили какие-то иные. Они были некрасивыми, припухшими и трагическими. И прежней Устины уже не было. Она как бы ушла, а пришла другая. Или даже не пришла – это прежняя Устина продолжала уходить. Капля за каплей теряла свое совершенство, становясь все несовершеннее. Эмбриональнее как бы. От мысли, что она может уйти совсем, у Арсения оборвалось дыхание. Об этом он не думал никогда. Тяжесть этой мысли оказалась велика. Она потащила его вниз, и он сполз с лавки на пол. Будто издали услышал стук головы о дерево. Видел, как неловко Устина поднимается с лавки и наклоняется к нему. Он все видел. Он был в сознании, но не мог двинуться. Если бы он знал тяжесть этой мысли раньше, каким смехотворным показался бы ему страх рассказать об Устине в слободке. Арсений медленно сел: я побегу в слободку, за повитухой, я мигом. Теперь уже поздно (Устина все еще его гладила), теперь меня уже нельзя оставлять одну, справимся как-нибудь, меня только беспокоит... Я не хотела говорить, не была уверена... Арсений усадил Устину на лавку. Он покрывал ее руки поцелуями, а речь ее все еще расслаивалась на отдельные слова и не собиралась в его голове воедино. Он знал, что этот ужас охватил

его не случайно. Устина коснулась живота: со
вчерашнего дня я не слышу его... Мальчика. Он,
по-моему, не шевелится. Арсений протянул ладонь к ее животу и осторожно провел сверху
вниз. В низу живота ладонь замерла. Арсений
не мигая смотрел на Устину. В ее утробе он больше не чувствовал жизни. Там больше не билось
сердце, которое он слышал все эти месяцы.
Дитя было мертво. Арсений помог ей лечь на
бок и сказал: мальчик шевелится, рожай спокойно. Он сидел на краю лавки и держал Устину
за руку. Раз за разом менял лучину. Подливал
масла в светильники. Среди ночи Устина приподнялась: мальчик умер, так почему же ты молчишь, ты молчишь уже несколько часов. Я не
молчу, (сказал ли?) Арсений откуда-то издалека.
Как я могу молчать? Он метнулся к Христофо-
ровым полкам и опрокинул ночной горшок.
Обернулся, увидел, как горшок медленно закатывается под лавку. Как же я могу молчать? Но
и говорить тоже не могу. Арсений достал отвар
из травы *чернобыль*. Выпей этого. Что это? Выпей. Он приподнял ее голову и приставил кружку к губам. Слышал громкие – на всю комнату –
глотки. Это трава чернобыль. Она выгоняет...
Что выгоняет? Устина поперхнулась, и отвар
полился у нее из носа. Трава чернобыль выгоняет мертвый плод. Устина беззвучно заплакала.
Арсений достал с полки коробок и высыпал его
содержимое на уголья. По комнате распространился резкий неприятный запах. Что это,
спросила Устина. Сера. Ее запах ускоряет роды.
Через минуту Устину вырвало. Она давно уже
ничего не ела, и ее рвало выпитым настоем.

Устина опять легла. И Арсений опять ее гладил. Она почувствовала возобновление схваток. Ее охватила боль. То, что она чувствовала, сначала было болью в животе, потом это распространилось на все тело. Ей казалось, что боль всех окрестных хуторов собралась в одной точке и вошла в ее тело. Потому что ее, Устины, грехи превышали собой грехи всей той округи, и за это надо же было когда-нибудь ответить. И Устина закричала. И этот крик был рычанием. Он испугал Арсения, и Арсений вцепился ей в запястье. Он испугал саму Устину, но она уже не могла не кричать. Продолжая лежать на боку, она отвела ногу, и Арсений стал ее ногу придерживать. Эта нога сгибалась и распрямлялась, она казалась отдельным злым существом, не желавшим иметь ничего общего с неподвижной Устиной. Арсений держал ногу двумя руками, но все равно не мог удержать. Устина резко повернулась, и в полоске упавшего света он увидел, как на внутренней стороне бедра блестит кал. Устина продолжала кричать. Арсений не мог понять, движется ли младенец. Чувствуя под пальцами волосы ее лона, он вспоминал другие прикосновения и молил Бога передать Устинину боль ему, передать хотя бы половину боли. В минуты же своего просветления Устина благодарила Бога за то, что ей дано мучиться за себя и за Арсения, так велика была ее любовь к нему. Арсений скорее нащупал, чем увидел, как в лоне Устины показалась голова младенца. На ощупь голова была огромной, и Арсений в отчаянии подумал, что она не сможет выйти. Голова не выходила. Раз за разом появлялась было макушка, но потом вновь исчезала. Арсений попробовал подвести под нее пальцы, но пальцы не проходили. Ему даже показалось, что, пытаясь вытащить голову, он затолкнул ее еще глубже. Его бросило в жар. Жар был нестерпимым, и он, распрямившись, одним рывком сбросил с себя рубашку. Головы младенца по-прежнему не было видно. Крики Устины стали тише, но страшнее, потому что утратили силу не оттого, что ей стало легче. Устина впадала в забытье. Арсений видел, что она уходит, и стал кричать на нее, чтобы удержать. Он бил ее по щекам, но голова Устины безжизненно моталась из стороны в сторону. Арсений забросил ее ногу себе на плечо и правой рукой попытался войти в лоно. Рука вроде бы не проходила, но пальцы ощутили младенца. Темя. Шею. Плечи. Сомкнулись в месте, где шея переходит в голову. Двинулись к выходу. Раздался хруст. Арсений уже не думал о младенце. О том, что он, может быть, все-таки жив. Он думал только об Устине. Продолжал тянуть ребенка за голову, борясь с подступающей дурнотой. Увидел, как разорвались губы лона, и услышал страшный крик Устины. Младенец был в руках Арсения. Появившись на свет, он не закричал. Заранее приготовленным ножом Арсений перерезал пуповину. Шлепнул младенца. Он слышал, что так делают повитухи, чтобы вызвать первый вдох. Еще раз шлепнул. Младенец по-прежнему молчал. Арсений осторожно положил его на пеленку и склонился над Устиной. Схватки продолжались. Арсений знал, что это выходит послед. Вышедшую из Устины кровавую слизь он счистил в ночной горшок. Вся холстина была залита кровью, и он подумал, что крови больше, чем должно было быть при родах. Он не знал, сколько ее должно было быть. Он видел лишь, что кровотечение не останавливалось. Ему было страшно, потому что кровь текла из утробы, и он не мог ее унять. Он взял на пальцы мелко натертой киновари и вошел в лоно Устины так глубоко, как мог. От Христофора он слышал, что тертая киноварь останавливает кровь из раны. Но он не видел раны и не знал точного места кровотечения. И кровь не останавливалась. Она все больше и больше пропитывала собой постель. Устина лежала с закрытыми глазами, и Арсений чувствовал, как ее покидает жизнь. Устина, не уходи, крикнул Арсений с такой силой, что в монастыре его услышал старец Никандр. Старец стоял в своей келье на молитве. Боюсь, что кричать уже бесполезно, сказал старец (он смотрел, как сквозь открывшуюся дверь влетали первые в этом году снежинки, свечу задуло сквозняком, но луна как раз выбралась из рваных облаков и освещала дверной проем), а потому буду молиться о сохранении твоей жизни, Арсение. Ни о чем другом не буду молиться в ближайшие дни, сказал старец, запирая дверь. На минуту в избе установилась совершенная тишина, и среди тишины Устина открыла глаза: жаль, Арсение, что я ухожу в этом мраке и смраде. И за окном снова засвистел ветер. Устина, не уходи, крикнул Арсений, с твоей жизнью прекращается и моя жизнь. Но Устина его уже не слышала, потому что жизнь ее прекратилась. Она лежала на спине, и согнутая в колене ее нога была отведена в сторону. Рука свешивалась с лавки. Она сжимала угол холстины. Лицо ее было повернуто в сторону Арсения, и открытые глаза никуда не смотрели. Арсений лежал на полу рядом с лавкой Устины. Жизнь его продолжалась, хотя это было неочевидно. Арсений пролежал остаток ночи и следующий день. Иногда открывал глаза и видел странные сны. Устина и Христофор вели его, маленького, за руки через лес. Когда они приподнимали его над кочками, ему казалось, что он летит. Устина и Христофор смеялись, ибо его ощущения не были для них загадкой. Христофор то и дело наклонялся за травами и клал их в холщовый мешок. Устина ничего не собирала, она просто замедляла шаг, наблюдая за действиями Христофора. На Устине была красная мужская рубаха, которую в надлежащее время она собиралась передать Арсению. Она так и сказала: эта рубаха будет твоей, только ты должен сменить имя. Не имея объективной возможности быть Устиной, нарекись Устином. Договорились? Арсений смотрел на Устину снизу вверх. Договорились. Серьезность Устины была ему смешна, но он не подал виду. Конечно, договорились. Сумка Христофора была уже полна. Он же продолжал собирать травы, и в такт его шагам они выпадали из сумки на тропинку. Вся тропинка, сколько хватало глаз, была устлана травами Христофора. А он все продолжал их собирать. В этой бессмысленной на первый взгляд деятельности были свои красота и размах. Своя щедрость, которая безразлична к тому, существует ли в ней нужда: она вызвана одним лишь расположением дающего. С наступлением утра

Арсений заметил свет, но сделал все, чтобы не проснуться. Даже во сне он боялся обнаружить, что Устина умерла. Его охватил особый утренний ужас: наступление нового дня без Устины было для него невыносимо. Он снова напитал себя сном до бесчувствия. Сон струился по жилам Арсения и стучал в его сердце. С каждой минутой он спал все крепче, потому что испытывал страх проснуться. Сон Арсения был так крепок, что душа его временами покидала тело и зависала под потолком. С этой небольшой, в сущности, высоты она созерцала лежащих Арсения и Устину, удивляясь отсутствию в доме любимой ею Устининой души. Увидев Смерть, душа Арсения сказала: не могу вынести твоей славы и вижу, что красота твоя не от мира сего. Тут душа Арсения рассмотрела душу Устины. Душа Устины была почти прозрачна и оттого незаметна. Неужели я тоже так выгляжу, подумала душа Арсения и хотела было прикоснуться к душе Устины. Но упреждающий жест Смерти остановил душу Арсения. Смерть уже держала душу Устины за руку и собиралась ее уводить. Оставь ее здесь, заплакала душа Арсения, мы с ней срослись. Привыкай к разлуке, сказала Смерть, которая хотя и временна, но болезненна. Узнаем ли мы друг друга в вечности, спросила душа Арсения. Это во многом зависит от тебя, сказала Смерть: в ходе жизни души нередко черствеют, и тогда они мало кого узнают после смерти. Если же любовь твоя, Арсение, неложна и не сотрется с течением времени, то почему же, спрашивается, вам не узнать друг друга тамо, идеже несть болезнь, ни печаль, ни воздыхание, но жизнь бесконечная. Смерть потрепала душу Устины по щеке. Душа Устины была маленькой, почти детской. На ласковый жест она отвечала скорее из страха, чем из благодарности. Так отвечают дети тем, кто принимает их от родных на неопределенный срок, и жизнь (смерть) с кем будет, возможно, неплохой, но совершенно другой, лишенной прежнего уклада, привычных событий и оборотов речи. Уходя, они то и дело оглядываются, и в полных слез глазах родных видят свое испуганное отражение.

ни

Арсений очнулся, когда стемнело. Его рука наткнулась на свисавшую руку Устины. Ее рука была холодной. Она не сгибалась. Уголья в печи давно остыли, но что-то едва заметно мерцало в лампадке под иконой Спасителя. Арсений поднес к лампадке свечу. Он держал ее осторожно, чтобы не погасить последний оставшийся в доме огонь. Свеча (не сразу) разгорелась и осветила комнату. Арсений огляделся. Он внимательно смотрел вокруг, замечая каждую мелочь. Разбросанные вещи. Разбитые горшочки со снадобьями. Он упускал ни одной подробности, так как это все еще позволяло ему не смотреть на Устину. А потом он посмотрел на нее.

Устина лежала в той же позе, что вчера, но была совершенно другой. Нос ее заострился, белки открытых глаз впали. Лицо Устины было алебастровым, а кончики ушей – свинцово-красными. Арсений стоял над Устиной и боялся к ней прикоснуться. Он не испытывал отвращения, страх его был другой природы. В раскорячившемся перед ним теле не было ничего от Устины. Он протянул ладонь к ее полусогнутой ноге и осторожно коснулся. Провел пальцем по коже: оказалась холодной и шершавой. При жизни Устины такой она не была никогда. Попробовал распрямить Устинину ногу, но ничего не получилось, как не получилось закрыть Устине глаза. Нажать побоялся. То, чего он касался, было, возможно, очень хрупким. Прикрыл Устину покрывалом – все, кроме лица.

Арсений начал читать последование об усопших. Он просил Господа, чтобы Устина была избавлена от сети ловчи и от словесе мятежна, чтобы не убоялась от страха нощнаго и от стрелы, летящия во дни. Время от времени оборачивался и смотрел на ее лицо. Свой голос он слышал издалека. Иногда в нем звучали слезы. Голос глухо сообщал, что Господь заповедает ангелам сохранить Устину во всех путях ее. Арсений помнил, как Устина уходила, держа за руку Смерть, как очертания ее уменьшались, пока не превратились в точку. Тогда с ней была Смерть, не ангелы. Арсений оторвал глаза от листа.

Теперь ты должна быть в руках ангелов, робко обратился он к Устине. На руках возмут тя, да не когда преткнеши о камень ногу твою.

Он еще раз обернулся, и ему показалось, что лицо Устины дрогнуло. Он не поверил своим глазам. Приподняв свечу, подошел ближе. Тень от Устининого носа переместилась по лицу. Двигалась не только тень: вместе с тенью изменялось лицо Устины. Это изменение не выглядело естественным, оно не соответствовало живой мимике Устины, но было в этом и что-то, не свойственное мертвецу. Устина была если не совсем живой, то как бы не вполне и мертвой.

Арсений испугался, что может упустить замеченные им в Устине ростки жизни. Заморозить их, например. Только сейчас он ощутил, что за прошедшие сутки изба выстудилась. Он бросился к печи и разжег в ней огонь. От волнения руки Арсения тряслись. Ему вдруг пришло в голову, что все зависит от того, как скоро сейчас удастся развести огонь. Через несколько минут дрова уже потрескивали. Арсений все еще не оглядывался на Устину, давая ей время привести себя в порядок. Но Устина не вставала.

Чтобы не спугнуть ростки жизни в Устине, Арсений решил сделать вид, что он их не заметил. Он продолжил читать последование об усопших. За ним стал читать псалмы. Он читал их не торопясь и внятно произнося каждое слово. Дошел до конца Псалтири и задумался. Решил прочесть ее еще раз. Закончил под утро. Неожиданно для себя почувствовал голод и съел краюху хлеба.

Еда словно открыла ему ноздри, и он втянул воздух. Чувствовался запах гниения плоти. Арсений подумал, что запах исходит от младенца. И правда: признаки разложения маленького тела были очевидны. С рассветом Арсений перенес его поближе к окну.

Ты никогда не видел солнечных лучей, сказал он младенцу, и было бы несправедливо лишать тебя света хотя бы в столь малом количестве.

Втайне Арсений, конечно, надеялся, что в его беседу с сыном вмешается Устина. Но она не вмешивалась. И даже поза, в которой Устина лежала, внешне оставалась той же.

Он решил читать над Устиной Псалтирь в третий раз. На десятой кафизме Арсений уловил на лавке движение. Боковым зрением он продолжал следить за лавкой, но движение не повторилось. Дочитав Псалтирь до конца, Арсений пришел в недоумение. Он не знал, что еще можно читать над Устиной в том зыбком положении между жизнью и смертью, в котором она, судя по всему, пребывала. Он вспомнил, что при жизни она любила слушать *Александрию*, и начал читать *Александрию*. Ее реакция на роман об Александре всегда была живой, и сейчас, по мнению Арсения, это могло сыграть свою положительную роль.

До утра следующего дня он читал над Устиной *Александрию*. После короткого размышления прочитал над ней *Откровение Авраама*, *Сказание об Индийском царстве* и рассказы о Соломоне и Китоврасе. Арсений нарочно выбирал вещи интересные и побуждающие к жизни. С приходом ночи он принялся читать те грамоты Христофора, в которых не содержалось бытовых инструкций и рецептов. На рассвете Арсений прочел последнюю грамоту: кроме воды не мощно измыти оскверненную ризу и кроме слез невозможно отмыти и очистити скверну и кал душевный.

Слезы у него вышли за предыдущие дни, и больше их не было. Не было голоса – последние грамоты он читал уже шепотом. Не было сил. Сидел на полу, привалясь к растопленной печи. Не заметил, как задремал. Его разбудил шорох у окна. Рядом с младенцем сидела крыса. Арсений пошевелил рукой, и она убежала. Он понял, что не должен спать, если хочет сохранить тело своего сына. Посмотрел на Устину. Черты ее лица оплыли.

Арсений с трудом встал и подошел к Устине. Когда приподнял покрывало, в нос ему ударил резкий запах. Живот Устины был огромен. Гораздо больше, чем в дни беременности.

Если ты действительно умерла, сказал Арсений Устине, я должен сохранить твое тело. Я ожидал, что оно тебе понадобится в ближайшей перспективе, но раз это не так, приложим все усилия, чтобы сохранить его для грядущего всеобщего воскресения. Прежде всего, разумеется, прекратим топить печь, которая способствует разложению тканей. Здесь уже и так летают мухи, не характерные для месяца ноября, и их появление меня, честно говоря, удивляет. Особенно меня беспокоит наш с тобой сын, он выглядит очень плохо. В сущности, наша задача не так сложна, как это может показаться на первый взгляд. По словам деда моего, Христофора, в год от Сотворения мира 7000-й вполне возможен конец света. Если исходить из того, что на дворе год 6964-й, продержаться нашим телам осталось тридцать шесть лет. Согласись, что в сравнении с временем, истекшим от мироздания, это не так уж много. Сейчас наступают холода, и всех нас слегка подморозит. Затем, конечно, еще тридцать шесть раз наступит лето (оно бывает жарким даже в наших краях), но ко времени тепла мы уже как-то закрепимся в своем новом положении, ибо первые месяцы – они не только трудные, но и решающие.

С этого дня Арсений перестал топить печь. Он также перестал есть, потому что есть ему больше не хотелось. Изредка пил воду из бадьи. Бадья стояла у двери, и по утрам он замечал, как вода в ней покрывалась тонкими пластинками льда. Как-то, когда он пил воду, ему показалось, что Устина шевельнулась. Он обернулся и увидел, что отведенная и приподнятая ее нога лежит теперь на лавке. Он подошел к Устине. То, что он видел, не было обманом зрения. Нога Устины действительно опустилась. Арсений взялся за ногу и обнаружил, что нога опять сгибается. Он взял Устинину свесившуюся руку и бережно положил на лавку. Арсений понял, что окоченение плоти прошло, но сердцу своему запрещал биться чаще. Всякую надежду убивал взгляд на живот Устины. Он раздулся еще больше и вытолкнул из лона то, что не успело выйти в день ее кончины.

Арсений больше ничего не читал. По состоянию Устины он видел, что теперь ей уже было не до чтения. Он и говорил с ней все меньше, потому что пока не мог сообщить ничего обнадеживающего.

Мне страшно за нашего мальчика, сказал он в один из дней, в его ноздрях я сегодня видел белых червей.

Сказал – и пожалел, ибо что же Устина могла здесь поделать, ей самой было нелегко. Нос и губы ее распухли, а веки отекли. Белая Устинина кожа стала маслянисто-коричневой, местами полопалась и сочилась гноем. Под кожей с неестественной четкостью зеленели вены. И лишь слипшиеся волосы всё еще сохраняли свой рыжий цвет.

Обхватив колени руками, Арсений сидел под печью и неотрывно смотрел на Устину. Теперь он не вставал даже за водой. Иногда слышал, как стучали в дверь, и испытывал тихую радость, что успел запереть дверь до своего перехода в неподвижность. Он не отзывался на крики, не обращал внимания на шаги во дворе. Когда они прекращались, Арсений вновь погружался в успокоение. Чувство покоя охватывало его все глубже и полнее. И откуда-то из самых недр покоя, как робкий подснежный цветок, прорастала надежда на скорую встречу с Устиной.

Однажды он заметил движение у окна. Натянутый на раму бычий пузырь с треском разорвался, и показалась рука с ножом. За ней – лицо. Но рука тут же прикрыла нос, а само лицо исчезло. Арсений ощутил движение воздуха и услышал крики. Обращались к нему. Он вновь повернулся к Устине и перестал смотреть на окно. Через непродолжительное время раздались удары в дверь. Арсений видел, как она тряслась. Он чувствовал сожаление, что не успел умереть до этого стука.

Дверь подалась в своей верхней части и рухнула через высокий порог. Взломавшие ее не врывались. Они вообще не торопились входить, испытывая очевидный страх. Двух передних Арсений рассмотрел. Это были Никола Ткач и Демид Солома, слободские люди, не раз приходившие к нему лечиться. Они стояли на упавшей двери и тихо переговаривались между собой. Рты и носы прикрывали воротами армяков.

Когда Демид направился к Устине, Арсений сказал:

Не тронь.

Собравшись с силами, Арсений встал. Он хотел воспрепятствовать Демиду подходить к Устине, но Демид несильно толкнул его ладонью в грудь. Арсений упал и не двигался. Никола полил его водой из бадьи. Арсений открыл глаза.

Живой, сообщил Никола.

Взяв Арсения под руки, он приподнял его и прислонил к печи. Голова Арсения съехала на плечо, но глаза оставались открыты. Демид сказал, что обнаруженные тела требуется отвезти в скудельницу. Никола сказал, что для этого из слободки нужно пригнать телегу. За телегой они послали кого-то третьего, кто не произнес ни слова.

ѳі

Скудельница была скорбным местом. Даже кладбище, у ограды которого жили Арсений и Христофор, казалось чем-то более отрадным. Скудельница, или божедомка, располагалась на холме в двух верстах от Христофорова дома. Там лежали погибшие от мора, странники, удавленные, некрещеные младенцы и самоубийцы. Те, кого покры вода, и брань пожра, и убийцы убиша, и огнь попали. Внезапу восхищенныя, попаляемыя от молний, измершие мразом и всякою раною. Жизнь этих несчастных была разной, и не она их объединяла, потому что сходство их состояло в смерти. Это была смерть без покаяния.

Умерших такой смертью не отпевали и на общих кладбищах не хоронили. Их отвозили в скудельницу. Там тела опускали на дно глубокой ямы и закладывали сосновыми ветвями. Так покойники становились зало́жными. Они лежали в общей яме, томясь от своей неприкаянности. Их серые, запорошенные песком лица нет-нет да и выглядывали из-под ветвей. Особенно грустным зрелище было весной, когда таявший снег сдвигал ветви с их мест. Тогда заложные покойники представали в самом неприглядном своем виде – лишенные глаз и носов, с руками и ногами, сползшими на соседние тела, – словно в обнимку друг с другом.

Но по безграничной милости Господа и Спаса нашего Иисуса Христа и их участь не была безнадежна. В четверг седьмой недели по Пасхе из Кирилло-Белозерского монастыря приезжал иерей и заложных покойников отпевал. Этот день назывался Семиком. Яму закапывали и вырывали новую. И новая стояла открытой до следующего Семика.

Впрочем, даже с отпеванием трудности для заложных покойников оканчивались не всегда. О них вспоминали в дни неурожаев. Для всех чтущих традицию не составляло тайны, что причиной бедствий чаще всего заложные покойники и становились. Существовало поверье, что те, чья жизнь оборвалась преждевременно, умирали не сразу. Мать сыра земля не принимала их и выталкивала из себя, заставляя искать себе применения на поверхности.

В своем инобытии эти мертвецы как бы доживали отнятое у них время, но делали это с большим уроном для окружающих. Ища выхода своей нерастраченной силе, они губили урожаи и устраивали летние засухи. Люди сведущие объясняли сушь тем, что покойники (в особенности умершие от перепоя) испытывали нечеловеческую жажду и высасывали влагу из земли.

В тяжелые времена уже захороненных заложных покойников порой выкапывали из земли и, несмотря на протесты духовенства, оттаскивали в дебри и болота. Случалось, конечно, что их оставляли на месте, но перед этим все-таки выкапывали и переворачивали лицом вниз. Разумеется, кому-то это могло показаться полумерой, но даже ее считали меньшим злом, чем откровенное бездействие.

Положение живых было, если разобраться, тоже не из простых. Хороня не принесших покаяния, они вызывали гнев матери сырой земли, и та отвечала весенними заморозками. Не хороня, вызывали гнев самих покойников, и в летнюю пору те безжалостно губили урожай. В этой сложной ситуации Семик и был, в сущности, соломоновым решением. Не предавая умерших земле до конца весны, земледельцы без ущерба для себя проходили период заморозков. Совершив же отпевание и похороны в седьмую неделю по Пасхе, они могли надеяться, что мстительные покойники не уничтожат созревший урожай.

Среди этих покойников теперь должна была оказаться Устина. Ее, бесконечно любимую Арсением Устину, собирались бросить в скудельницу. Вместе с сыном, который так и не получил имени. Демид и Никола обернули руки ветошью, вынесли Устину из избы и положили на подкатившую телегу. Через минуту на вытянутых руках Никола вынес полуразложившегося младенца. Вслед за телегой медленно подтягивались слободские. Они не входили в дом и молча стояли на дороге.

Арсений, до тех пор безучастно сидевший на полу, встал, взял с печи нож и вышел на улицу. Он двигался медленно, но ровно, как будто не провел все эти часы в полуобмороке. В тишине стало слышно босое шлепанье по земле. Глаза его были сухи. Толпа, стоявшая у телеги, отпрянула, ибо почувствовала, что сила его как будто превыше человеческой.

Он положил руку на телегу:

Не троньте.

Он закричал:

Не троньте!

Стоявшая лошадь захрапела.

Он закричал:

Оставьте их мне и идите, откуда пришли. Это моя жена и мой сын, а ваши семьи в слободке, так отправляйтесь же к вашим семьям.

И пришедшие не посмели к нему приблизиться. Они видели мраморные пальцы на рукоятке ножа. Видели, как ветер шевелил пух на его щеках. Они боялись не ножа, они боялись его самого. И не узнавали.

Это острый предмет, отдай его, пожалуйста, мне.

Из самых недр толпы появился старец Никандр. Он шел, протянув к Арсению руку и приволакивая ногу. Толпа расступалась перед ним, как морские волны перед Моисеем. За ним следовал сопровождавший его монах.

Поверь, я сейчас не в лучшей своей форме, но счел необходимым появиться здесь и забрать у тебя нож.

Они хотят увезти Устину с ребенком в скудельницу, сказал Арсений. И совершенно не понимают того, что умершие вот-вот могут воскреснуть.

Нож из его руки выпал в протянутую руку старца.

Отдай им эти тела, ведь не в телах же дело, сказал старец. Если положишь их в обычную могилу, то эти, – он показал Арсению ножом на толпу, – выроют их в ближайшую же засуху. Выроете ведь, нехристи, спросил он у стоявших, и те потупились. Как пить дать выроют. Что же до воскресения и спасения душ преставльшихся раб Божиих, то эту информацию я предоставлю тебе, что называется, тет-а-тет.

Старец сделал знак монаху, чтобы обождал снаружи. Он взял Арсения под руку, и Арсений разом обмяк. Когда они поднимались на крыльцо, нога старца несколько раз поехала по ступеньке. Стоявшие увидели это и заплакали. Им открылось, что твердость духа старца вошла в непримиримое противоречие с ветхостью его тела. Они знали, чем кончаются такие вещи. Телега беззвучно тронулась с места. Старец Никандр с Арсением скрылись в дверях.

Сначала я буду говорить о смерти, сказал старец, а потом, если получится, о жизни.

Сев на лавку, он указал Арсению место рядом с собой. Когда тот сел, старец уперся руками в лавку и опустил голову. Он говорил, не глядя на Арсения.

Я знаю, что ты мечтаешь о смерти. Ты думаешь: всем, что тебе было дорого, теперь владеет смерть. Но ты ошибаешься. Устиной владеет не смерть. Смерть лишь несет ее к Тому, Кто будет вершить над ней суд. И потому, даже если решишь ныне предаться смерти, с Устиной ты не соединишься. Теперь о жизни. Тебе кажется, что у жизни для тебя не осталось ничего существенного, и ты не видишь в ней смысла. Но именно сейчас в твоей жизни открылся величайший смысл, какого не было прежде.

Старец повернулся к Арсению. Арсений не мигая смотрел перед собой. Ладони его лежали на коленях. По щеке ползла муха. Старец отогнал муху, взял Арсения за подбородок и повернул его лицо к себе.

Не буду тебя жалеть: ты виноват в ее смерти телесной. Ты виноват также в том, что может погибнуть ее душа. Я должен был бы сказать, что за гробом спасать ее душу уже поздно, но знаешь – не скажу. Потому что там, где она сейчас, нет *уже*. И *еще* нет. И нет времени, а есть бесконечная милость Божия, на ню же уповаем. Но милость должна быть наградой за усилие. (Старец закашлялся. Он прикрыл рот рукой, и кашель, пытаясь вырваться, раздувал его щеки.) Все дело в том, что, покинув тело, душа беспомощна. Она может действовать лишь телесно. Спасаются ведь только в земной жизни.

Глаза Арсения были по-прежнему сухи:

Но я отобрал у нее земную жизнь.

Старец спокойно посмотрел на Арсения:

Значит, отдай ей свою.

Разве у меня есть возможность жить вместо нее?

В серьезно понятом смысле – да. Любовь сделала вас с Устиной единым целым, а значит, часть Устины все еще здесь. Это – ты.

Постучав, вошел монах и передал старцу плошку с горящими угольями. Старец высыпал их в печь. Бросил сверху хворост. На него положил несколько поленьев. Через мгновение поленья уже облизывал огонь. Бледное лицо старца порозовело.

Христофор советовал тебе идти в монастырь. Я спрашиваю себя, почему ты его не послушался, и не нахожу ответа... (Подошел к Арсению.) Ну, прощай, что ли, потому что это последняя наша встреча. Обстоятельства складываются так, что в ближайшее время жизнь моя прекратится. Если ничего не путаю, все произойдет 27 декабря. В полдень или около того.

Старец обнял Арсения и направился к выходу. На пороге обернулся.

У тебя трудный путь, ведь история твоей любви только начинается. Теперь, Арсение, все будет зависеть от силы твоей любви. И, конечно же, от силы твоей молитвы.

К

Зима того года оказалась непохожа на другие зимы. Она не была ни морозной, ни снежной. Была туманной и мглистой – не зимой даже, а поздней осенью. Если и шел снег, он шел с дождем. Населению было ясно, что такой снег на этом свете не жилец. Он таял, не долетев до земли, и никому не доставлял радости. От зимы устали, едва она успела начаться. В том, что происходило в природе, видели дурное предзнаменование. И оно подтвердилось.

Через день после Рождества успе старец Никандр. По окончании Рождественской всенощной он сообщил братии, что собирается праздновать день своего рождения месяца декемврия в двадцать седьмой день. Дней рождения старец никогда не праздновал, и в урочное время заинтригованная братия собралась у его кельи.

День рождения для вечности, пояснил он с деревянной лежанки в углу. Руки его были сложены на груди.

Поняв, в чем дело, братия зарыдала.

Глаголю вам: не рыдайте мене, яко днесь узрю лице Господа моего. Глаголю же и Ти, Господи: в руце Твои предаю дух мой, Ты же мя помилуй и живот вечный даруй ми. Аминь.

Аминь, повторили собравшиеся, глядя, как душа старца Никандра покидает его тело.

Глаза их просохли, а лица просветлели. Монастырь наполнился окрестными людьми, ожидавшими чудотворений, ибо новопреставленный праведник заключает в себе особую силу. И они получали по вере их.

Зима тем временем все еще не начиналась. Дороги совершенно раскисли, а реки не замерзли.

Передвижение из пункта А в пункт Б, сокрушались в слободке, не представляется возможным или сильно осложнено. Мы фактически лишились дорог, которых в настоящем значении этого слова не было и раньше.

Но даже отсутствие дорог не мешало распространению главной беды того времени —

мора. Болезнь впервые обнаружилась в Белозерске, главном городе княжества. Оттуда она медленно двинулась на юго-восток. Подобно вражеской армии, захватывала деревню за деревней и в занятой местности вела себя беспощадно.

Все оставались на своих местах, потому что уйти от болезни было некуда. Ведь даже преодоление раскисших дорог не обязательно вело к спасению. По слухам, доходившим до белозерцев, промозглая погода стояла по всей Руси, а это означало, что очаг мора мог вспыхнуть где угодно. Начавшись, как это часто бывало, осенью, болезнь не могла вымерзнуть зимой, потому что зима не наступала.

До Рукиной слободки мор еще не дошел, но жители ее уже беспокоились. Предвидя приход мора, они решили посоветоваться с Арсением. Происшедшие с ним перемены слободских испугали, и первоначально им к Арсению идти не хотелось. Ввиду грозящей опасности, однако, выбора у них не оставалось. Когда же они пришли к Христофорову дому, то нашли его пустым.

Дверь не была закрыта, и внутрь они проникли беспрепятственно. Несмотря на полный порядок, было очевидно, что в доме больше никто не живет. Вернее, именно порядок и был нежилым. Слободские потрогали печь: она оказалась совершенно холодной. В ней не было даже памяти о тепле, которая безошибочно чувствуется в недавно топившихся печах. Слободские поискали, не осталось ли где записки от Арсения. Но записки тоже не было. Опасаясь наихудшего, они заглянули под лавки, осмотрели дворовые помещения и даже прошлись по примыкавшему к дому кладбищу. Никаких следов Арсения – живого или мертвого – слободские не нашли. Может статься, он растаял, яко тает воск от лица огня, подумали они. Точнее говоря, они просто не знали, что думать.

КНИГА
ОТРЕЧЕНИЯ

а

Но Арсений не растаял. В тот день, когда его искали в Христофоровом доме, он находился от него уже в десятке верст. Двумя днями раньше он забросил на спину холщовый мешок и покинул хутор.

В мешок он положил немногочисленные снадобья и врачебные инструменты. Остальное место занимали грамоты Христофора. Это была незначительная часть писаний покойного, потому что рукописное наследие его было обширно и не поместилось бы даже в большой мешок. А мешок Арсения не был большим. Много замечательных грамот ему пришлось с сожалением оставить.

Выйдя из дома, Арсений направился в Кощеево. Из Кощеева – в Павлово, из Павлова – в Паньково. Ноги скользили по мокрой глине, он проваливался в глубокие лужи, и в сапоги быстро набралась вода. Путь Арсения не был прям, ибо не

имел четко выраженной географической цели.
Он не был и спешен. Входя в очередную деревню, Арсений спрашивал, есть ли в ней мор. В первых виденных им деревнях мора не было. Там Арсения еще знали, а потому пускали в дома и даже
кормили.

Ввиду ранней темноты Арсению пришлось за-
ночевать в Панькове. Когда же наутро он снова
вышел в путь и пришел в Никольское, его туда не
пустили. В Никольское не пускали никого, чтобы
с человеком в деревню не было внесено моровое
поветрие. Не пустили Арсения и в Кузнецовое,
лежавшее в одной версте от Никольского. Арсений отправился в Малое Закозье, но въезд в Малое Закозье оказался завален бревнами. Он двинулся было к Большому Закозью, но точно такие
же бревна лежали и там.

Следующим на пути Арсения было Великое село. Вход в него был свободен, но дух неблагополу-
чия, витавший над этим местом, Арсению стал
очевиден сразу.

Здесь пахнет бедой, сказал Арсений Устине.
В этой деревне требуется наша помощь.

Это было его первое обращение к Устине после ее смерти, и он испытывал трепет. Арсений
не просил у нее прощения, потому что не считал
себя вправе быть прощенным. Он просто просил
ее об участии в важном деле и надеялся, что она
не откажет. Но Устина молчала. В ее молчании он
почувствовал сомнение.

Верь мне, любовь моя, я не ищу смерти, сказал
Арсений. Как раз напротив: моя жизнь – это наша с тобой надежда. Разве могу я теперь искать
смерти?

В первой избе ему не открыли. Сказали, что в деревню пришел мор. Арсений спросил, где именно болеют, и ему указали на избу Егора Кузнеца. Он постучал в нее. Ответа не было. Арсений достал из мешка холщовый лоскут, закрыл им рот и нос и связал концы на затылке. Перекрестившись, вошел.

Егор Кузнец лежал на лавке. Его огромная рука свешивалась вниз. Время от времени кисть сжималась в кулак, и это показывало, что Егор еще жив. Арсений взял Егора за запястье, чтобы понять, сильно ли в нем движение крови. Но движения почти не чувствовалось. От прикосновения Егор неожиданно открыл глаза.

Пить.

Воды в избе не было. На полу, у самой руки Егора, валялся опрокинутый ковш, под которым блестели последние капли влаги. Было ясно, что Егор выронил ковш, а принести воды из колодца сил уже не было.

Арсений вышел из избы и направился к колодцу-журавлю. У журавля был убитый вид. Его деревянная шея, прикрепленная скобой к бревну-туловищу, со скрипом покачивалась на ветру. Арсений опустил бадью в колодец. Подземная вода, не скованная морозом, стояла высоко. Арсений увидел в ней свое отражение и не узнал его. Его лицо стало другим.

Мое лицо стало другим, сказал он Устине. Эти изменения трудно определить, но они, любовь моя, очевидны.

Вернувшись в избу, он напоил Егора Кузнеца водой. Арсений поддерживал его голову рукой, а Егор незряче пил. Глотал захлебываясь. Вода струилась по его бороде и затекала под рубаху. Он все никак не мог напиться. Держался своей рукой за руку Арсения, и Арсений едва выдерживал ее тяжесть. Как был силен этот человек, думал Арсений, и сколь же он слаб сейчас. Всего несколько дней болезни превратили его в бессильную груду мяса. Которая через несколько дней начнет разлагаться. Он чувствовал, что в этом теле уже нет жизни.

Неожиданно Егор открыл глаза.

Еси ли смертный мой ангел?

Несмь, отрицал Арсений.

Поведай, ангеле, что ми судится.

Арсений смотрел, как веки Егора медленно смыкались.

Имаши скоро умрети, тихо сказал Арсений, но Егор его уже не слышал.

Он тяжело дышал, и капли пота скатывались с его лба, исчезая в густых волосах. Арсений сидел рядом с ним и вспоминал, как смотрел, бывало, на спящую Устину. Под покрывалом едва заметно ходила ее грудь. Иногда Устина с шумом втягивала ноздрями воздух и переворачивалась на другой бок. Терла щеку. Шевелила губами. Шевелил губами и Арсений. Он читал отходную молитву. Взгляд его постепенно обрел резкость, и за чертами Устины он увидел Егора. Егор был мертв.

Арсений пошел в соседние дома. Там лежали живые и мертвые. Мертвых он вытащил наружу и прикрыл холстинами и хворостом. Вытаскивая одно из тел, Арсений почувствовал в нем признаки жизни. Он заметил, что за это тело все еще цепляется душа. Это было тело молодой женщины.

Что-то мне подсказывает, сказал он Устине, что дело здесь не безнадежно.

Арсений внес женщину обратно в дом. Там было тепло, потому что еще утром хозяева были на ногах и топили печь. Арсений положил больную на живот и осмотрел ее шею. Огромными свинцово-красными бусами по шее протянулись распухшие железы-бубоны. Арсений раздул в печи угли и подбросил дров. Достав из сумки инструменты, он разложил их на лавке. Задумался. Выбрал копьецо и поднес его к огню. Когда копьецо прокалилось, подошел к больной. Свободной рукой прощупал бубоны. Выбрав самый большой и мягкий, воткнул в него пику и сдавил его двумя пальцами. Из бубона потекла мутная, неприятно пахнущая жижа. Арсений чувствовал пальцами ее вязкое обтекание, но это не было ему отвратительно. Струившийся по шее женщины гной казался ему зримым выходом болезни из тела. Арсений испытывал радость. Ощупывая подушечками пальцев узел за узлом, он выдавливал из больной чуму.

От шеи Арсений перешел к подмышкам, от подмышек к паху. Помимо запаха гноя он ощущал там другие запахи, и они его волновали. Сколько же во мне скотского, подумал Арсений. Сколько же. Закончив обработку, он отворил кровь в тех местах, где бубонов было больше всего. Кровь там была дурной, и ее следовало слить. Когда Арсений проткнул первую кровеносную жилу, женщина пришла в себя и застонала.

Потерпи, жено, шепнул ей Арсений, и она снова впала в забытье.

Он протыкал ей кровеносные жилы в разных местах тела, и всякий раз она стонала, но уже не открывала глаз. Закончив, Арсений укрыл ее одеялом.

А теперь – спи долгим сном и набирайся сил. И просыпайся не для смерти, но для жизни. Прогноз у тебя благоприятный.

С этими словами Арсений вышел. До конца дня он побывал еще в нескольких домах и имел там дело с живыми и мертвыми, и видел, как живые превращаются в мертвых. В одном из домов он обнаружил, что с его лица слетела повязка. Времени искать новую не было, и он помолился Ангелу Хранителю, дабы тот, находясь у правого его плеча, отгонял моровое поветрие своими крылами. Время от времени Арсений чувствовал ангельское дуновение, и это его успокаивало. Теперь он мог полностью сосредоточиться на лечении больных.

Арсений брал больных за запястье и внимал движению их крови. Иногда проводил рукой по груди или по темени. Это открывало ему наиболее вероятный путь, предначертанный болящему. Если больного ждало выздоровление, Арсений улыбался и целовал его в лоб. Если же ему судилась смерть, Арсений беззвучно плакал. Иногда предначертание не было явлено, и тогда Арсений горячо молился о выздоровлении недугующего. Держа лежащего человека за руку, он передавал ему жизненные силы. Отпускал его руку лишь тогда, когда чувствовал, что борьба жизни и смерти решается в пользу жизни.

В тот день это отняло у него много сил, потому что никогда еще его помощь не требовалась стольким людям сразу. В последнем из посещенных им домов Арсений уснул рядом с больным. Он спал, и ему снился Ангел Хранитель, отгонявший от него моровое поветрие. Он не складывал крыл даже ночью. Арсений удивился неутомимости Ангела и спросил его, как он не устает.

Ангелы не устают, ответил Ангел, потому что они не экономят сил. Если ты не будешь думать о конечности своих сил, ты тоже не будешь уставать. Знай, Арсение, что по воде способен идти лишь тот, кто не боится утонуть.

Наутро Арсений и больной проснулись в одно и то же время. И больной понял, что он здоров.

В̄

В Великом селе Арсений пробыл две недели. Он лечил и обмывал больных. Он подавал им питье и еду, в первую очередь – питье. Он обучал выздоровевших, как им ухаживать за больными.

Теперь вы неподвластны мору, говорил Арсений выздоровевшим. Тех, кто вырвался из его когтей, он больше не может тронуть.

Ему верили не все. Некоторые, боясь возвращения недуга, тихо покидали село и шли туда, где мора не было. Вскоре они убедились в том, что это было ошибкой. Их обессиленные болезнью тела не могли сопротивляться путевым невзгодам, и то, что оказалась не в силах сделать чума, довершили слякоть и холодный туман дороги. Те же, кто остался (их было большинство), верили Арсению как самим себе. Он был их спасителем, и правота его слов подтверждалась в их глазах исцелением. Вместе с Арсением они входили в чумные дома, но никому из них не было от этого вреда.

Когда помощников Арсения стало достаточно для поддержки живых, он занялся мертвыми. Они тоже не могли ждать. Даже будучи вынесенными из домов наружу, мертвые безудержно разлагались. Стыдливые гримасы покойников явственно показывали, что они больше ничего не могли с собой поделать. Им требовалась срочная помощь. Была найдена телега, на которую складывали тела. Их отвозили в ближайшую скудельницу за три версты, и там они оставались ждать Семика. Люди, занимавшиеся покойными, не плакали. В те дни вообще никто не плакал, ибо горе всеобщей смерти не умягчается слезами. А кроме того, слез уже просто не было.

Поняв, что жизнь в Великом селе налаживается, Арсений решил его покинуть. Погожим январским утром он простился с жителями и провожать себя позволил не дальше околицы. Но великая слава Арсения, истоки которой отыскиваются в Великом селе, ограничиться этой местностью уже не могла.

Независимо от воли Арсения она растекалась по градам и весям, преодолевая промозглую сырость и бездорожье. Арсений двинулся в деревню Лукинскую, но слава встречала его уже у первого дома. Прислонясь к резным наличникам, она стояла в облике деревенской бабы с караваем.

Ты ли еси Арсений, спросила баба.

Аз есмь, ответил Арсений.

Баба сунула ему каравай, и он машинально от него отщипнул. Каравай был жестким, потому что (понял Арсений) его пекли давно.

Помози нам, Арсение, смертию бо умираем.

Аще Богу будет угодно, помогу, пробормотал, не глядя на бабу, Арсений.

Он не понимал, откуда она о нем узнала, и молча следовал за ней по деревне. Под их ногами чавкала грязь, сквозь растопыренные ветви берез на них летели крупные мокрые снежинки. На фоне белых стволов снежинки были не видны, но хорошо чувствовались кожей лица. Они сразу же таяли на щеках и краткое время оставались висеть на ресницах.

Откуда она меня знает, спросил Арсений Устину, но Устина промолчала.

Боюсь, что она принимает меня за кого-то другого, сказал Арсений после паузы. И что ожидания ее завышенны.

Иногда он опережал бабу и заглядывал ей в глаза. В них отражалось серое небо, в котором не было просвета. Он взял бабу за плечо и резко остановил. Она повернула голову, но смотрела мимо него.

Ты же знаешь, что внук твой умер, так зачем же ты меня к нему ведешь, сказал Арсений.

А зачем же, спрашивается, живу я, безразлично спросила баба.

Арсений не знал, что ответить, да это и не было вопросом. По крайней мере, вопросом к нему. Он молча смотрел, как баба исчезала за снежными хлопьями. Когда ее не стало видно, он направился к ближайшей избе. Там его уже ждала работа.

В Лукинской Арсений задержался дольше, чем в Великом селе. Здесь было больше больных. Мертвых тоже было больше. В Лукинской царила апатия, и наладить тут помощь друг другу оказалось гораздо сложнее. Но Арсений справился и с этим.

Он убеждал крестьян, что их выздоровление зависит во многом от них самих. Желая пробудить в них жизненную силу, Арсений доказывал им, что Божья помощь нередко посылается через деятельных людей. Крестьяне кивали, потому что под деятельными людьми разумели Арсения. Сами же стать деятельными они не хотели. Или не могли. Когда же выздоровело несколько больных, уже оплаканных ими, в них пробудилась надежда.

И выздоровевшие начали помогать заболевшим и собирать покойных. Они разносили хлеб осиротевшим детям, мыли и прокуривали дома, расчищали дворы и улицы, пришедшие за время мора в запустение. Видя это, Арсений оставил деревню Лукинскую и пошел дальше.

Следующим местом, попавшимся Арсению на пути, была деревня Горы. Пробыв какое-то время в Горах, он обошел Кишемское озеро и, преодолев верст десять, оказался в деревне Шортино. Из Шортина путь его лежал в Кулиги, из Кулиг – в Добрилово, оттуда – в Загорье. И всюду Арсения уже ждали, и местным жителям было уже известно, в чем должна состоять их помощь врачевателю. Слова его, как и слава, шли впереди него, и все теперь знали, чтó им, придя, Арсений скажет, поэтому говорить ему приходилось все меньше. Это стало для Арсения значительным облегчением, ибо из всего им предпринятого самым большим трудом ему казалось произнесение слов.

Когда Арсений находился в Загорье, наконец-то ударил мороз. Мороз был силен. Не прошло и недели, как он сковал Шексну тонким, но прочным льдом. Далее Арсений передвигался уже по замерзшей поверхности Шексны. Ноги его порой скользили, порой цеплялись за вмерзший в лед камыш, но идти по реке все равно было легче, чем по бездорожью.

Так он пришел в большое село Ивачево. Это было богатое село, жившее ловом рыбы. В Ивачеве стояла каменная церковь во имя Андрея Первозванного, до своего апостольства – рыбака. В избах Ивачева к запаху разлагающихся тел примешивался запах сетей и соленой рыбы. Мор там стоял уже давно – как во всех речных деревнях, принимающих плавающих и путешествующих.

Арсений, выросший вдали от водных пространств, присутствие реки ощущал ежечасно. Шексна не была большой, но толща направленной воды, даже находясь подо льдом, излучала особую энергию движения. Эта сила в жизни Арсения была новой, и она его волновала. Она будила в нем мысль о странничестве.

Г

В Ивачеве Арсения застала весна. Мороз, сделавший мор чуть менее свирепым, сменился оттепелью. Арсений прилагал все силы к тому, чтобы не допустить второй волны морового поветрия. Ивачевцам он предписывал есть толченую серу в яичном желтке, запивая ее вытяжкой из сока шиповника. В дни приема снадобья не велел есть свинины, пить молока и вина. Днем Арсений обходил дома больных, а ночью молился о даровании им здравия, а также о том, чтобы болезнь не умножалась.

Оказываясь на берегу Шексны, Арсений думал о том, что лед ее скоро начнет таять. До наступления теплых дней ему нужно было перейти по реке в другую деревню. Он уже собрался было двинуться в путь, как однажды утром по шекснинскому льду в Ивачево прибыли сани. Глядя на красоту саней, кто-то из ивачевцев назвал их княжескими. И это оказалось правдой. Сани были присланы из Белозерска князем Михаилом. И присланы были за Арсением.

За мной, удивился Арсений, когда ему рассказали о прибытии саней.

За тобою, подтвердили приехавшие из Белозерска. Княгини и дщери ея коснуся моровая язва. Велика слава твоя, Арсение, в земли белозерстей. Яви же хытрость врачебную, да почтен будеши от князя.

Токмо от Спаса нашего Иисуса Христа мзды жду, ответил Арсений, и что ми есть в почитании княжем?

Отвернувшись в сторону, он сказал Устине:

Посмотрю, любовь моя, что я смогу сделать для этих людей. Оттого, что они принадлежат к княжескому роду, болезнь не становится легче. Тяжелее, правда, тоже.

С этими словами Арсений сел в расписные сани. Сиденье было уложено пуховыми подушками, оно дарило телу свою мягкость с подчеркнутой готовностью дорогой вещи. Арсения укутали покрывалом, и он испытал неловкость перед глядевшими на него ивачевцами. Никогда еще он не ездил в таких санях. И не представлял, что дорога может быть такой удобной. А движение – быстрым.

Полозья шли по льду с негромким хрустальным звуком, и толща воды отвечала им из глубин тяжелым колоколом. По наезженным колеям за полозьями крутилась поземка. Подо льдом бросалась врассыпную испуганная рыба. Шексна петляла, а леса сменялись деревнями.

До Белозерска существовал и более краткий путь. Он был не таким удобным, как речной, и шел через мелькавшие одна за другой деревни. Но приехавшие не знали, расчищен ли он. Они торопились и решили не рисковать, зная, что путь по реке надежен и скор. Возможно, они не хотели в эти деревни заезжать, потому что там свирепствовал мор. Им (возница строго посмотрел на Арсения) достаточно было мора в Белозерске.

Когда солнце утратило в яркости, ледяное пространство стало расширяться. Оглядевшись вокруг, Арсений осознал, что берег теперь остался только слева. Вместо правого берега, сколько видел глаз, расстилались бесконечные версты льда. Это было Белоозеро. Его лед оказался ровнее речного, и езда ускорилась. Когда было уже совсем темно, озеро плавно перешло в город. Их встречал Белозерск, главный город княжества.

Сани скользили сквозь темные улицы. Арсений еще никогда не видел таких длинных улиц и таких высоких домов. О высоте домов он мог судить по свечению верхних окон. Когда подъехали к жилищу князя, их уже ждали. Арсения выхватили из саней и повлекли по лестнице на второй этаж. Пробежав через две полутемных комнаты, оказались в третьей. Она была ярко освещена, и в ней стоял человек. Это был князь Михаил.

Слышах, яко ты еси врач хытр, сказал князь. Он подошел к Арсению ближе и заговорил тихо, почти в самое ухо. Высокий – сверху вниз. Жена и дочь, они заболели вчера ночью, понимаешь? Здешние лекари ничего не могут сделать. Ничего. Даже зубы вылечить...

Это очевидно, сказал Арсений. У тебя испорченный выдох.

Помоги моим близким, Арсение. Я думаю, ты сможешь.

Почему ты так думаешь, спросил Арсений. Из тех, кого я лечил, немалая часть умерла.

Князь сел на массивный резной стул. У него сидящего стала видна на макушке плешь. Он смотрел на Арсения, неестественно вывернув голову.

Потому что ты сам не умер. Мне говорили, что ты прошел множество чумных деревень и не умер. В этом я вижу твою благословенность.

Арсений молчал.

Князь отвел его на женскую половину. Когда они подошли к комнате, где лежали больные, Арсений остановил князя:

Дальше я пойду один.

Наклонил голову и вошел.

Две кровати стояли рядом. На одной лежала молодая женщина (она была гораздо моложе князя), на другой – девочка лет шести. Девочка была без сознания. Княгиня слабо Арсению кивнула. Вначале он подошел к ребенку и взял его за запястье. Затем потрогал лоб.

Что речеши, Арсение, спросила княгиня.

Ти ведомо имя мое, удивился Арсений.

Он сел на ее постель. Даже в полумраке комнаты было видно, что княгиня голубоглаза. На солнце, думал Арсений, ее глаза должны искриться небесной голубизной. Есть у Господа такая краска. Он осторожно поднял ее голову с подушки и ощупал шею.

Что речеши, повторила она.

Молися, княгине, и явит Господь свое милосердие.

Арсений вышел и закрыл за собой дверь. Князь молча подошел к нему. Смотрел в сторону.

Видел их?

Видел, сказал Арсений. Они тяжелы, но жизнь из них не уходит. С помощью Господней к утру, я думаю, полегчает.

Князь положил голову Арсению на плечо. На своей шее Арсений ощутил слезы.

Он вернулся к больным и пробыл у них до утра. Видел, как жизнь борется со смертью, и понимал, что жизни надо помочь. Он обработал чумные язвы матери и ребенка. Он давал им много пить, потому что вода вымывает из тела все нечистое. Держал их головы над кадкой, когда их рвало. А главное – впускал в них свои жизненные силы, когда чувствовал, что своих собственных им недостает.

Особенно Арсений опасался за девочку, поскольку дети переносят мор хуже взрослых. Все свободное время он держал ее за руку, не отпуская. По биению пульса распознавал изменения в состоянии и управлял ее борьбой за жизнь. Арсений чувствовал, когда ему следует решительно вмешаться. В такие мгновения он собирался весь без остатка и передавал ребенку все жизненное, что мог в себе найти. Он боялся лишь исчерпания собственных сил.

Когда утром пришли к ним в комнату, Арсений сидел без движения на полу и держал ребенка за руку. Вошедшим показалось, что он мертв. Что мертвы и княгиня с дочерью. Но Арсений был жив. А княгиня с дочерью были хотя еще очень слабы, но – здоровы.

А̄

Это событие стало началом возвышения Арсения. На князя, души не чаявшего в семье, выздоровление близких произвело глубокое впечатление. Он подарил Арсению соболью шубу. Несмотря на теплое время, ценность подарка была очевидна. Князь решил сделать Арсения придворным врачом и поселить его в своем дворце.

Нужно сказать, что княжеские покои в то навсегда ушедшее время не вполне соответствовали нынешним представлениям о дворцах. Палаты русской знати были обычно деревянными. Их отличие от домов простых горожан состояло прежде всего в размерах: они были выше и шире. Строительство их никогда не завершалось. Оно могло прерываться, но возобновлялось с первой же возникшей надобностью. С новыми браками в семье к основному зданию пристраивались новые части. Появлялись пристройки в связи с расширением кухни, комнат для слуг и подсобных помещений. Сооружения становились больше, но – не красивее. Они напоминали пчелиные соты или колонию моллюсков. Главное их достоинство состояло в том, что они устраивали владельцев.

Прожив у князя несколько недель, Арсений обратился к нему с просьбой отпустить его. Нет, Арсений не хотел уходить из Белозерска – там было еще много людей, нуждавшихся в лечении, – он лишь просил о предоставлении ему другого жилища. Такая просьба князя поначалу удивила, но Арсений пояснил, что посещает других больных и боится занести мор в княжеские палаты. Это было правдой, но не всей правдой. Жизнь во дворце тяготила Арсения.

Находясь в роскоши, я слабее чувствую тебя, признался он в слезах Устине. И дело, ради которого я теперь живу, там осуществить невозможно.

Князь не стал препятствовать Арсению, ибо слово Арсения значило для него много. Князю было важно, что Арсений не уходит из Белозерска. Он дал ему дом недалеко от дворца и предоставил жить по своей воле. Волей же Арсения было справиться с охватившим город недугом. За короткое время он смог наладить помощь выздоровевших больным и в Белозерске. Один с больными целого города он бы не справился.

С рассветом Арсений покидал свой дом и обходил избы с чумными. Он осматривал их, определяя состояние и виды на жизнь. Там, где его помощь могла оказаться решающей, он оставался на долгие часы и убеждал грустных ангелов смерти повременить. Порой, когда ему казалось, что силы оставили его совершенно, он шел к Белоозеру.

Стоял уже конец мая, а озеро все еще было подо льдом. Его бескрайнее свинцовое пространство вступало в противоречие с покрытыми зеленью берегами. Арсений ходил по льду озера и чувствовал холод его глубин. Веяние этого холода ему представлялось веянием смерти, так, словно бездна озера заключала в себе всех когда-либо ушедших белозерцев. Он мог часами вглядываться в лед, изучая то, что вмерзло в него за зиму: черепки горшка, головешки костров, павшего волка, остатки лаптей, а также то, что от долгого лежания потеряло первоначальный вид и превратилось в чистую материю.

Арсений думал, что находится в уединении, но это было не так. Он никуда не мог скрыться от своей славы. Невидимый Арсению, с берега за ним наблюдал Белозерск. Город понимал, что напряжение Арсения для обычного человека непереносимо, и не мешал ему набираться сил в одиночестве.

Но однажды от берега отделилась точка и стала быстро двигаться к Арсению. Арсений обратил на нее внимание, когда стало очевидно, что она направляется к нему. Арсений подумал было, что человек еще далеко, но так только казалось, потому что шедший был мал. Когда он подошел, Арсений увидел, что это мальчик лет семи.

Аз есмь Сильвестр, сказал мальчик. Се придох, яко болеет моя мати. Ты же, Арсение, помози нам.

Он взял Арсения за руку и потянул его в сторону берега. Рука Сильвестра была холодной. Арсений молча двинулся за ним. На льду Сильвестр несколько раз поскальзывался и смешно повисал на руке Арсения. И ни один из них не засмеялся, потому что движение их не было радостным. Движение сопровождалось потрескиванием льда под ногами. Над головами кричали вернувшиеся из теплых краев птицы. Время от времени шедших окатывали волны теплого берегового воздуха, согревая на ледяном пространстве.

Мой отец умер два года назад, сказал Сильвестр. Тоже от мора. А мать зовут Ксенией.

Увидев, что Сильвестр смотрит на него, Арсений кивнул.

Дом Сильвестра стоял у заболоченного пруда почти у самой границы города. Вопреки ожиданиям Арсения, это был хороший дом. В нем не было сиротства и оставленности. Прежде чем переступить порог, Арсений спросил:

Когда она заболела?

Вчера, ответил мальчик.

Арсений вошел. Несмотря на предостерегающий жест, Сильвестр шагнул за ним.

Это моя мама, прошептал Сильвестр. От нее мне не может быть ничего дурного.

Теперь она уже принадлежит не себе, но болезни, так же шепотом сказал Арсений и вывел мальчика наружу.

Ксения лежала с закрытыми глазами. Несколько минут Арсений молча смотрел на нее. Даже болезненная отечность не искажала правильных черт ее лица. Арсений коснулся рукой ее лба и сам удивился своей робости. Чтобы сбросить нерешительность, он нажал ладонью на лоб. Ксения открыла глаза. Они ничего не выражали и медленно закрылись. Ксения была не в силах сопротивляться сну. Арсений нащупал пульс. Провел рукой по шейной артерии. Несколько раз нажал на место, под которым билось сердце. Он не чувствовал в ней ничего, кроме убывания жизни.

В сенях на него вопросительно смотрел Сильвестр. Арсений хорошо знал этот взгляд, но никогда еще не видел его у ребенка. Он не мог понять, что следует говорить ребенку с таким взглядом.

Знаешь, дела плохи (отвернулся Арсений). Мне тяжко оттого, что я не могу ее спасти.

Но ты же спас княгиню, сказал мальчик. Спаси и ее.

Все в руце Божьей.

Знаешь, для Бога это ведь такой пустяк – исцелить ее. Это очень просто, Арсений. Давай молить Его вместе.

Давай. Я только не хочу, чтобы ты обвинял Его, если она все-таки умрет. Помни, что смерть ее вероятна.

Ты хочешь, чтобы мы просили Его и не верили, что Он нам это даст?

Арсений поцеловал мальчика в лоб.

Нет. Конечно, нет.

Он постелил Сильвестру в сенях:

Ты будешь спать здесь.

Да, но сначала мы будем молиться, сказал Сильвестр.

Арсений принес из комнаты иконы Спасителя, Пречистой Его Матери и святого великомученика и целителя Пантелеймона. Снял с полки ковши и поставил иконы на их место. Они с мальчиком опустились на колени. Молились долго. Когда Арсений заканчивал читать молитвы Спасителю, Сильвестр дернул его за рукав.

Подожди. Я хочу сказать своими словами. (Он прижался лбом к полу, и голос его зазвучал глуше.) Господи, оставь ее жить. Мне больше на свете ничего не нужно. Вообще. Буду век Тебя благодарить. Ты же знаешь, что если она умрет, я останусь один. (Из-под руки посмотрел на Спасителя.) Без помощи.

Сообщая Спасителю о возможных последствиях, мальчик боялся не за себя. Он думал о матери и подбирал самые веские доводы в пользу ее выздоровления. Надеялся, что ему нельзя отказать. И Арсений это видел. И верил в то, что это видит Спаситель.

Потом они молились Божьей Матери. Не слыша голоса Сильвестра, в какой-то момент Арсений оглянулся. Сильвестр спал, стоя на коленях. Прислонясь к сундуку. Арсений осторожно перенес его на постель. Целителю Пантелеймону Арсений молился уже один. Около полуночи он перешел в комнату и стал заниматься Ксенией.

Є

В течение нескольких дней Ксении не становилось лучше. Но она и не умирала. В этом Арсений видел проявление безграничного милосердия Божьего и поощрение к борьбе за ее жизнь. И он продолжал бороться. Приподнимая Ксении голову, он вливал ей в рот не только противочумные снадобья, но и настои, способные укрепить плоть в ее сопротивлении смерти. Шепча молитву, он держал Ксению за руку и чувствовал, как через него в больную вливается помощь Того, к Кому он обращался.

Когда он выходил из комнаты, в сенях его встречал Сильвестр. После молитвы о здравии Ксении они ненадолго шли на озеро. Дни в Белозерске становились жаркими, и прохлада озера была приятна. На лед они не выходили, потому что он был уже ненадежен. Во льду появились полыньи и промоины от подводных ключей. Из синего он стал черным, из прочного – хрупким.

Ты ведь женишься на моей маме, спросил Сильвестр, когда они шли по берегу.

От неожиданности Арсений остановился.

Я хочу, чтобы мы были всегда вместе, сказал Сильвестр.

Видишь ли, Сильвестр...

Мальчик, ушедший было вперед, медленно возвращался к Арсению.

У тебя есть другая женщина?

Ты задаешь очень взрослые вопросы.

Значит – есть?

Можно сказать и так.

Арсений видел, как глаза мальчика заполнялись слезами. Сильвестр держал себя в руках, и слезы так и не скатились на щеки.

Как ее зовут?

Устина.

Она живет в твоей деревне?

Нет.

В Белозерске?

Она живет не на этом свете.

Мальчик взял его за руку, и дальше они пошли молча.

На пятый день болезни Ксения пошла на поправку. У нее совершенно не было сил, но смерть ей уже не грозила. Она благодарно смотрела на Арсения, который ее поил, кормил с ложки кашей и помогал ходить на горшок.

Я тебя не стесняюсь, сказала она как-то. Это мне самой удивительно.

В болезни плоть теряет свою греховность, ответил, подумав, Арсений. Становится ясно, что она – всего лишь оболочка. И ее не приходится стесняться.

Я тебя не стесняюсь, сказала Ксения в другой раз, потому что ты стал мне близким человеком.

Ксении становилось лучше. В один из ближайших вечеров она встала и сварила репу. Нарезав репу ровными кружочками, Ксения разложила ее по мискам. Счастливым взглядом смотрела на мужчин. Арсений смотрел на Сильвестра: мальчик почти не ел. Весь день он был вялым, и Арсения это начинало беспокоить.

После ужина Арсений взял Сильвестра за запястье. Подходя к мальчику, он уже знал, что дело плохо, но только ощутив пульс Сильвестра, Арсений понял, насколько плохо. Арсению показалось, что его собственная кровь потекла в обратную сторону. И сейчас ударит из ноздрей, из ушей, из горла. Ксения еще продолжала говорить, а он уже не мог разомкнуть губ. Он явственно ощутил свое бессилие помочь. Он смотрел на ребенка, и ему опять хотелось умереть.

Ночью Сильвестр не спал. Его охватила беспричинная тревога, он метался по постели. Переворачивался с боку на бок и никак не мог найти удобного положения для сна. Мышцы рук и ног болели. Засыпая на несколько минут, он тут же просыпался и спрашивал, здесь ли Ксения и Арсений. Ему казалось, что они ушли. Но они были рядом. Они сидели у его постели и не отрываясь смотрели на него. Ксения ничего не говорила.

По ее щекам текли слезы. Под утро Сильвестр впал в забытье.

Ксения подняла голову.

Спаси его, Арсение. Он – моя жизнь.

Арсений опустился рядом с ней на пол, уткнулся головой ей в колени и разрыдался. Он плакал от страха потерять Сильвестра и от невозможности помочь ему. Он плакал обо всех тех, кого ему не удалось спасти. Он чувствовал свою ответственность за них, и ему не с кем было ее разделить. Он плакал от собственного одиночества, которое сейчас обожгло его неожиданно остро.

Пытаясь вылечить Сильвестра, он предпринял все противочумные меры, которым его когда-то учил Христофор. Он применил некоторые средства, полезность которых обнаружил в результате собственных наблюдений. Он посадил ребенка себе на колени и так держал его не выпуская. Арсений боялся, что ангел смерти может прийти за Сильвестром в его отсутствие. Арсений знал, что в ответственный момент он прижмет ребенка к себе, чтобы от сердца к сердцу вталкивать в него волны жизни. Ему становилось страшно, когда Сильвестр начинал кашлять. Вытирая с губ мальчика кровавую слизь, Арсений опасался, что со страшным кашлем из него вылетит душа, ибо ее положение в теле было непрочным.

Вспоминая сказанное Сильвестром, Арсений обращался к Господу:

Помоги ему, Тебе ведь это так просто. Я понимаю, что просьба моя – дерзость. И я даже не могу предложить за мальчика свою жизнь, потому что моя жизнь уже отдана Устине, перед которой я навеки виновен. Но все же уповаю на безграничную милость Твою и прошу Тебя: сохрани жизнь рабу Твоему Сильвестру.

Арсений не спал пять дней и пять ночей. Он не спускал Сильвестра с рук еще и потому, что тело его нужно было поддерживать в полусидячем положении. Когда мальчик ложился, легкие его быстро заполнялись мокротой и он начинал ее надрывно откашливать. На шестой день Арсений почувствовал изменения. Внешне они были еще не видны, но от Арсения не укрылись.

Ничего не объясняя, он приказал Ксении усилить молитву. Падая от усталости и недосыпания, Ксения усилила молитву. Она преклоняла колени перед иконами в красном углу и стояла так часами. Ее охрипший голос звучал теперь непрерывно. Пряди выбивались из-под платка, но у нее не было сил их поправить. И слезы ее кончились и больше не текли по щекам. На седьмой день мальчик открыл глаза.

Произнеся благодарственную молитву, Арсений рухнул на лавку. Он спал два дня и две ночи и все не мог отоспаться. Он понимал, что нужно было бы встать, и ему снилось, что он встает. Он хотел осмотреть Сильвестра, и ему снилось, что он его осматривает. Осмотр показал, что с Сильвестром все в порядке. Арсений знал, что это ему снится, но знал он, что снится ему истинное положение вещей. Иначе бы ему приснилось что-нибудь другое.

Его разбудило прохладное прикосновение к руке. Это были губы Ксении. Увидев, что Арсений открыл глаза, Ксения прижала его ладонь к своему лбу. За ее спиной стоял Сильвестр. После перенесенной болезни мальчик был бледен и худ. Прозрачен, почти призрачен. Ангельским крылом из-за его спины торчала складка рубахи. Он улыбался Арсению, не делая попытки приблизиться. Пропуская вперед свою мать.

2

Лед на озере растаял, и в городе сразу стало теплее. С наступлением жарких дней мор стал спадать. Белозерск возвращался к обычной жизни, и тревога его жителей постепенно рассеивалась. Не рассеивалась великая слава Арсения, которая гремела уже по всему княжеству. К Арсению обращались по всякому врачебному поводу и обращались даже без повода. В общении с ним горожане ощущали явную благодать. Арсений говорил немного, но само его внимание, улыбка, прикосновение наполняли их радостью и силой.

Время от времени его приглашал на обеды князь Михаил. Он вновь звал Арсения переселиться к нему в палаты, но Арсений несколько раз мягко отказался. Князь хотел было построить ему большой дом у своих палат, но Арсений отверг и это. Арсений отказался бы и от обедов, но такой поступок князь воспринял бы как личную обиду.

Князь был умным человеком и в стремлении приблизить к себе Арсения не стал усердствовать. Поняв, что Арсению требуется определенная независимость, князь Михаил не стал навязывать ему свое общество. Под *определенной* независимостью князь понимал независимость, границы которой определял бы он сам. Предоставив Арсению жить в городе по собственной Арсениевой воле, он ограничил его лишь в одном: праве город покинуть. Это он дал понять Арсению вежливо, но твердо.

Но обедами у князя сложности Арсения не исчерпывались. Гораздо более частыми и терзающими душу оказались обеды у Ксении. Почти ежедневно за ним заходил Сильвестр и тянул его в материнский дом. Отказаться от этих обедов было еще труднее, чем от княжеских. Особенно Арсения тревожило то, что отказываться ему и не хотелось.

Он приходил к Ксении и смотрел, как она собирала на стол. Любовался ее спокойными и точными движениями. Они с Ксенией почти не говорили. Молчание с ней было не тяжелым, и это Арсению тоже нравилось. Иногда говорил Сильвестр, но чаще он старался оставить их наедине. После обеда он шел провожать Арсения домой. Арсению было приятно и это. Иногда ему казалось, что Сильвестр опасается, чтобы он не свернул в какой-нибудь другой дом.

Устина не может быть твоей женой, сказал однажды Сильвестр, провожая Арсения.

Почему, спросил Арсений.

Потому что она живет не на этой земле.

Я, Сильвестре, за нее всюду отвечаю.

Арсений положил Сильвестру руку на плечо, но Сильвестр отвернулся.

Несчастен был не только Сильвестр. Не находил себе места и Арсений. Он не мог не посещать Ксению, потому что видимых причин не делать этого не было. Более того, он начал замечать, что ждет этих посещений как праздника, и стал испытывать стыд. Арсению было стыдно и потому, что в Белозерске он не мог скрыться от своей славы. А покидать Белозерск ему было запрещено.

Теперь белозерцы к нему ходили сами. Он лечил их от тех же недугов, что и жителей Рукиной слободки. Платы за лечение он не просил ни у кого, но мало кто был готов лечиться бесплатно. В отличие от жителей слободки, горожане редко расплачивались натуральными продуктами, предпочитая деньги. И платили они гораздо больше. Щедрые дары нередко делал ему и князь Михаил.

На эти деньги Арсений по случаю купил несколько небольших книг, в которых описывались целебные свойства трав и камней. Одна из них была иноземным лечебником, и Арсений заплатил купцу Афанасию Блохе, ходившему в немецкие земли, за перевод. Перевод Блохи был весьма приблизительным, что ограничивало возможность использования книги. Полученные рецепты Арсений применял лишь тогда, когда они совпадали с тем, что он знал от Христофора.

Следя за тем, как купец читает незнакомые литеры и переводит составленные из них слова, Арсений заинтересовался соотношением языков. О существовании семидесяти двух мировых языков Арсений знал из истории столпотворения, но кроме русского за всю жизнь не слышал пока ни одного. Шевеля губами, он про себя повторял за Блохой непривычные сочетания звуков и слов. Когда он узнавал их значение, его удивляло, что знакомые вещи можно выражать столь необычным, а главное – неудобным образом. Вместе с тем многообразие возможностей выражения Арсения завораживало и притягивало. Он старался запомнить и соотношение русских и немецких слов, и произношение Блохи, вряд ли соответствовавшее настоящему немецкому произношению.

Предприимчивый Блоха интерес Арсения немедленно заметил и предложил ему давать уроки немецкого. Арсений с готовностью согласился. Начавшиеся уроки были, в сущности, далеки от привычных представлений о преподавании, потому что о языке как таковом Афанасий Блоха ничего вразумительного сказать не мог. Он никогда не задумывался о его структуре и уж тем более не знал его правил. Первое время уроки сводились к тому, что купец продолжал читать лечебник вслух и переводить его. Отличие этих уроков от прежнего перевода состояло лишь в том, что по окончании каждой главки Блоха спрашивал у Арсения:

Понятно?

Это позволяло купцу брать с Арсения двойную плату – за перевод и за уроки. Арсений не роптал, потому что денег ему было не жаль. Он ценил Афанасия как единственного в Белозерске человека, в той или иной степени знакомого с иноземной речью. Понимая, что посредством чтения только лишь лечебника он достигнет немногого, Арсений решил использовать одно несомненное достоинство своего наставника: тот обладал хорошим ухом и цепкой памятью.

За время своих длительных поездок в Неметчину Блоха усвоил сочетания слов, произносимых в тех или иных ситуациях, и при наводящих вопросах мог эти слова повторить. Арсений описывал Блохе эти ситуации и спрашивал, что именно в таких случаях говорят. Купец (это же так просто!) удивленно взмахивал рукой и сообщал Арсению все услышанные им варианты. Сказанное Блохой Арсений записывал. Оставшись один, он приводил свои записи в порядок. Из слышанных от Блохи выражений он извлекал незнакомые слова и заносил их в особый словарик.

Однажды, когда распродавались вещи иноземного купца, умершего в дороге, Арсений купил немецкую хронику. Это была толстая и довольно потрепанная рукопись. Открыв ее наугад, Арсений с Блохой уже не могли оторваться.

Они прочли о людях, называемых сатирами, которых, когда они бегут, никто не может настигнуть. Ходят нагими, живут со зверями, а тела их обросли шерстью. Сатиры не говорят, но лишь кричат криком. Арсений и Блоха прочли об атанасиях, живущих на севере Великого Океана. Уши у них столь велики, что они без труда укрывают ими все свое тело. Прочли о щиритах, которые, напротив, не имеют ушей, но одни лишь дыры. Прочли о мантикорах, которые живут в Индийских землях: зубы у них в три ряда, головы человеческие, а тела львиные.

Так сколь же разнообразен мир, думал Арсений, и вспоминал сходные описания *Александрии*, и спрашивал себя, каково же место перечисленных явлений в общем порядке вещей. Ведь не может же их существование (спрашивал себя) быть недоразумением в мире, устроенном разумно?

Бóльшая часть заработанных Арсением денег уходила, однако, не на книги и даже не на уроки. Главным образом Арсений покупал корни, травы и минералы, необходимые для составления снадобий. Дорогие снадобья Арсений раздавал тем, у кого не было возможности их купить. Дороже всего стоили лекарственные средства, которые привозились из иных стран. Были среди них и такие, о каких Арсений только слышал от Христофора или читал в немецком лечебнике. Теперь благодаря щедрости граждан Белозерска у Арсения появилась возможность испробовать и их.

Прежде всего он купил несколько жемчужин и мелко их истер. Затем смешал с сахаром, полученным из шиповника, и дал съесть человеку, ослабевшему после моровой болезни. По словам Христофора, это снадобье возвращало силы. Силы к больному в самом деле вернулись, как, впрочем, возвращались они и к другим выжившим больным. Роль в этом тертого жемчуга для Арсения осталась невыясненной. С уверенностью он мог лишь сказать, что жемчуг больному не повредил.

Арсений купил и удивительный камень изумруд, который привозят из Британии. Кто на изумруд часто смотрит, говорил Христофор, того зрение укрепляется. Толченый же и разведенный в воде изумруд помогает против смертоносного яда. Как противоядие Арсений его так ни разу и не использовал, смотреть же на изумруд было действительно приятно.

Были им испробованы и невиданные прежде масла. Для заживления свежих ран Арсений применил терпентиновое масло, и оно ему показалось действенным. При боли в суставах он смазывал беспокоящие места черным маслом нефтью. Больные чувствовали, как от прикосновений Арсения им становилось легче. В конечном счете им было все равно, какое масло втирает Арсений. Им было важно, что это делает именно он, потому что когда они натирали себя нефтью сами, целебное действие оказывалось значительно слабее. Положительной роли нефти они, однако же, не отрицали.

Испробовав недоступные ему прежде средства, Арсений успокоился. Нельзя сказать, что он в них совершенно разуверился, уже потому хотя бы, что верил Христофору. Арсений, однако, учитывал, что и Христофор обо многих лекарствах судил не по собственному опыту. Это позволяло подвергать их проверке и выносить собственные суждения. В целом же Арсений укреплялся в своем давнем предположении, что в конечном счете лекарства имеют второстепенное значение. Главная роль принадлежит лекарю и его врачующей силе.

Между тем короткое северное лето уже заканчивалось. Вернулся вечерний уют печей и свет лучин. Ночью даже случались заморозки. Засиживаясь допоздна у Сильвестра и Ксении, Арсений читал им грамоты Христофора.

Василий Великий рече: целомудрие, еже при старости, несть целомудрие, но немощь на похоть. Александр, видев некоего тезоименита, страшлива суща, рече: уноше, или имя, или нрав измени. Когда Диогена обругивал некий плешивец, Диоген сказал: не воздаю тебе руганью за ругань, но похваляю волосы главы твоей, потому что, увидев ее безумие, они сбежали. Некий юноша на торжище, гордясь, говорил, что мудр, потому что со многими мудрыми беседовал, но ему ответил Демокрит: я вот беседовал со многими богатыми, но богатым от этого не стал. Когда Диогена спросили, как жить с правдой, он отвечал: якоже и при огне – ни вельми приближатися, да ся не ожжет, ни далече отступати, да мраз не постигнет.

3

Между тем морозы были уже близки. Ветер срывал с белозерских деревьев листья и бросал их в озеро. Порывы ветра становились все сильнее, а связь листьев с ветками была уже совсем непрочной. Улетавшие в озеро листья казались похожими на стаи мелких птиц, стремившихся почему-то на север.

Арсений продолжал лечить белозерцев, но не только их. Теперь к нему стекались люди со всего Белозерского княжества, привлеченные известиями о Враче. Сначала Арсений сажал их в сенях. Когда места в сенях не хватило, он велел поставить во дворе несколько лавок. Когда приходящие перестали помещаться и там, прием больных Арсений стал ограничивать. Он принимал лишь тех, кто успевал занимать лавки. Остальные, однако же, не уходили. Они бродили по двору и терпеливо ожидали от Врача милости. Они знали, что дождавшихся он все равно осмотрит.

Больных было много, и были они самыми разными.

Привозили поломавших кости. Арсений выравнивал их кости и перетягивал поврежденные места холстинами с целебной мазью. Это был цвет *проскурника*, варенного во фряжском вине. Для питья он давал сок терновой травы с толчеными васильками. Недугующие терпеливо носили повязки и восемь дней по утрам пили снадобье. И срастались их кости.

Привозили обожженных на пожарах и обваренных кипятком. Арсений прикладывал к ожогам полотна с толченой капустой и яичным белком. Меняя полотна, присыпал ожог киноварью. Пить обожженным он давал настой травы *ефилии*. Через непродолжительное время ожоги их начинали затягиваться и рубцеваться.

Приезжали мучимые глистами. Таковым предписывал он дикую редьку, истолченную с пресным медом. Предписывал миндальные орехи. Молодую крапиву, варенную в уксусе с солью. Если же и после этого в человеке оставался какой-то вид глистов, Арсений давал ему на сытый желудок щепоть купороса, чтобы глисты вышли окончательно. В Средневековье глистов было много.

Лечились у него страдающие от геморроя. Им Арсений велел присыпать больные места толченым семенем укропа или сурьмой. Обращались те, у кого чешется грудь. Он предписывал им достать у купцов морскую рыбу сельдь, о которой известно, что она ходит в стаях и глаза ее ночью светятся. Сельдь требовалось разрезать вдоль и приложить к груди. Приезжали к Арсению и люди с больными деснами. Он советовал им почаще держать во рту миндальные ядра, чтобы десны их укреплялись.

За Арсением по-прежнему заходил Сильвестр и вел его к своей матери. Зная, что Арсений весь день занят больными, мальчик появлялся поздно вечером. Незаметно для себя к концу дня Арсений начинал торопиться и делал все для того, чтобы к приходу Сильвестра быть свободным. Пациенты Арсения это заметили и старались вечером не приходить. В конце концов заметил это и Арсений. В день, когда он сделал свое открытие, сердце его сжалось. Он молчал до самого заката солнца, а к вечеру так и не подготовил очередных грамот для чтения.

Когда пришел Сильвестр, Арсений заколебался. Мальчик безмолвно смотрел на него, и Арсений не смог выдержать этого взгляда.

Пошли, Сильвестре.

По дороге они не разговаривали. Мальчик чувствовал, что в душе Арсения произошли какие-то перемены, но спросить боялся. У Ксении все уже было на столе. Есть Арсению не хотелось. Чтобы не обижать Ксению, он поел. Христофоровых грамот у него с собой не было, а разговор не клеился. Когда Сильвестр скрылся в сенях, Арсений произнес:

Мне не нужно здесь бывать, Ксение.

Ксения не изменилась в лице. Она ждала этих слов и была к ним готова. Эти слова причиняли ей страдание.

Я знаю, что ты верен Устине, сказала Ксения, и люблю тебя за это. Но я не ищу места Устины.

Мне хорошо и радостно с тобой, сказал Арсений. Но Устина – моя вечная невеста.

Если тебе радостно со мной, будь моим братом. Давай с тобой жить по любви совершенной. Только бы видеть тебя, Арсение.

Я не могу с тобой жить по любви совершенной, потому что слаб. Прости меня Бога ради.

Бог простит, сказала Ксения. Ты служишь своей памяти и являешь безмерную преданность, но знай, Арсение, что во имя мертвых ты губишь живых.

Все дело в том, закричал Арсений, что и Устина жива, и дитя живо, и жаждут быть отмолены. Кто отмолит их, если не я, согрешивший?

Мы. Мы втроем с Сильвестром, который будет счастлив разделить с тобой молитву. И вернуть тебе покой будет счастлив. Его молитва угодна Господу. Будем втроем молить Господа во вся дни – с утра до вечера. Только не покидай нас, брате мой Арсение.

Ксения была бледна и оттого несказанно красива. Арсений чувствовал, как в горле растет ком. Выходя, увидел в сенях Сильвестра, и взгляд его был сиротлив. От этого взгляда Арсений разрыдался. Закрыл лицо руками, выскочил на улицу. Шел вдоль сосновых частоколов и в голос рыдал. Его никто не видел, потому что в Белозерске была уже ночь. Белозерцы только лишь слышали его рыдания и недоумевали, кто бы это мог быть, ибо такой голос Арсения не был им прежде знаком.

Придя домой, Арсений вытер слезы и сказал Устине:

Ты же видишь, любовь моя, что происходит. Я не говорил с тобой, любовь моя, несколько месяцев, и у меня нет оправдания. Вместо того чтобы искупать мой страшный грех, я вязну в нем все более. Как могу, моя бедная девочка, отмолить тебя у Господа, когда сам погружаюсь в пучину? Если бы я пропадал один, то, знаешь, и не жалко, но кто же отмолит тя со чадом? Я ваш единственный здесь молитвенник и только потому все еще не прихожу в отчаяние.

Так сказал Арсений Устине. Собрал грамоты Христофора в мешок, показал Устине и добавил:

Вот мешок с грамотами Христофора, самое, в сущности, ценное, что у меня есть. Я бы взял его и пошел куда глаза глядят от моей славы. Слава моя одолела меня, гнет к земле и мешает беседовать с Ним. Я бы ушел отсюда, любовь моя, но меня не пускает князь града сего, а главное – Ксения и Сильвестр. Они были бы счастливы молиться со мной за тебя с младенцем, но не понимают, что это могу делать только я. Я единственный, с кем ты еще соединена на этой земле, и мною ты как бы продолжаешь жить. А Ксения считает, что во имя мертвых я гублю живых, и хочет молиться за тебя как за мертвую, хотя я-то знаю, что ты жива, только по-другому.

Арсений задумался. Погладил мешок с грамотами, и они ответили ему берестяным шуршанием.

Я, знаешь, пойду к городским воротам. Они о сию пору затворены, но аще се будет надобе, выведет мя ангел из града сего.

Взгляд его упал на шубу, подаренную князем. Он не надевал ее еще ни разу. Несмотря на свое великолепие, шуба не была ни тяжелой, ни громоздкой. Арсений надел шубу и прошелся по комнате. Шуба ему нравилась. Арсений подумал, что начинает ценить удобство дорогих вещей, и ему стало неловко. Постояв в шубе с минуту, он решил все-таки ее не снимать. Если ему действительно предстоит путешествие, такая шуба может пригодиться. На лавке у двери он заметил еще несколько Христофоровых грамот. Развязывать хорошо уложенный мешок ему не хотелось. Арсений сунул грамоты в карман шубы и вышел из дома.

По улице веяла поземка. Ничего не видя в темноте, Арсений чувствовал ее колючее прикосновение щеками. В окнах не светилось ни одного огня, и это было хорошим знаком: ночные огни в его жизни сопровождали болезни и смерти. Темнота не мешала ему идти. Путь к городским воротам он мог бы проделать и с закрытыми глазами.

На открытом месте у ворот было немного светлее. В одном из углов площади Арсений заметил движение. Поколебавшись, он направился туда. На фоне свежеоструганного частокола проступили лошадь и всадник. Арсений не знал, ездят ли ангелы верхом. Рядом стояла еще одна лошадь.

Готов, тихо спросил всадник.

Готов, так же тихо ответил Арсений.

Всадник молча указал ему на вторую лошадь, и Арсений запрыгнул в седло. Всадник тронулся в направлении ворот. Арсений последовал за ним. У ворот всадник спешился и постучал в будку стражи. В ответ произнесли что-то сонное. Всадник вошел. Из будки послышался тихий разговор, сопровождаемый звяканьем монет. Через минуту из будки вышли несколько человек, в том числе и всадник. Он снова занял свое место в седле. Два человека вставили ключ в замок и повернули его с лязгом – неожиданно громким, прокатившимся по безмолвному городу. Трое других нажали на ворота. Они открылись – опять же со скрипом – ровно на то расстояние, которое было необходимо для прохода лошади. В этой щели исчезли ночные странники.

И

Стража мздоимна, сказал спутник Арсения, когда они были далеко от ворот.

Арсений кивнул, только этого никто не увидел. Больше спутник ничего ему не говорил. Вскоре они въехали в лес. Лишь там стало понятно, что такое настоящая темнота. Ехать приходилось медленно, лошади переставляли ноги на ощупь. Один раз по лицу незнакомца ударила ветка, и он грязно выругался. Арсений понял, что его сопровождает не ангел. Он подозревал это с первой минуты их встречи.

Спустя четверть часа последовала вторая ветка, которая выбила всадника из седла. Падая, он неловко выставил ногу и повредил ее. Тут же попытался встать, наступил на поврежденную ногу и со стоном свалился на землю.

Нога... Доездился, бля.

Арсений спрыгнул с лошади и подошел к упавшему. Внимательно ощупал ногу.

Ничего страшного, это вывих. Главное – цела кость.

При звуке Арсениева голоса незнакомец напрягся. Арсений почувствовал, как дернулась его нога.

С этим легко справиться, подбодрил его Арсений.

Не говоря ни слова, тот схватил Арсения за волосы и притянул к себе. У горла Арсений почувствовал нож.

Ты кто, прохрипел незнакомец.

Я? Арсений.

Я тебя, падаль, зарежу.

Почему, спросил Арсений.

Ему самому вопрос показался бессмысленным.

Потому что на твоем месте должен был быть мой кореш Жила. Незнакомец тряхнул Арсения, и нож слегка рассек кожу на шее. Ты что – Жила?

Нет, сказал Арсений.

Как ты здесь оказался, гнида?

Ты сам спросил, готов ли я.

Ну?

И я был готов.

Ах ты ё-моё... Да теперь Жила зарежет меня при первой встрече. Я ж, бля, не только тебя – я общие деньги с собой увез... Теперь он сидит и думает, что я его кинул, вот что херово. Вот что херово, я говорю!

Снова тряхнул Арсения, но нож в соприкосновение с горлом уже не входил.

Ты объяснишь ему, что это я виноват, сказал Арсений.

Ага, он только моих объяснений и ждет. Да я рта на хрен раскрыть не успею. Но до этого я зарежу тебя, понял?

В горьких этих словах чувствовалось, однако, некоторое успокоение. Интонация предусматривала возможность примирения с обстоятельствами. Арсений мягко отнял у своего спутника нож и взялся за его ногу. Под его короткий крик он вправил ногу одним рывком.

Предупредил бы хоть, пожаловался пациент.

Без предупреждения лучше.

С помощью Арсения тот встал с земли и осторожно ступил на вправленную ногу:

Вроде бы полегче.

Езди пока больше верхом, не ходи, сказал Арсений. Через несколько дней пройдет полностью.

В лесу было уже не так темно. То был еще не рассвет, но его предвестие. Спутник с интересом рассматривал Арсения.

Может, так оно и надо было, чтобы Жила в Белозерске остался, задумчиво сказал он. Может, так оно и правильней.

Взяв обеих лошадей под уздцы, он начал продвигаться в глубь леса.

И ты, знаешь, тоже вали отсюда. Мне, бля, неспокойно, когда я не один. Я вдали от дороги отдохну, а потом ночью потихонечку поеду... Ты мне, брат, только шубу оставь, хорошая у тебя шуба.

Что, не понял Арсений.

Шубу снимай, а сам можешь идти. Ты мне ногу выправил, я тебя живым отпускаю. Ну, чего шары выкатил?

В его руке снова блеснул нож. Арсений снял шубу и протянул ее незнакомцу. Тот снял свой зипун и бросил Арсению:

На, носи.

Надел шубу, попробовал, не тесна ли в плечах. Смешно покрутился перед Арсением. Подумав, подошел к той лошади, на которой ехал Арсений, и долго отвязывал от седла кожаный мешочек. Тесемки не развязывались. Он полоснул по ним ножом, и мешочек со звяканьем упал на землю. Подняв мешочек, незнакомец подмигнул.

Се мое, а се (он бросил Арсению поводья) твое. Вторая лошадь мне без надобности. Едь куда хочешь – хоть и в Белозерск. Можешь отсыпа́ться по дороге. Лошадь белозерская, она тебя и так донесет. А про меня забудь, понял?

В Белозерск Арсений не поехал. Ворота этого города за ним закрылись. Он знал, что больше в них не войдет. В Белозерске ему было хорошо, и именно поэтому он из него бежал. Этот город отдалял его от Устины. Арсений выехал на дорогу и направился в противоположную Белозерску сторону.

Ехал он в подавленном состоянии. Вопреки требованию бывшего спутника, забыть о нем Арсений не мог. То, как спутник с ним обошелся, Арсения не огорчало. Не огорчил даже тот очевидный факт, что из города его вывел не ангел – о чем, по правде говоря, мечталось. Медленно продвигаясь в неизвестном направлении, Арсений испытывал тревогу. Тревога была вроде бы беспричинной, но с каждой минутой становилось яснее, что клубится она вокруг оставленного им человека. Арсений знал, что возвращаться нельзя, ибо тот человек его прогнал. И одному ему там было спокойно.

Проехав еще с час, Арсений вспомнил, что в шубе осталось несколько грамот Христофора – тех, что он положил в последний момент. Ему стало жаль грамот: вряд ли для нового владельца шубы они представляли ценность. Он мог бы их вернуть. Арсений понял, что у него появился повод еще раз увидеть своего спутника. И он повернул коня. Он ехал назад, и тревога его возрастала.

У места, где следовало сойти с дороги, Арсений спешился. Он привязал лошадь к дереву и направился в лес. Уже издали за голыми деревьями было заметно какое-то движение. Между двумя стоявшими там лошадьми ходил человек в его шубе, но Арсений не узнал в нем того, с кем ехал ночью. Он узнал в нем Жилу, хотя и не встречал его никогда. В левой руке Жила держал дубину. Вероятно, он был левшой. Сделав еще несколько шагов, Арсений увидел и своего спутника.

Тот лежал на земле за одной из лошадей, и поза его была неестественна. Повернутый лицом вверх, одну руку он почему-то держал за спиной, а ноги судорожно елозили по земле. Одна из пяток вырыла неглубокий желоб, обрамленный сосновыми иголками. Глаза невидяще смотрели на Арсения, и в них Арсений без труда прочитал, что ожидает человека сего.

Не обращая внимания на Жилу, Арсений склонился над умирающим. Тот уже не двигался. Жила подумал и опустил дубину на голову Арсения.

ᚦ

В лесу стоял полумрак. И трудно было определить, закат это или рассвет. Только когда чуть посветлело, стало понятно, что рассвет. Собравшись с силами, Арсений смог оторвать голову от того твердого, на чем она лежала. Это было тело его спутника. Оно было таким же холодным, как земля.

А я тепл, сказал Арсений Устине. Я, который виноват в его смерти, тепл и жив. Сейчас я спасен ради одной лишь тебя, но он, как и ты, на моей совести. Я погубил его произнесенным словом. Если бы я не сказал ему, что готов, он не лежал бы здесь таким холодным. Помнил ведь Арсения Великого, неоднократно сожалевшего о словах, которые произносили уста его, но ни разу не сожалевшего о молчании. Не хочу отныне говорить ни с кем, кроме тебя, любовь моя.

Держась за дерево, Арсений встал на ноги. Лошадей уже не было. Очевидно, Жила увел их с собой. Арсений медленно побрел к дороге. Привязанная им лошадь все еще стояла на месте. Он отвязал ее и, вцепившись в гриву, чтобы не упасть, повел в глубь леса. Его шатало из стороны в сторону.

Когда они подошли к мертвому телу, Арсений сел отдохнуть. Собравшись с силами, он подтащил убитого к лошади и попытался уложить его поперек седла. Убитый, который уже не сгибался, несколько раз соскальзывал. Падал на землю с глухим окоченелым звуком. Усилием воли Арсений забросил его руки на седло, изо всех сил уперся головой в ноги и подтолкнул тело вверх. Убитый закачался на седле в безразличном равновесии. Взгляд его открытых глаз также выражал безразличие. У него был вид того, кто хочет, чтобы его оставили в покое.

Арсению удалось развернуть мертвеца лицом вперед и усадить в седло. Не найдя ничего, чем можно было бы привязать его к лошади, Арсений проверил сапоги убитого. В одном из них лежал нож, которым тот грозил ему еще вчера. Арсений снял данный ему зипун и стал разрезать его на узкие полоски. Связав их друг с другом, он получил довольно длинную веревку. Этой веревкой примотал ноги покойника к седлу.

Арсений вывел лошадь на дорогу.

Он сказал, что ты из Белозерска. Неси же его туда, ибо там его предадут земле.

Лошадь протяжно посмотрела на Арсения и не сдвинулась с места.

Я не поеду, сказал Арсений. Ему ты нужнее. Он легко шлепнул лошадь по крупу.

Лошадь тронулась с места и пошла в ту сторону, где лежал Белозерск. Прижавшись к ее гриве, ехал мертвый всадник. Арсений смотрел на них, и они становились все прозрачнее. Превратились в один большой круг, который распался на маленькие. Круги плавали, не сталкиваясь. При встрече они просто проходили друг сквозь друга. Арсения вырвало. Ноги его больше не держали.

....

....

....

....

....

....

подумали: мертв, оттого что живым не выглядел

....

....

....

....

....

Десять дней спустя Жила подъезжал к Новгороду. На одной лошади сидел он сам, вторая без всадника трусила чуть позади. По мерзлой земле четыре пары копыт цокали преувеличенно громко. Ехал не торопясь, потому что торопиться ему было некуда. Запустив руку в карман шубы, Жила достал Христофоровы грамоты. Он читал их и шевелил губами.

Давыд рече: смерть грешников люта. Соломон рече: да похвалит тя ближний твой, а не уста твоя. Кирик спросил владыку Нифонта: совершать молитву над оскверненным глиняным сосудом или только над деревянным, а остальные нужно разбить? – Как над деревянным, так и над глиняным сосудом, а также над медным, и стеклянным, и серебряным, отвечал Нифонт, над всем совершается молитва. Всяк держайся добрыя детели не может быти без многых враг. Не богатство приносит друга, но друг богатство. Отсутствующих друзей вспоминай перед присутствующими, чтобы те, слышав это, знали, что и о них не забываешь. Все друзья Жилы отсутствовали, и ему приходилось вспоминать их в одиночку.

Т

Он открыл глаза, сказали над Арсением.

И он понял, что открыл глаза. Проплывающие над ним скрещения ветвей казались ему сном. Перед ним возникло чье-то лицо. Оно было таким большим, что закрывало тот удивительный свод, который над ним проплывал. Арсений видел каждую морщину лица и обрамлявшую лицо бороду. В бороде зашевелился рот и спросил:

Как тебя зовут?

Вот как образуются звуки, подумал Арсений.

Как тебя зовут, снова спросил рот.

Он произнес три слова раздельно, словно не доверял слуху лежащего.

Устин, едва слышно сказал Арсений.

Устин. Лицо к кому-то обернулось. Его зовут Устин. Что ти приключися, Устине?

Арсений устал смотреть на лицо и закрыл глаза. Всем телом он ощущал мягкое сено. Рука нащупала деревянный борт телеги.

Оставь его, сказал другой голос. Довезем до ближайшей деревни, пусть там разбираются.

Арсений снова открыл глаза, но тележной тряски уже не чувствовалось. Было холодно. Он лежал на чем-то жестком. Это было похоже на дрова. Он вытащил из-под себя полено и долго на него смотрел. Свет сквозь приоткрытую дверь. Свет и скрип. Дровяной сарай.

Приподнявшись на локте, Арсений увидел, что полностью раздет. Рядом с ним лежал его мешок и какие-то лохмотья. Поколебавшись, Арсений протянул к лохмотьям руку и тут же отдернул. Ему стало противно. Лохмотья отталкивали его не только своей грязью. Невыносимой была мысль, что их, вероятно, носил тот, кто его раздел. Кто не взял – и это было даже обидно – мешка с грамотами Христофора. Преодолевая отвращение, Арсений протянул руку к тряпью, которое оказалось рубахой, портами и поясом.

Арсению требовалась не только одежда, но и обувь, ибо сапоги с него тоже были сняты. После некоторых раздумий он содрал с двух поленьев бересту и примерил ее куски к ступням. Помогая себе зубами, придал бересте нужную форму. Затем вытащил из тряпья пояс и стал тереть им о косяк двери. Когда ветхий пояс был перетерт надвое, Арсений примотал им бересту к ступням. Обувшись, поймал себя на том, что оттягивает момент одевания. Несмотря на то что его била дрожь, с одеванием он медлил.

Но из сарая нельзя было выйти голым. Арсений взял то, что когда-то было рубахой, и приложил к груди. Поколебавшись, продел руки в рукава и голову в дырку – воротник был оторван. Рубаха висела на теле бесформенной тряпкой. Ее бесцветность оживляли заплаты.

Трудней всего было надеть порты. Они оказались чуть целее рубахи, но от этого было только хуже. Надев их, Арсений подумал, что этой ветоши касался срамной уд вора. Его порты были как телесная близость с ним, и Арсения передернуло от омерзения. В ограблении угнетала не потеря своей одежды, но приобретение чужой. Арсений испугался, что отныне он будет гнушаться своего собственного тела, и заплакал. Когда же Арсения озарило, что отныне будет гнушаться своего собственного тела, засмеялся.

Из сарая Арсений вышел в приподнятом настроении. Сделав несколько шагов в своей новой одежде, сказал Устине:

Знаешь, любовь моя, со времени моего приезда в Белозерск это по сути первые шаги в правильном направлении.

Сарай стоял на краю деревни. Арсений подошел к ближайшей избе и постучал в дверь. В избе жил Андрей Сорока с семьей.

Ты кто такой, спросил Сорока Арсения.

Устин, ответил Арсений.

Устин – жди до крестин, усмехнулся Сорока и захлопнул дверь.

Тогда Арсений постучался к Тимофею Куче. Тимофей осмотрел Арсения и сказал:

Ты мне вшей нанесешь, потому что в твоем положении у тебя не может не быть вшей. Или же блох. Их у тебя, я думаю, полный мешок.

В мешке были только грамоты Христофора, но Арсений не стал развязывать его перед Тимофеем.

Следующей была изба Ивана Сухобока. Помня о гостеприимстве Авраамовом, Иван не хотел выгонять странника. Но и пускать тоже не хотел. Он отвел его на другой конец деревни к бабе Евдокии, которая не боялась ни вшей, ни блох, ни чужаков.

Когда они вошли, Евдокия жевала хлебный мякиш. У нее не было зубов, мякиш она жевала деснами, и оттого двигалось все ее лицо. Оно просто ходило ходуном, складывалось и раскладывалось, напоминая старый кожаный кошелек.

Понаблюдав за лицом Евдокии, Иван сказал:

Вот тебе, баба, гость, который ничего не говорит, кроме того, что он Устин. Согласись, что это хоть какие-то сведения.

Считаю, что и сего немало, кивнула Евдокия.

Она отломила половину мякиша и протянула его Арсению:

Ешь, Устине.

Иван с Евдокией молча смотрели, как Арсений ел.

Голоден, отметил Иван.

Факт, подтвердила Евдокия. Пусть остается.

Немного согревшись, Арсений почувствовал, как начала чесаться его голова. Доставшаяся ему одежда была полна вшей. В тепле они ожили и стали переползать на волосы Арсения. Он сидел, чувствуя движение вшей по шее – снизу вверх. Арсений знал, что выводить вшей трудно, и ему стало жаль Евдокии. Он не хотел умножать трудностей ее жизни. Ему, решил он, не следует здесь оставаться. Встав, Арсений поклонился Евдокии в пояс. Евдокия продолжала жевать. Он вышел наружу и закрыл за собой дверь.

Арсения обдало холодом. Он все еще держался за дверное кольцо. Возникло желание потянуть за него и вернуться в теплую избу. Но спустившись с крыльца, он понял, что уже не вернется. Сгущались ранние сумерки. Арсений шел, испытывая холод и страх. Он и сам не понимал, зачем вышел из тепла. Ему было лишь ясно, что путь его ждал трудный – если вообще преодолимый. И он не знал, куда этот путь лежит.

Арсений шел по лесной дороге, которая становилась все темнее. Он шел, как на ходулях, потому что ноги его не сгибались от холода. Затем начал падать снег. Это был первый снег в году, и летел он как-то неуверенно. Сначала появились отдельные снежинки, редкие, но большие. От их пушистого вида становилось, кажется, чуть теплее. Снежинки падали все чаще и чаще, пока не превратились в сплошную стену метели. Когда кончилась метель, показалась луна и стало светло. Дорога была видна в каждом своем изгибе.

С появлением луны мороз вроде бы усилился. Арсению показалось, что именно луна струит тот серебристый холод, который распространяется по земле. Он пожалел было о своем продрогшем теле, но тут же вспомнил, что тело его осквернено чужой одеждой и вшами, и жалость его оставила. Это было уже не его тело. Оно принадлежало вшам, тому, кто носил прежде его одежду, наконец, морозу. Но не ему.

Яко в чуждем телеси пребываю, подумал Арсений.

При всем сочувствии к чужому телу боль его нельзя ощутить как свою собственную. Помогавший немощным телам людей, Арсений это знал. Даже вживаясь в чужую боль для ее облегчения, он никогда не мог постичь всей ее глубины. А теперь речь шла о теле, которому он не очень даже и сочувствовал. Которое по большому счету презирал.

Арсению больше не было холодно, ибо не может же быть холодно пребывающему в чужом теле. Напротив, он явно чувствовал, как (не) его тело наполнилось силой и уверенно двигалось навстречу рассвету. Он удивлялся тому, сколь тверд его шаг и широк взмах рук. Волны тепла толчками поднимались откуда-то снизу и приливали к его голове. Упав на землю, Арсений даже не заметил, как неутомимое его движение прекратилось.

....
....
....
....
....
....

$$\overline{ai}$$

....
....
....
....

Хочу ли я, думал Арсений, все забыть и отныне жить так, будто не было в моей жизни ничего, будто я только что появился на свет – но уже не маленьким, а как бы сразу большим? Или так: помнить из пережитого одно лишь хорошее, ибо памяти свойственно избавляться от мучительного? Моя память то и дело покидает меня и того гляди покинет навсегда. Но стало бы освобождение от памяти моим прощением и спасением? Знаю, что нет, и даже не ставлю так вопроса. Ведь каким может быть мое спасение без спасения Устины, бывшей главным счастьем моей жизни и главным страданием? Потому молю Тебя: не отнимай у меня память, в которой надежда Устины. Если же призовешь меня к Себе, будь милостив: суди ее не по делам нашим, а по моей жажде спасти ее. И то немногое доброе, иже аз сотворих, запиши на нее.

....

....

....

Язык коровы мягок и не гнушается вшивого. Его шершавая ласка частично заменяет людское тепло. Человеку непросто ухаживать за вшивым и гноящимся. Входящий может оставить рядом с больным корочку хлеба и кружку с водой, но на настоящую ласку без брезгливости можно рассчитывать лишь со стороны коровы. Корова быстро привыкла к Арсению и считала его своим. Длинным языком она слизывала с его волос засохшие комки крови и гноя.

Арсений часами наблюдал за качанием ее вымени и иногда припадал к нему губами. Корова (что в вымени тебе моем?) не имела ничего против, хотя всерьез относилась лишь к утренней и вечерней дойке. Настоящее облегчение приносили ей только руки хозяйки. В них, в отличие от губ Арсения, была сила. Стремление выжать все молоко без остатка в туго сплетенный туес. Молоко вырывалось из вымени с громким журчаньем – сначала тонким, почти стрекочущим, но по мере наполнения туеса обретавшим полноту и размах. Часть молока стекала по хозяйским пальцам. Наблюдая за ними дважды в день, Арсений помнил их лучше хозяйского лица. Он знал, как выглядит каждый палец в отдельности, но ни разу не ощутил их прикосновения.

Иногда корова замирала, чуть приподнимала хвост (он подрагивал), и под самой его кисточкой на пол хлева шлепались теплые лепешки. Время от времени эти лепешки разбрызгивались во все стороны под тугой струей. Попавшие на лицо капли Арсений вытирал пучком сена.

....

....

....

....

Рана на голове почти зажила, но появились приступы головной боли. Боль шла не от раны, а откуда-то из самых недр головы. Арсению казалось, что там завелся червь, что его движения и вызывают ту пытку, которую так трудно переносить. Во время приступа он охватывал голову руками или утыкался лицом в колени. Он остервенело тер голову, и возникавшая внешняя боль на мгновение снимала боль внутреннюю. Но внутренняя, словно передохнув, тут же вступала с новой силой. Арсению хотелось расколоть свой череп надвое и вместе с мозгами вытряхнуть оттуда червя.

Он колотил себя по лбу и по темени, но сидевший внутри червь отлично понимал, что до него не добраться. Неуязвимость червя позволяла ему куражиться и сводила Арсения с ума.

....
....
.... Они спрашивали Арсения, кто он таков, но он молчал. И с удивлением обнаружил, что коровы рядом уже не было.

А где корова, спросил у ближайшего из присутствующих Арсений. Она была славным товарищем и явила мне спасительное милосердие.

Ему никто не ответил, потому что казавшиеся присутствующими отсутствовали. Ближайший к Арсению – маленький, сгорбленный, серый – при внимательном рассмотрении оказался ручкой плуга. Остальные также были гнуты и костлявы. Гигантских размеров хомуты (на ком здесь, спрашивается, ездят?). Санные полозья. Оглобли да коромысла. А помещение было совершенно другим.

Интересно, сказал Арсений, ощупав под собой тележное колесо. Интересно, что время идет, а я лежу на тележном колесе, не думая нимало о сверхзадаче своего существования.

Арсений с усилием встал и, нетвердо ступая, вышел за двери. Пушистыми шапками крыш перед ним выстроились избы неведомой деревни. Из каждой в полном безветрии тянулся дым. Арсению показалось, что своими дымами все избы равномерно прикреплены к небу. Утратив свойственную дыму подвижность, соединительные нити обрели необычайную прочность. Там, где они были чуть короче необходимого, дома приподнимались на несколько саженей. Иногда покачивались. В этом было что-то неестественное, и у Арсения закружилась голова. Ухватившись за дверной косяк, он сказал:

Связь неба с землей не так проста, как, видимо, привыкли считать в этой деревне. Подобный взгляд на вещи мне кажется излишне механистическим.

Скрипя свежевыпавшим снегом, Арсений пошел из деревни прочь. Через некоторое время этот звук привлек его внимание, и он осмотрел свои скрипевшие ноги: они были в лаптях.

А прежде были в березовой коре, вспомнил Арсений. Такие вот превращения.

За его спиной болтался мешок с грамотами Христофора.

В҃І

Арсений шел от села к селу, и память его больше не покидала. Голова болела меньше, иногда совсем не болела. На любые вопросы Арсений отвечал, что он Устин, ибо только это в настоящий момент казалось ему существенным. Однако и так всем было ясно, что́ он за человек и чем ему можно помочь. Арсений уже не был прежним Арсением. За время своего странствия он приобрел тот вид, который не требовал никаких пояснений. Без всяких слов ему давали место в сарае (хлеву) – или не давали. Из теплых изб ему выносили кусок хлеба – или не выносили. Чаще – выносили. И он понял, что жизнь без слов возможна.

Арсений не знал, в каком – и вообще в одном ли – направлении он двигался. Строго говоря, ему и не требовалось направление, потому что он никуда не стремился. Он не знал также, сколько времени прошло с тех пор, как он покинул Белозерск. Судя по ослаблению морозов, дело шло к весне. Впрочем, и это его не особенно беспокоило. Пребывая яко в чуждем телеси, Арсений к морозам привык. Когда в селе Красном ему подарили дырявый, но теплый зипун, он уже не был уверен, что эта вещь ему необходима. В селе Вознесенском он оставил зипун у одной из изб, сказав Устине:

Знаешь, со всем этим барахлом мы вослед за вознесшимся Спасителем не вознесемся. У человека, любовь моя, много ненужного имущества и привязанностей, которые тянут вниз. Если же ты беспокоишься относительно моего здоровья, то с радостью сообщаю тебе, что наступает уже согревающая – пусть пока и холодная – весна.

Двигаясь по размякшим, но еще не до конца размерзшимся дорогам, Арсений безошибочно узнавал приход весны. Он вспоминал радость, которую испытывал в прошлой жизни от перемены воздуха. От того, что солнечные лучи наливались силой и он чувствовал их, когда они падали на его лицо.

Однажды он увидел свое лицо в весенней луже и заплакал. Спутавшиеся волосы более не имели цвета. Из ввалившихся щек клочьями лезла борода. Это была не борода даже, а свалявшийся пух, местами прилипающий к коже, местами свисающий сосульками. Арсений плакал не по себе, но по ушедшему времени. Он понимал, что оно уже не вернется. Арсений даже не был уверен, что та земля, где он переживал прежние весны, все еще существует. Она, однако же, стояла на прежнем месте.

Плача, Арсений пришел в город Псков. Это был самый большой из виденных им городов. И самый красивый. Арсений не знал его названия, ибо ни у кого ничего не спрашивал. Псковичи как жители большого города у Арсения тоже ничего не спрашивали, и Арсения это радовало. Он подумал, что здесь можно затеряться.

Он шел вдоль стены кремля (крома) и удивлялся ее мощи. За такой стеной, думал Арсений, живется, по-видимому, спокойно и безмятежно. Трудно ожидать, что кремлевскую стену преодолеет внешний враг. Я не представляю приставных лестниц величины, достаточной для этих стен. Или, допустим, орудий, способных пробить сию толщину. Но (Арсений запрокинул голову, и ему показалось, что стена начала медленно клониться на него) даже такая стена не отменяет опасность врага внутреннего, если он за этой стеной заведется. Тогда, можно сказать, хуже всего: вот уж поистине критический случай.

Стена вывела Арсения к реке Великой. По ней еще проплывали отдельные льдины, но в целом река была свободна ото льда. На берегу паромщики собирали людей. Арсений почувствовал, что его тянет на противоположный берег, и тоже ступил на паром.

А ты платил ли за перевоз, спросил Арсения один из паромщиков.

Арсений не ответил.

Не проси у него денег, сказали паромщику, ибо перед тобой человек Божий, разве ты не видишь?

Вижу, подтвердил паромщик, а спросил так, на всякий случай.

Он уперся шестом в берег, и паром, скрежеща днищем по песку, отчалил. На середине реки Арсений поднял голову. Из-за стены кремля показались купола, которых не было видно раньше. Заходящее солнце делало их позолоту двойной. Когда же ударил главный колокол, стало ясно, что звучит он из воды, потому что купола на воде были живее куполов в небе. Их мелкое дрожание отражало силу производимого звука.

Сойдя с парома, Арсений долго любовался открывшимся видом.

Знаешь, любовь моя, я просто отвык от красивого в жизни, сказал он Устине. А оно так неожиданно открывается при пересечении реки, что я даже не нахожу слов. И вот с одной стороны реки – я, погрязший в струпьях и вшах, а с другой – эта красота. И своим убожеством я рад подчеркнуть ее величие, ведь подобным образом я как бы участвую в ее творении.

Когда же стемнело, Арсений побрел по берегу. В конце концов он наткнулся на стену. Пошел вдоль стены и заметил в ней узкий пролом. Темнота в нем была еще гуще темноты окружающей. Ощупывая края пролома, Арсений в него пролез. Перед ним теплилось несколько лампад. В их тусклом свете угадывались очертания крестов. Это было кладбище. Какое все-таки прекрасное место, подумал Арсений. Лучше не придумаешь. Именно то, что требуется в данный момент. Взяв одну из лампад, он обогрел ею руки. Тепло прошло по всему телу. Арсений подложил под голову мешок и заснул. Во сне он порой вздрагивал, и тогда под его щекой шуршали грамоты Христофора.

гі

Он проснулся от пения птиц. Это было настоящее весеннее пение, хотя приход весны был еще не очевиден. На некоторых могилах лежал снег. Птицы способствовали таянию снега. Под их пение снег превращался в воду и просачивался к покойникам, принося и им благую весть о весне. Весна во Пскове наступала раньше, чем в Белозерске. Белозерцы всегда считали псковичей южанами. И продолжают считать таковыми по сей день.

Кладбище, на котором провел ночь Арсений, было монастырским. Он понял это, увидев ходивших по кладбищу монахинь. Когда сестры спросили его, кто он такой, Арсений по своему обыкновению назвался Устином. Большего он им, конечно, не сказал. Сестры же сообщили ему, что он находится на земле Иоанно-Предтеченского девичьего монастыря. Они не были уверены, что Арсений их понял. Посовещавшись, вынесли Арсению миску рыбного супа. Когда Арсений съел суп, они взяли его под руки и вывели за ограду.

Весь день Арсений бродил по берегу реки Великой. Увидев подошедший паром, он решил пересечь реку в обратном направлении. На сей раз паромщик не требовал у него денег. Он сказал:

Плавай, аще хощеши, человече Божий. Мню, яко посещение твое благо есть.

На том берегу Арсения встретил юродивый Фома.

Ага, вскричал Фома, вижу, что ты есть самый настоящий юродивый. Настоящий. У меня, будь покоен, нюх на сей счет первоклассный. Но знаешь ли ты, друже, что каждая часть земли псковской держит одного лишь юродивого?

Арсений молчал. Тогда юродивый Фома схватил его за руку и потащил за собой. Они почти бежали вдоль кремлевской стены, и Арсений не видел возможности это движение остановить: Фома оказался очень цепок. Перед ними появилась еще одна река. Это была Пскова́, которая несла свои воды в реку Великую.

Там, за Псковой, сказал юродивый Фома, живет юродивый Карп. Речь его скудна и неразборчива. Иной раз токмо имя свое частореченьем извещает: Карп, Карп, Карп. Очень достойный человек. Тем не менее по среднему счету раз в месяц мне приходится бить ему морду. Сие происходит в те дни, когда он пересекает реку и приходит в город. Я же, нанося юродивому Карпу кровавыя раны, побуждаю его не покидать За́псковье. Твой удел, учу я его, Запсковье. Оно, учти, остается без тебя сиротой, в то время как в моей части города образуется нашего брата избыток. Избыточность же порочна и приводит к духовному опустошению... Явился не запылился!

Юродивый Фома сложил руки на груди и смотрел на противоположный берег. Оттуда ему грозил кулаком юродивый Карп.

Грози, говнюк, грози, прокричал юродивый Фома без злобы. Аще же тя зде единожды обрящу, сокрушу без милости твои члены. Яко исчезает дым, исчезнеши.

Они принимают меня за юродивого, сказал Арсений Устине.

А за кого же тебя еще принимать, удивился Фома. Посмотри на себя, Арсение. Ты и есть юродивый, иже избра себе житие буйственное и от человек уничиженное.

И он знает мое крестильное имя.

Фома засмеялся:

Как же его не знать, когда оно у каждого крещеного человека на лбу написано? Вот про Устина догадаться, конечно, сложнее, но про него ты и сам всем сообщаешь. Так что юродствуй, дорогой мой, не стесняйся, иначе своим почитанием они тебя в конце концов достанут. Их поклонение с целями твоими несовместимо. Вспомни, как было в Белозерске. Оно тебе надо?

Кто сей знающий тайны мои? Арсений повернулся к Фоме:

Ты кто?

Хуй в пальто, ответил Фома. Ты спрашиваешь о второстепенных вещах. А я скажу тебе о главном. Возвращайся в За́величье, где на будущей Комсомольской площади стоит монастырь Иоанна Предтечи. На монастырском кладбище ты, подозреваю, сегодня уже ночевал. Оставайся там и верь: в этом монастыре могла быть Устина. Полагаю, что она туда просто не дошла. Зато дошел ты. Молись – о ней и о себе. Будь ею и собой одновременно. Бесчинствуй. Быть благочестивым легко и приятно, ты же будь ненавидим. Не давай псковским спать: они ленивы и нелюбопытны. Аминь.

Фома размахнулся и ударил Арсения по лицу. Арсений молча смотрел на него, чувствуя, как по подбородку и шее стекает из носа кровь. Фома обнял Арсения, и лицо его тоже стало кровавым. Фома сказал:

Отдавая себя Устине, ты, я знаю, изнуряешь свое тело, но отказ от тела – это еще не все. Как раз это, друг мой, и может привести к гордыне.

Что же я могу еще сделать, подумал Арсений.

Сделай больше, прошептал ему в самое ухо Фома. Откажись от своей личности. Ты уже сделал первый шаг, назвавшись Устином. А теперь откажись от себя совершенно.

Д‍і

С того самого дня Арсений поселился на кладбище. У одной из стен он увидел два сросшихся дуба, и они стали первой стеной его нового дома. Второй стеной стала стена кладбищенская. Третью стену соорудил сам Арсений. Пройдя вдоль реки, он собрал валявшиеся там бревна, кирпичи из разрушенных стен, обрывки сетей и много других предметов, незаменимых для строительства. Четвертая стена Арсению не понадобилась: на ее месте был вход.

За этой работой следили монахини, но ничего Арсению не говорили. С его стороны они также не услышали никаких слов. Строительство велось по обоюдному молчаливому согласию. Когда оно было закончено, к дому Арсения в сопровождении нескольких сестер пришла настоятельница монастыря. Увидев Арсения, лежащего на желтой прошлогодней траве, она сказала:

Зде живущий имеет себе одр землю, а покров небо.

Да, такое строительство нельзя назвать полноценным, подтвердили сестры.

Просто главный свой дом он строит на небесах, сказала настоятельница. Моли Господа о нас, человече Божий.

По приказу настоятельницы Арсению вынесли миску с кашей. Едва Арсений почувствовал теплоту миски, руки его разжались. Миска упала с глухим стуком, но не разбилась. Трава медленно поглотила кашу. Стало заметно, как сквозь ее желтые лохмы уже пробивалась первая зелень.

Эта зелень, сказал Арсений Устине, тоже нуждается в корме. Пусть растет, прославляя нашего мальчика.

Еще не единожды впоследствии ему выносили кашу, и всякий раз с ней происходило то же самое. Арсений доедал лишь то, что ему оставляла трава. Он осторожно вынимал остатки пищи из травы, проходя сквозь нее пальцами, как граблями. Иногда через пролом на кладбище забегали собаки и слизывали кашу своими длинными красными языками. Арсений собак не отгонял, потому что понимал, что им тоже нужно есть. Кроме того, они напоминали ему Волка его детства. Кормя их, он как бы кормил и его. Память о нем. Собаки съедали то, что когда-то не успел съесть Волк. Когда они уходили, Арсений кричал им вдогонку слова прощания и просил передать Волку привет.

Вы один род, кричал Арсений, и я думаю, вы знаете, как это сделать.

Видя особенности питания Арсения, сестры стали выкладывать ему еду на траву. Он кланялся, не поворачиваясь к ним, и, когда они уходили, не провожал их взглядом. Он боялся, что в лицах приходивших к нему не разглядит черт Устины.

Первые недели своей псковской жизни Арсений вставал с рассветом и отправлялся ходить по Завеличью. Он присматривался к живущим там людям. Остановившись, устремлял на них особый взгляд того, чье умонастроение отличается от общепринятого. Заглядывал за заборы. Прижимался лбом к окнам и наблюдал сокровенную жизнь псковичей. В целом она не вселяла в него отрады.

В домах Завеличья стоял дым, смешанный с паром. Там сушилась одежда и кипели щи. Там били детей, кричали на стариков и совокуплялись в общем для всех пространстве избы. Перед едой и сном молились. Иногда сваливались спать без молитвы – наработавшись до потери сил. Или напившись. Ноги в сапогах забрасывали на подложенную женами ветошь. Громко храпели. Вытирали текущие во сне слюни и отгоняли мух. Со звуком терки водили рукой по лицу. Матерно ругались. С треском портили воздух. Все это не просыпаясь.

Идя по улицам Завеличья, в дома благочестивых людей Арсений бросал камни. Камни отлетали от бревен с глухим деревянным стуком. Из домов выходили их обитатели, и Арсений кланялся им, крестясь. К домам же людей развратных или ведущих себя неподобающе Арсений подходил вплотную. Он опускался на колени, целовал стены этих домов и что-то тихо говорил. И когда многие удивились поступкам Арсения, юродивый Фома сказал:

Ну что же здесь, если разобраться, удивительного. Брат наш Устин глубоко прав, ибо камни бросает лишь в дома людей благочестивых. Из сих домов бесы изгнаны ангелами. Они боятся войти внутрь и цепляются, как показывает практика, за углы домов. Юродивый Фома показал на один из домов. Видите ли многочисленных бесов на углах?

Не видим, ответили собравшиеся.

А он видит. И забрасывает их камнями. У людей же неправедных бесы сидят внутри дома, поскольку ангелы, данные на сохранение души человеческой, там жить не могут. Ангелы стоят у дома и плачут о падших душах. Брат же наш Устин обращается к ангелам и просит их не оставлять свою молитву, дабы души не погибли окончательно. А вы, сукины дети, думаете, что он разговаривает со стенами...

Среди слушателей юродивый Фома заметил юродивого Карпа. Карп подставлял лицо солнцу. Он слушал Фому и безмысленно улыбался. Он наслаждался жарким весенним днем и своим присутствием в этой части города. Перехватив гневный взгляд Фомы, Карп вспомнил о нарушении запрета. Он попытался потихоньку скрыться, хотя и понимал, что задача эта не из простых. Стремясь пробраться к мосту через Пскову, Карп стал обходить толпу приставными шагами. Ему казалось, что движение боком способно прикрыть его истинные намерения. Уже через несколько мгновений он заметил, что отрезан от моста Фомой.

Карп, Карп, Карп, зарыдал юродивый Карп и приставными шагами двинулся в противоположную сторону.

Но юродивый Фома оказался быстрее юродивого Карпа. С неестественно громким шлепком его ладонь обрушилась на шею нарушителя.

Мог ли я ожидать от сего иных действий, крикнул Карп и бросился бежать в направлении моста.

Фома подгонял его пинками. Достигнув середины моста, Карп остановился. Когда преследователь приблизился, бежавший с размаху дал ему затрещину. Юродивый Фома снес ее кротко, ибо это уже была земля юродивого Карпа.

ᕆ

Вы мои верные друзья по борьбе с плотью, сказал Арсений комарам. Вы не даете плоти диктовать мне свои условия.

На берегу реки Великой, где стоял монастырь, комаров было множество. За кладбищенской же стеной, куда не доставал береговой ветер, комаров было даже больше, чем у самой воды. Такого их количества еще никто не видел. Кровососущие являлись порождением необычно жаркой весны.

Открытыми у средневекового человека были лишь лицо и кисти рук, но и этого оказалось достаточно, чтобы жителей Пскова лишить терпения. Псковичи чесались, плевали на ладони и раз-

мазывали слюну по коже, полагая, что так облег-
чат себе страдания от укусов. Не довольствуясь
открытыми частями тела, рассвирепевшие насекомые прокусывали даже плотную одежду.

Арсения же комары не огорчали. Теплыми сы-
рыми ночами, когда воздух превращался в гудя-
щее месиво, он раздевался донага и становился
на могильную плиту перед своим домом. Проводя
рукой по телу, он испытывал необычное ощущение. Ему казалось, что кожа его покрылась густой,
как у Исава, растительностью. Когда он к ней
прикасался, растительность обращалась в кровь.
В темноте Арсений не видел крови, но чувствовал ее запах и слышал хруст раздавленных насе-
комых. Чаще же не обращал на них внимания, поскольку во время ночных стояний усердно молился за Устину.

Так стоял он лишь в темное время суток, которое было хотя и коротким, но достаточным для
полного обескровливания. Арсений, однако же,
обескровлен не был. Надоела ли его кровь комарам, или – ввиду необычайной щедрости Арсения – кровососущие решили проявить сдержан-
ность, только ночное стояние не отняло у него
жизни. Не однажды по утрам находили его безды-
ханным, но всякий раз он в конце концов приходил в себя.

Совлечеся одеяний тленных и облечеся в ризу
бесстрастия, говорила в такие дни настоятельница, отвернувшись от его наготы.

С течением времени комаров стало меньше,
но бодрствование Арсения по ночам не прекратилось. Оно и не могло прекратиться, поскольку
ночь оставалась для Арсения единственным спо-

койным временем для молитвы. День был полон забот и тревог.

Арсений обходил Завеличье и следил за течением его жизни. Он забрасывал бесов камнями и разговаривал с ангелами. Знал обо всех крещениях, венчаниях и отпеваниях. Знал о рождении в Завеличье новых душ. Стоя у дома новорожденного, предвидел его судьбу. Если век его предполагался долгим, Арсений смеялся. Если ему надлежало вскорости умереть, Арсений плакал. В те дни никто, кроме юродивого Фомы, еще не знал, отчего смеется и плачет Арсений. Фома же не торопился никому этого объяснять, да и в Завеличье бывал редко.

Однажды юродивый Фома пришел в Завеличье и потребовал, чтобы Арсений следовал за ним через реку.

Мне нужна твоя консультация, сказал он Арсению. Случай не из простых, только потому я и веду тебя в свою часть города.

У сотника Пережоги занемог младенец Анфим. Он лежал в своей люльке и молча смотрел вверх. В такт немому его покачиванию двигалось десять пар глаз. Люльку Анфима обступила ближайшая родня. Когда Арсений взял дитя на руки, оно отчаянно закричало. Глаза Арсения наполнились слезами, и он положил Анфима обратно в люльку. Лег на пол. Скрестил на груди руки. Закрыл глаза.

Брат наш Устин видит, что дитя умрет, сказал юродивый Фома. Медицина бессильна.

Анфим перестал дышать на вечерней заре. Прощаясь с Арсением у парома, юродивый Фома дал ему затрещину.

Это за появление на моей территории. Но так ведь тебе легче, а?

На середине реки Арсений кивнул. Конечно, легче. В полумраке было видно, как на речной ряби вспыхивали неяркие искры. Самый большой их сноп медленно двигался по гребню волны, и Арсений подумал, что это душа усопшего ребенка. Вышедшая из маленького тела на ночь глядя.

Три дня тебе еще предстоит провести здесь, сказал душе Арсений. Принято считать, что первые три дня души пребывают там, где они жили. Знаешь, Псков – хороший город, так отчего же не покинуть мир именно отсюда? Посмотри: в домах на берегу реки зажглись огни, там готовятся ко сну. А небо на западе все еще светится. На нем застыли облака с неровными алыми краями. Двигаться до утра они уже не собираются. На вечернем посвежевшем ветру мелко дрожат липы. Одним словом, стоит теплый летний вечер. Ты покидаешь все это, и тебе может быть страшно. Ведь, увидев меня, ты закричал от этого страха, правда? Мой вид сказал тебе, что смерть близка. А ты не бойся. Чтобы ты не чувствовал себя одиноким, я проведу эти три дня с тобой, хочешь? Я живу на кладбище монастыря, это очень спокойное место.

И Арсений повел душу Анфима на кладбище.

Он читал молитвы три дня и три ночи. На исходе третьего дня губы Арсения уже не двигались, но чувство любви к ребенку не притупилось. И оно говорило Арсению: бодрствуй. Говорило: если сядешь на землю, то уснешь. Арсений не садился, но позволил себе облокотиться о сросшиеся дубы, которые составляли стену его дома.

Он не хотел оставлять ребенка наедине с его смертью.

Прощаясь с душой Анфима, Арсений прошептал:

Послушай, хочу тебя попросить. Если встретишь там мальчика, он еще меньше тебя... Ты его легко узнаешь, у него даже имени нет. Это мой сын. Ты ему... Арсений прижался лбом к дубу и почувствовал, как в него вливается деревянность. Ты его поцелуй от меня. Просто поцелуй.

हां

Утро юродивого Карпа начиналось так. Сложив руки за спиной, он стоял у дома калачника Самсона.

Карп, Карп, Карп, говорил проходящим юродивый Карп.

Когда Самсон выходил на улицу с лотком на ремне, Карп зубами хватал полуденежный калач и бросался прочь. Для человека, держащего в зубах калач, он бежал очень быстро. По необходимости молча. Не размыкая рук за спиной. За юродивым бежали небогатые люди, которые знали, что калач в конце концов упадет. Когда калач падал, они его подбирали. То, что оставалось во рту у юродивого, и было его дневной пищей.

Калачник Самсон за юродивым Карпом не бежал. Даже если бы и хотел бежать, с тяжелым лотком это было невозможно. Но калачник не хотел бежать. На юродивого Карпа он не сердился. Потому что после встречи с юродивым ему хорошо торговалось и его калачи расходились очень быстро. Если же юродивый ввиду своей занятости запаздывал, калачник Самсон терпеливо ждал его у своего дома в Запсковье.

Не таким был калачник Прохор из Завеличья. Человеком он слыл мрачноватым и к раздаче калачей не склонным. Поскольку Завеличье находилось в сфере ответственности Арсения, ему пришлось столкнуться с калачником Прохором. Это произошло в конце лета.

Увидев Прохора с его калачами, Арсений смутился душою. Он смотрел на Прохора в упор, и взгляд его становился все горше.

Что ти, юроде, спросил Прохор.

Не произнося ни слова, Арсений ударил снизу по лотку. Калачи дружно спрыгнули с лотка и шлепнулись в августовскую пыль. Прохожие хотели было отряхнуть калачи и взять себе, но Арсений не дал. Изделия калачника Прохора он стал разламывать на мелкие куски, пинать ногами и втаптывать в пыль. Когда калачи превратились в комья грязи, Прохор будто очнулся. Он медленно двинулся к Арсению, и каждый кулак его был как калач. Не делая особого замаха, он ударил Арсения кулаком в лицо. Арсений упал на землю, и калачник ударил его ногой.

Не тронь его, он человек Божий, закричали прохожие.

А рассыпать мои калачи – не Божий? А топтать их ногами – не Божий?

С каждым вопросом калачник Прохор наносил Арсению удар ногой. От этих ударов лежавший отлетал, как груда тряпья. Может статься, он и был грудой тряпья, ибо тела в нем уже почти не оставалось. С воплем калачник прыгнул на спину

Арсения обеими ногами, и все услышали хруст ребер. Тогда мужчины бросились на калачника Прохора и вывернули ему за спину руки. Кто-то связал их своим ремнем. Сильный Прохор пытался стряхнуть скрутивших его и снова рвался к Арсению.

Уходи, человече Божий, сказали Арсению окружающие.

Но Арсений не уходил. Он не двигался. Лежал, раскинув руки, и под его волосами растекалась бурая лужа. Все смотрели на калачника Прохора, который понемногу затихал. Со стороны парома шел юродивый Фома.

Отныне имя ти не калачник, но кулачник, крикнул Прохору Фома. Вас же, засранцев (он обвел стоявших глазами), ознакомлю со следующими фактами. Минувшей ночью сей фрукт совокуплялся с женой. Потом, не омывшись, месил тесто и лепил свои калачи. Утром хотел продавать нечистый продукт православным и, если бы не брат наш Устин, как пить дать продал бы.

Это правда, спросили присутствующие.

Калачник Прохор не отвечал, но его молчание тоже было ответом. Все знали, что юродивый Фома говорит только правду. Прохора решили отвести в земляную тюрьму. Наказание ему отложили до выяснения судьбы Арсения. Сказали:

Аще человек Божий умрет, грех сей на тебе будет.

Арсения же положили на рогожу и двинулись в Иоаннов монастырь.

В воротах монастыря сестры встретили их плачем, поскольку успели привязаться к Арсению. Они уже знали о случившейся беде. Взяв рогожу за края, сестры осторожно понесли Арсения по монастырю, чтобы не причинить ему лишней боли. Но Арсению не было больно: он ничего не чувствовал. Сестры несли его, стараясь идти мелкими шагами и в ногу, а голова Арсения слегка покачивалась.

Настоятельница сказала:

В своем народе чужой, все с радостью претерпел ты Христа ради, взыскуя древнего погибшего отечества.

Лицо настоятельницы было закрыто руками, и голос ее прозвучал глухо, но внятно.

Для Арсения освободили одну из отдаленных келий, где мужское присутствие не могло бы смутить ни одну из паломниц. Сами же сестры не смущались, поскольку юродивый Устин был в их глазах беспол и до некоторой степени бесплотен. Внося больного в дальнюю келью, они надеялись на его выздоровление и готовились к его кончине.

Приходится с горечью констатировать, сказала настоятельница, что травмы пострадавшего мало совместимы с жизнью. Впрочем, смерть для брата нашего Устина не является предметом совсем уж незнакомым: брат наш Устин мертва себе еще в житии состави. Благоюродивый Устин яко оплакания достоин хождаше, обаче внутренний человек в нем обновися. Прожив бездомно, сей брат наш кущи своя на небесех водрузи.

В случае смертельного исхода сестры предназначали Арсению то место у стены кладбища, где он обосновался еще весной. Жилище Арсения казалось им почти готовым склепом. Сооружением уютным и обжитым.

зı

Но Арсений выжил. Через несколько дней он пришел в сознание, и кости его стали понемногу срастаться. Их сращение Арсений ощущал так же явственно, как прежде разлом. Оно было беззвучно, но очевидно.

Сестры кормили Арсения с ложечки. Он молча открывал рот, и по щекам его текли слезы. Слезы текли и по щекам сестер. Мыть Арсения, который не вставал, приглашали плотника Власа.

Первого сентября к Арсению пришел юродивый Фома и поздравил его с новолетием. В подарок он принес дохлую крысу. Фома держал ее за хвост, а крыса грустно раскачивалась.

Положив крысу у изголовья Арсения, юродивый Фома прижал ей передние лапы к морде и обратился к больному:

Душевно рад, коллега, что ты не принял сего безотрадного образа. А ведь все к тому шло. Поздравляю же тебя с новым, 6967 годом, который мы по старой памяти празднуем в этот светлый сентябрьский день за тридцать три года до года семитысячного.

Появлением крысы сестры остались недовольны, но возражать Фоме не посмели. Увидев же улыбку Арсения, они перестали сердиться. Это была первая его улыбка за много месяцев. Когда юродивый Фома кончиком крысиного хвоста пощекотал Арсению ноздри, тот чихнул.

Больному требуется свежесть, крикнул Фома, а у вас здесь, как, простите, у черта в жопе. Тащите его к реке. Там течение воды и воздуха. Это поможет его излечению.

Отвернувшись, настоятельница закатила глаза, но сделала сестрам знак выполнить приказание юродивого. Они (Арсений застонал) переложили больного на холстину, которую (он застонал еще раз) осторожно подняли.

Скрипи, скрипи, сраный веник, хмыкнул юродивый Фома, и настоятельница снова отвернулась.

Сестры вынесли Арсения к реке. Фома указал место, на котором следовало больного разместить. Со всеми предосторожностями Арсений был уложен на траву.

А теперь линяйте отсюда, вертихвостки, сказал юродивый Фома сестрам.

Сестры, не говоря ни слова, двинулись в сторону монастыря. Ветер трепал края их облачений, а Арсений и Фома смотрели им вслед. То, как удалялись сестры, показывало, что на юродивого Фому они, в сущности, не в обиде. Почти не в обиде.

Когда сестры скрылись за воротами, юродивый Фома сказал:

Я выполнил твою просьбу относительно Прохора. Если я правильно понял тебя через реку, ты не хотел, чтобы власти его наказывали.

Я просто о нем молился, сказал Арсений Устине. Просил: Господи, не постави ему в грех сего, не ведает бо, что творит. Молись о нем и ты, любовь моя.

Юродивый Фома кивнул:

Насчет твоей молитвы завеличские уже в курсе, я им говорил. (Он показал рукой на успевших собраться завеличских, и те подтвердили сказанное.) Боюсь только, что молитва в таком роде у тебя не последняя. Рыло тебе, друже, еще начистят – и не раз.

Не обязательно, возразили завеличские. Всякий на Руси знает, что юродивых бить, это самое, нельзя.

Фома громко рассмеялся:

Поясняя свою мысль, прибегну к парадоксу. Юродивых потому и бьют, что бить их нельзя. Известно ведь, что всякий бьющий юродивого – злодей.

А кто же еще, согласились завеличские.

То-то, сказал юродивый Фома. А русский человек благочестив. Он знает, что юродивый должен претерпеть страдание, и идет на грех, чтобы обеспечить ему это страдание. Кто-то же должен быть злодеем, а? Кто-то же должен быть способен побить или там, допустим, убить юродивого, как вы считаете?

Ну, это самое, заволновались завеличские. Бить – еще куда ни шло, но убивать – разве же это благочестие? Смертный, если можно так выразиться, грех.

Твою дивизию, в сердцах воскликнул юродивый Фома. Так ведь русский человек – он не только благочестив. Докладываю вам на всякий случай, что еще он бессмыслен и беспощаден, и всякое дело может у него запросто обернуться смертным грехом. Тут ведь грань такая тонкая, что вам, сволочам, и не понять.

Завеличские не знали, что ответить. Не знал этого и юродивый Карп, стоявший в толпе. В полнейшем недоумении он слушал юродивого Фому с открытым ртом.

Ага, и ты здесь, грешник, закричал юродивый Фома, и юродивый Карп заплакал. Давненько я не бил тебе морду.

Фома стал пробираться к Карпу, но тот уже пятился в сторону монастыря, и толпа перед его спиной расступалась.

О, горе мне, кричал юродивый Карп.

Выбравшись из толпы, он бросился к монастырским воротам. Ворота оказались закрыты. Карп барабанил в них что было сил и с ужасом наблюдал, как к нему приближался Фома. Не дождавшись открытия ворот, Карп заложил руки за спину и бросился к реке. Когда же ворота открылись, мимо пробегал Фома. Выглянувшим из ворот сестрам Фома показал язык и побежал дальше. Сестры переглянулись как привыкшие не удивляться.

Не говорил ли тебе: сиди в Запсковье, кричал юродивый Фома юродивому Карпу.

Карп закрыл лицо руками и продолжал бежать дальше. Его босые ступни громко шлепали по траве. У самой реки он остановился. Отняв от лица ладони, увидел, что его догоняет Фома.

Карп, Карп, Карп, закричал юродивый Карп.

Он ступил на поверхность воды и осторожно пошел. Несмотря на дувший ветер, волны на реке Великой были в тот день невысоки. Вначале Карп шел медленно и как бы неуверенно, но шаг его постепенно ускорялся.

Фома подбежал к реке и попробовал воду большим пальцем ноги. Сокрушенно покачав головой, он также ступил на воду. Арсений и завеличские молча наблюдали, как юродивые шли один за другим. Они слегка подпрыгивали на волнах и смешно махали руками, удерживая равновесие.

По воде они, стало быть, только ходят, сказали завеличские. А бегать пока еще не научились.

На середине реки юродивый Карп остановился. Дождавшись юродивого Фомы, он с размаху ударил его по щеке. Звон оплеухи долетел по воде до стоявших на берегу.

Имеет право, развели руками завеличские. Это уже его территория.

Ни слова не говоря, юродивый Фома развернулся и направился к своей части города. В лучах низкого осеннего солнца обозначилась неравномерность течения реки. Зеркальная поверхность чередовалась с рябью и волнами. При долгом взгляде на воду казалось, что река потекла в обратную сторону. Оттого, может быть, что она отражала бег облаков. В такт общему движению по поверхности реки скользили, расходясь, две маленькие фигурки. На месте оставался только Арсений и окружавшие его жители Завеличья.

ні

Ближе к зиме Арсений уже хорошо ходил. Кости его срослись, и о болезни напоминала только охватывавшая временами слабость. Почувствовав себя лучше, Арсений вернулся к своему дому на кладбище. Сестры уговаривали его остаться в дальней келье, но он был непреклонен.

Благословен буди, странниче и бездомниче, сказала настоятельница и отпустила Арсения на избранное им место жительства.

Вернувшись под сросшиеся дубы, Арсений понял, что отвык от трудной жизни. Недели, проведенные в келье, он оплакивал как потерянные, ибо они заставили его обратить внимание на тело. Они, по сути, расхолодили Арсения, и первые по возвращении дни он никак не мог согреться. Он неустанно шептал себе, что находится яко в чуждем телеси, но это помогло не сразу. Помогло спустя четыре дня.

На седьмой день к нему пришел калачник Прохор. Он молча достал из-за пазухи калач и пал перед Арсением на колени. Стоявший у своего жилища Арсений подошел к калачнику Прохору. Встал рядом с ним на колени и обнял его. И взял из его рук калач.

Я постился семь дней, сказал Прохор.

Арсений кивнул, потому что понял это по форме калача и его благоуханию.

Прости мя, блаженный Устине, заплакал калачник Прохор.

Арсений коснулся щеки Прохора, и на его указательном пальце осталась Прохорова слеза. Он помазал ею край калача. В том месте, где калач впитал слезу Прохора, Арсений калач надкусил. Прожевав откушенное, Арсений встал сам и поднял калачника. Перекрестил и отправил восвояси. Когда калачник Прохор скрылся в проломе, Арсений, взяв калач, выбрался наружу. У стены монастыря стояли небогатые люди. Разломив калач на части, Арсений отдал его им.

С того дня калачник Прохор нередко навещал Арсения. Всякий раз он приносил калач, а то и не один. Арсений с благодарностью принимал калачи. После ухода Прохора он выносил их к монастырской стене и отдавал небогатым людям.

Со временем, однако, калачей от Арсения стали ждать не только они. Приходили люди из города и из Запсковья, и многие из них считались состоятельными. Сии не были томимы голодом, но знали, что калачи из рук Арсения необыкновенно вкусны и полезны. По их наблюдениям, эти хлебы придавали сил, останавливали кровотечение и улучшали обмен веществ.

Услышав о раздаче хлебов, однажды к Арсению приехал псковский посадник Гавриил. Гавриил получил полкалача и отправился с ним к себе домой. Полученный хлеб ели он, его жена и четверо детей разного возраста. Хлеб им понравился, и они почувствовали себя лучше, хотя и до этого, в сущности, чувствовали себя довольно хорошо.

Это есть феномен, достойный всяческой поддержки, сказал посадник Гавриил.

Он поехал к Арсению и в присутствии сестер вручил ему кошелек с серебром. К удивлению посадника Гавриила, кошелек Арсений принял. Уходя, посадник оставил у монастыря человека, который бы посмотрел, как юродивый распорядится врученными ему средствами. Вечером того же дня человек явился к посаднику Гавриилу и доложил ему, что первым делом юродивый Устин направился к купцу Негоде. Отдельно отмечалось, что к купцу юродивый вошел с кошельком в руках, а вышел без кошелька.

Тогда посадник Гавриил снова поехал к Арсению и спросил его, отчего он отдал деньги не нищим, а купцу. Арсений молча смотрел на посадника.

Так что же здесь непонятного, удивился, стоя в разломе стены, юродивый Фома. Купец Негода разорился, и семья его гладом тает. А подаяния выпросить стыдится светлых ради своих риз. Терпеть будет, сукин кот, пока не сдохнет – он и его семья. Вот Устин и дал ему денег. Нищие же и сами себя прокормят, просить – это как-никак их профессия.

Посадник Гавриил подивился мудрости Арсения и спросил:

Что ти, брате Устине, для жития твоего благопотребно? Проси у мене, и дарую ти.

Арсений молчал, и тогда сказал юродивый Фома:

Избрах аз за него, да даруеши ли?

Посадник Гавриил ответил:

Дарую.

Даждь же ему великий град Псков, сказал юродивый Фома. И се довлеет ему на пропитание.

Посадник не произнес ни слова, ибо он не мог отдать Арсению целый город. Юродивый же Фома, увидев, что посадник Гавриил опечален, рассмеялся:

Да не парься ты, ё-моё. Не можешь дать ему этот город – не давай. Он и без тебя его получит.

ѳі

Наступившая зима была страшной. Таких зим не помнили ни псковичи, ни тем более Арсений. Впрочем, Арсений не помнил и того, сколько зим прошло со времени его прибытия в Псков. Может быть, одна. А может быть, все зимы слились в одну и больше не имели отношения ко времени. Стали зимой вообще.

Сначала город засыпало снегом. Снег шел днем и ночью, он потрясал своим избытком в воздухе и на земле, превращая Божий мир в единый молочный сгусток. Снег заносил хлева, дома и даже невысокие церкви. Они превращались в огромные сугробы, поверх которых иногда виднелись кресты. Снег продавливал крыши старых домов, и они обрушивались с сухим треском. Люди оказывались под открытым небом, с которого безостановочно летел снег, заполнявший поврежденные дома в течение дня. Снег шел три недели, а потом ударил мороз.

Мороз был беспощаден. Сила его утраивалась ветром, от которого не было спасения. Ветер сбивал прохожих с ног, забирался в дверные щели и свистел из неплотно пригнанных бревен. От него на лету гибли птицы, в мелких реках вымерзали рыбы, а в лесах падали звери. Даже гревшиеся огнем люди по немощи тела не могли вынести этой великой стужи. Тогда в городе, в окрестных деревнях и на дорогах замерзло много людей и скотины. Нищие и странники Христа ради, претерпевая великие бедствия, стенали из глубины сердец своих, и горько плакали, и непрестанно тряслись, и замерзали.

По распоряжению настоятельницы Арсения переместили в дальнюю келью, где ему было велено пережидать лютую стужу. По прошествии же трех дней Арсений покинул дальнюю келью и вернулся в свой дом на кладбище. На все уговоры остаться он отвечал молчанием.

Понимаешь, сказал он Устине, в дальней келье плоть моя отогревается и начинает выдвигать свои требования. Тут ведь, любовь моя, только начни. Дашь ей палец, а она отхватит целую руку. Лучше уж, любовь моя, побуду я на свежем воздухе. Чтобы не замерзнуть, стану, пожалуй, ходить по Завеличью. Буду наблюдать, что происходит на белом свете, ибо никогда еще он не был так бел.

И Арсений стал ходить по Завеличью. И когда он встречал замерзающих, или пьяных, или склонных заснуть в сугробе, то доводил их до домов их. Если же дома у кого не было, то вел он такового в дом для убогих, устроенный на холодное время в старом сарае у стен Иоаннова монастыря.

Идя однажды вдоль замерзшей реки, Арсений увидел на ней юродивого Фому, который сказал ему со льда:

Любезный друг, граница между частями города ныне стерта естественным путем. Следует констатировать, что разделявшая нас преграда скрылась на время под невиданно толстым льдом. Если желаешь собирать замерзающий элемент и на моей территории, ничтоже вопреки глаголю.

После сказанного юродивым Фомой Арсений перестал ограничиваться Завеличьем. Он ходил в город и даже в Запсковье, где обитал юродивый Карп. Об этом говорили следы босых ног, расходившиеся лучами от Иоаннова монастыря. Каждое утро обнаруживались новые следы, по которым жители Пскова узнавали, в какой части города был Арсений прошедшей ночью.

Однажды Арсений отводил домой ночного странника. Тот шел из кабака, и силы его были на исходе. Часто он присаживался на дорогу, требуя от Арсения оставить его в покое. В таких случаях Арсению приходилось тащить незнакомца по снегу силком. Скольжение было плохим, потому что первую часть пути незнакомец, хохоча, загребал носком сапога снег. Через час он промерз, и веселье оставило его. Он беззвучно брел за Арсением, значительно протрезвевший и злой.

В поисках его жилища они ходили кругами по пригородным хуторам. Ближе к полуночи на небе показалась луна, и это решило дело. Опознав в одном из наметенных сугробов свою избу, незнакомец решительно направился к крыльцу. Так же решительно на него поднялся и захлопнул за собой дверь.

Арсений осмотрелся. Длительное блуждание сбило его с толку, и теперь он не мог сообразить, в какой же стороне город. Луну снова затягивало тучами. Арсений понимал, что если сделает несколько шагов от избы, то потеряет даже ее. Он чувствовал, что и сам больше не может обойтись без тепла.

Сейчас такой момент, любовь моя, что мне нужно хотя бы час побыть в тепле, сказал Арсений Устине. Ты можешь за меня не волноваться, ничего, как видишь, страшного не происходит. Требуется лишь перевести дыхание, любовь моя, и я смогу возвратиться.

Арсений попытался улыбнуться, но понял, что не чувствует ни губ, ни щек. Поколебавшись, вернулся к избе и взошел на обледенелое крыльцо. Постучал в дверь. Ему никто не открыл, и он постучал еще раз. Дверь открылась. На пороге стоял его знакомый. Он отступил назад, как бы освобождая Арсению пространство. Арсений же опечалился, потому что понял, что в действительности этому человеку требуется разбег. Открывший с криком разбежался и двумя руками столкнул Арсения с крыльца.

Когда Арсений пришел в себя, снова светила луна. Он взял пригоршню снега и потер застывшее лицо. Выброшенный им снег был в крови. При свете луны Арсений увидел очертания дальних домов. Покачиваясь, он пошел к ним. Дома были ветхими, и Арсений понял, что в них живут бедные люди. На его стук люди вышли с палками. Они сказали:

Иди и умри, юроде, зде бо от тебе несть нам спасения.

Не обнаружив в этих людях сострадания, Арсений покинул их. Он пошел вдоль домов и в конце улицы заметил покосившийся сарай. Когда глаза его привыкли к темноте, он разглядел в углу сарая несколько пар глаз. В глазах отражался лунный свет, проникавший сквозь щели в кровле. На Арсения смотрели большие собаки. Он встал на четвереньки и подполз к собакам. Собаки глухо заворчали, но не причинили Арсению вреда. Он лег между ними и задремал. Когда очнулся, собак рядом с ним уже не было.

Насколько же я гадок, сказал Арсений Устине. Я оставлен Богом и людьми. И даже собаки, раз они ушли, не хотят иметь со мной дела. И самому мне мерзко мое грязное и посиневшее тело. Все это указывает на то, что телесное существование мое бессмысленно и подходит к концу. Так что не по моим молитвам ты, любовь моя, будешь помилована.

Арсений сел на корточки, обхватил голову руками и спрятал ее в колени. Он осознал, что не ощущает уже ни головы, ни рук, ни колен. Слабо слышалось одно лишь сердце. Только сердце еще не было сковано морозом, потому что находилось глубоко внутри тела. Хорошо, подумалось Арсению, что с частью тела я уже простился. Проститься с тем, что еще не замерзло, будет, судя по всему, гораздо легче.

И когда Арсений так подумал, он ощутил, что постепенно его наполняет изнутри тепло. Открыв глаза, Арсений увидел перед собой юношу, прекрасного видом. Его лицо светилось, как солнечный луч, и в своей руке он держал ветвь, усыпанную алыми и белыми цветами. Эта ветвь не была похожа на ветви тленного мира, и красота ее была неземной.

Прекрасный юноша, державший в руке ветвь, спросил:

Арсение, где ныне пребываеши?

Сижу во тьме, окован железом, в сени смертной, ответил Арсений.

Тогда юноша ударил Арсения ветвью по лицу и сказал:

Арсение, прими жизнь непобедимую всему твоему телу и очищение и прекращение твоих страданий от великой сей стужи.

И с этими словами в сердце Арсения вошло благоухание цветов и жизнь, дарованная ему во второй раз. Когда же он поднял глаза, то обнаружил, что юноша стал невидим. И Арсений понял, кто был этот юноша. Он вспомнил животворное слово песнопения: идеже Господь восхощет, побеждается естества чин. Потому что по чину естества Арсений должен был умереть. Но, улетающий в смерть, был подхвачен и возвращен в жизнь.

К

С тех пор время Арсения окончательно пошло по-другому. Точнее, оно просто перестало двигаться и пребывало в покое. Арсений видел происходящие на свете события, но отмечал и то, что они странным образом разошлись со временем и больше от времени не зависели. Иногда они двигались одно за другим, как и прежде, иногда принимали обратный порядок. Реже – наступали без всякого порядка, бессовестно путая очередность. И время не могло с ними справиться. Руководить такими событиями оно отказывалось.

Тут выяснилось, что события не всегда протекают во времени, сказал Арсений Устине. Порой они протекают сами по себе. Вынутые из времени. Тебе-то, любовь моя, это хорошо известно, а я вот сталкиваюсь с этим впервые.

Арсений наблюдает, как тает весенний снег и мутные воды по пробитому сестрами желобу стекают в реку Великую. Каждую весну сестры этот желоб чистят, потому что осенью он забивается листьями – дубовыми и кленовыми. Эти листья ветер наметает и в дом Арсения, и Арсений не отвергает такой перины, поскольку рассматривает ее как нерукотворную.

Арсений видит, как после ночного дождя выглядывает раннее июньское солнце. Вода все еще дрожит на листьях. Отделяется облачками пара от купола Иоанна Предтечи и исчезает в неправдоподобно синем небе. Облокотясь на метлу, за испарением воды наблюдает сестра Пульхерия. Теплый ветер касается пшеничной пряди ее волос, выбившейся из-под плата. Сестра Пульхерия задумчиво расчесывает родинку и умирает от заражения крови. Она лежит в свежей могиле в нескольких саженях от дома Арсения. Ее могилу заносит снегом.

В разгар листопада к Арсению подходит настоятельница. Она говорит:

Приспе время еже преставитися ми от суетнаго мира сего к нестареемому вечному пребыванию. Благослови мя, Устине.

Листья с шорохом скользят по ее облачению. Арсений благословляет настоятельницу.

Нет у меня такого права – благословлять, говорит он при этом Устине. Так что, любовь моя, делаю это не по праву, но по дерзости, поскольку жена сия об этом просит. Между тем, путь ее действительно далек и она об этом знает.

Настоятельница умирает.

Жарким летним днем у храма Иоанна Предтечи, облокотясь на метлу, стоит сестра Агафья. Она смотрит на купол храма, и рука ее тянется к родинке на лице. На полпути руку сестры Агафьи останавливает рука Арсения. Он успел вовремя.

Будет жить, думает, удаляясь, Арсений.

Твердой походкой он идет в дом к иерею Иоанну. Рывком распахивает дверь. За Арсением врывается шершавый язык стужи. Иерей Иоанн и его семья сидят за столом. Жена иерея готовится подавать на стол. Она вглядывается в мутное окно, за которым нет ничего, кроме снега. Иерей Иоанн смотрит перед собой, как бы пытаясь высмотреть грядущую свою судьбу. Попадья делает беззвучный жест, приглашая Арсения разделить с ними трапезу. Жест отделяется от попадьи и вылетает в открывшуюся дверь. Арсений его не замечает. Дети вжимаются в лавку и устремляют взор на свои руки, лежащие на коленях. Пальцы теребят грубое полотно рубах. Арсений для них подобен шаровой молнии, виденной однажды их отцом. Отец учил их, что, когда влетает шаровая молния, лучше не двигаться и не выдавать себя. Выдохнуть и замереть. Они замирают. Арсений хватает со стола нож и бросается к иерею Иоанну. Иерей Иоанн продолжает смотреть перед собой и как бы не замечает Арсения. На самом же деле он все видит, но сопротивляться судьбе не считает нужным. Арсений машет ножом у самого лица иерея Иоанна. Иерей по-прежнему не двигается и думает, возможно, о шаровой молнии. О том, что она его все-таки обнаружила. Арсений бросает нож на пол и выбегает из избы. Иерей Иоанн не испытывает облегчения. Он понимает, что произошедшее – это предсказание. Это только зарница, и он ждет прихода молнии. И догадывается, что на этот раз разминуться с ней будет непросто.

Арсений идет по Запсковью, и его подстерегают мальчишки. Они валят его на доски мостовой. Несколько пар рук прижимают его к доскам, хотя он не сопротивляется. Тот, чьи руки остались свободными, прибивает края Арсениевой рубахи к доскам. Арсений смотрит, как смеются мальчишки, и тоже смеется. Всякий раз, когда мальчишки прибивают его рубаху к мостовой, он смеется вместе с ними. И беззвучно просит, чтобы Бог не поставил им этого в вину. Он мог бы аккуратно оторвать рубаху от гвоздей, но не делает этого. Арсений хочет сделать мальчишкам приятное.

Он резко встает, и подол его рубахи с треском отрывается. Мальчишки катаются от хохота по земле. Оставшийся день Арсений ищет среди мусора лоскуты и пришивает их вместо оторванного подола. Увидев новые лоскуты на его рубахе, мальчишки смеются еще больше.

Когда они убегают, становится тихо. Остается лишь один мальчик, который подходит к Арсению и обнимает его. И плачет. Арсений знает, что этот мальчик его жалеет, но стыдится показать это перед всеми, и у Арсения сжимается сердце. Ему хочется, чтобы этот ребенок радовался, потому что в его чертах он узнает черты другого ребенка. И Арсений плачет. Он целует мальчика в лоб и убегает, потому что сердце его готово разорваться. Арсений захлебывается от рыданий. Он бежит, и рыдания сотрясают его, и слезы летят с его щек в разные стороны, прорастая на обочинах разными неброскими растениями.

По весне река Великая поднимается, и кое-где всплывают деревянные мостовые. В Запсковье грязь. По дороге к дому ее месит иерей Иоанн. Жирное чавканье грязи он слышит у себя за спиной. Медленно оборачивается. Перед ним стоит человек с ножом, весь в грязи. Иерей Иоанн молча прижимает руку к груди. В голове его мелькает воспоминание о предвидении Арсения. В сердце его звучит молитва, которую он не успевает произнести. Человек наносит ему двадцать три ножевых удара. При каждом замахе он кряхтит и стонет от натуги. Иерей Иоанн остается лежать в грязи. Там же теряются следы человека. Говорят, что будто бы и человека не было, а был лишь всплеск грязи. Взметнувшийся за спиной иерея Иоанна и тут же растекшийся по дороге. Через малое время раздается нечеловеческий крик. Он перелетает через реку Великую и реку Пскову, распространяясь над всем городом Псковом. Это кричит попадья.

Приезжают от посадника Гавриила. Говорят:

Ты, Устине, человек особенный, и посещение твое благотворно. У жены посадника третью неделю болят зубы, так не можешь ли ты ей помочь? К ней приходили уже многие врачи, а облегчения фактически никакого. И посадник зовет тебя к себе, надеясь на твою помощь.

Арсений смотрит на пришедших от посадника Гавриила. Они ждут. Они говорят, что посадница и сама могла бы приехать к нему на кладбище, но как раз на кладбище ей ехать не хочется. Арсений качает головой. Он лезет рукой в рот, вытаскивает из десны зуб мудрости и вручает его пришедшим. Те понимают, что это и есть ответ блаженного на их просьбу. Со всей осторожностью они приносят зуб Арсения посаднице. Посадница кладет его себе в рот, и зубная боль проходит.

Посадник Гавриил со свитой приезжает к Арсению. Он привозит ему дорогие одежды и просит Арсения в них облачиться. Арсений облачается. Ему и посаднику Гавриилу подносят по чаше фряжского вина. Посадник пьет, Арсений же кланяется и, повернувшись к северо-востоку, медленно выливает свою чашу на землю. Струя вина, образуя при падении спираль, сверкает полированными гранями. Драгоценная влага жадно впитывается травой. Солнце стоит в зените. Посадник Гавриил хмурится.

Неужели же ты не понимаешь, спрашивает посадника юродивый Фома, почему раб Божий Устин вылил на северо-восток твое вино?

Посадник не понимает и даже не склонен этого скрывать.

Да ты, человече, говорит юродивый Фома, попросту не в курсе того, что в Великом Новгороде днесь пожар, и раб Божий Устин стремится залить его подручными средствами.

Посадник Гавриил посылает своих людей в Великий Новгород, чтобы достоверно узнать о происходящем. Вернувшись, люди докладывают посаднику Гавриилу, что утром означенного дня в Новгороде и в самом деле разгорелся сильнейший пожар, но около полудня неведомою новгородцам силою угас. Посадник ничего не отвечает. Он делает пришедшим знак выйти, и они, кланяясь, уходят. Посадник возжигает лампаду. До стоящих за дверями доносятся глухие слова его молитвы.

Арсений в подаренной ему одежде идет в корчму. Посетители корчмы раздевают Арсения и на вырученные за одежду деньги намереваются пить три дня и три ночи. У Арсения с собой узелок со старой одеждой, которую он тут же надевает. Он вздыхает с облегчением. Посетители корчмы заказывают по первой кружке. Видя это, Арсений выбивает кружки у них из рук. Кружки катятся с оловянным звуком, разливая содержимое по полу. Посетители заказывают по второй кружке, но Арсений опять не дает им выпить. Один из них хочет ударить Арсения по лицу, но корчмарь возбраняет ему это сделать. Корчмарь знает, что за побои придется отвечать ему, и выталкивает посетителей пинками. Посетители расходятся по домам трезвые и при деньгах. Отнимая деньги, родные возвратившихся не могут найти явлению разумного объяснения. Они остаются в полном недоумении.

А знаешь ли, спрашивает Арсения юродивый Фома, сколько лет прошло со времени твоего появления здесь? Арсений пожимает плечами.

Ну, так и не надо тебе этого знать, говорит юродивый Фома. Живи покамест вне времени.

Арсений забрасывает комьями грязи некоторых почтенных жителей Запсковья. За их спинами он безошибочно различает крупных и мелких бесов. Жители недовольны.

Утешение лишь в том, сообщает Арсений Устине, что бесы недовольны еще больше.

Иногда он бросает камни в двери церквей. Там тоже скапливается достаточное количество бесов. Войти внутрь храма они не дерзают и жмутся у входа.

Глядя, как Арсений по ночам молится, новая настоятельница говорит:

Во дни раб Божий Устин мирови смеется, нощию же мир оплакивает.

В монастырь приносят Евпраксию, дочь плотника Артемия. Два месяца назад на Евпраксию упала потолочная балка в амбаре, и с тех пор она лежит без движения. Болезнь не дает ей вернуться к жизни, но и не отпускает в смерть. И окружающим Евпраксию непонятно, к какому из двух состояний она ближе.

Евпраксию определяют в гостевую келью и читают над ней молитвы. В погожие дни ее выносят в монастырский двор и читают молитвы на свежем воздухе. Ветер шевелит волосы Евпраксии, но сама она остается неподвижна. К постели Евпраксии во дворе подходит Арсений. Он берет Евпраксию за руку.

Жизнь не полностью оставила ее, говорит Арсений Устине. Я чувствую, что она может проснуться. Ей надо только в этом помочь.

Арсений кладет Евпраксии ладонь на лоб. Губы его шевелятся. Евпраксия открывает глаза. Она видит Арсения и обступивших ее сестер. Стоит теплый летний день. Тени деревьев резки. Они перемещаются в такт движению солнца. Листья лип клейки и едва заметно дрожат на ветру.

Мы празднуем возвращение Евпраксии, говорит новая настоятельница, но помним и о том, что оно временно, ибо временно все на этой земле.

А мне хотелось поговорить с ней еще хотя бы раз, говорит плотник Артемий. И теперь я буду говорить с ней постоянно. В том смысле, конечно, что временно. Я пла́чу при мысли о безграничной милости Божьей и благодати, снизошедшей на раба Божьего Устина. И все мы, стоящие (без исключения), способны вдыхать запахи теплого летнего дня и слушать щебетание птиц. Без исключения, потому что, если бы не Арсений, этим исключением могла быть дочь моя Евпраксия.

Плотник Артемий становится перед Арсением на колени и целует ему руку. Арсений руку выдергивает, и переходит реку Великую по льду, и оказывается в Запсковье. Ранним утром калачник Самсон выносит свой товар. Он ждет юродивого

Карпа, который должен похитить у него один калач. Юродивый Карп появляется, хватает полуденежный калач и несется, заложив руки за спину,
прочь от калачника Самсона. Калачник улыбается доброй калачной улыбкой. Пар из его рта осе-
дает инеем на бороде. Он проводит по бороде рукой и говорит:

Человек Божий, понимаешь. Блаженный.

Для полного выражения чувств калачнику
(как всегда) не хватает слов. Юродивый Карп
(как всегда) роняет калач, и его подбирают небогатые люди. Карп пережевывает оставшееся у него во рту.

Когда рот его становится свободен, он кричит:

Кто ми будет спутник до Иерусалима?

Поднявшие калач люди недоумевают. Они говорят:

Благоюродствует наш Карп. Кто же пойдет из
Пскова во Иерусалим?

Кто ми будет спутник до Иерусалима, кричит
собравшимся юродивый Карп.

Собравшиеся отвечают:

Иерусалим, это самое, далеко. Как туда добраться?

Юродивый Карп не мигая смотрит на Арсения. Арсений молчит, но не отворачивается. У него комок в горле. Ему хочется насмотреться на
юродивого Карпа, он за этим пришел. Карп ежит-
ся, втягивает голову в плечи и уходит.

Карп, Карп, Карп, говорит он задумчиво.

В монастырь приносят расслабленного Давыда. Давыд болеет от дней юности своея. Он не-
способен двигаться и даже не может удержать
свою голову. Когда Давыда кормят кашей, голову

его приподнимают. Иногда каша выпадает из его рта. Тогда ее собирают ложкой с подбородка и отправляют опять в рот. Давыда несут на монастырское кладбище. Осторожно укладывают на могильном холме рядом с домом Арсения. Говорят:

Помози нам, Устине, аще можеши.

Арсений ничего не отвечает. Голыми руками он рвет на могилах крапиву и складывает ее в пучок. Когда пучок готов, Арсений хлещет пришедших по лицу и по рукам. Они чувствуют, что их присутствие здесь нежелательно. Уходят, оставив Давыда лежать на могиле. Подумав, Арсений хлещет крапивой и его. Давыд морщится, но продолжает лежать, поскольку другого выхода у него нет. Солнце закатывается быстрее обычного. На небе появляется луна.

Арсений становится рядом с Давыдом на колени и касается его руки. Осматривает белую и почти неживую кожу Давыда. Эта кожа создана для лунного света. Арсений поглаживает ее пальцами и начинает с силой мять. Переходит на другую руку. Переворачивает расслабленного на живот. Что есть силы мнет его омертвевшую плоть, словно закачивая в нее жизненные силы. Трет Давыду спину вдоль позвоночника. Разминает ноги Давыда, от чего, свесившись с могильного холма, подрагивают Давыдовы руки. Больной напоминает большую куклу. Дважды за ночь новая настоятельница выходит на кладбище и дважды видит непрекращающуюся работу Арсения. С первыми лучами рассвета Давыд медленно встает на ноги. Он делает несколько деревянных шагов в сторону храма, где его уже ждут его близкие. Силы оставляют Давыда, потому что мышцы его еще не привычны к ходьбе. Близкие бросаются к Давыду и подхватывают его под руки. Они понимают, что первые шаги – самые главные. Но и самые трудные.

Что сие, спрашивает новая настоятельница у присутствующих, но прежде всего у самой себя. Результат ли терапевтических мероприятий брата нашего Устина или чудо Господне, явленное помимо человеческого воздействия? В сущности, отвечает сама же настоятельница, одно другому не противоречит, ибо чудо может быть результатом труда, помноженного на веру.

У реки Великой и в псковских лесах Арсений собирает травы. Псковские земли южнее белозерских и рождают большее количество трав. Есть здесь даже те, что в свое время не были описаны Христофором. Об их действии Арсений догадывается по запаху и форме листьев. Такие травы он сушит в монастырском сарае и испытывает на себе. Сушит он и другие травы.

Некие христолюбцы вылавливают в реке Великой большую рыбу и дарят ее иерею Константину. Матушка Марфа готовит рыбу к ужину. Она предупреждает мужа, что у большой рыбы большие кости и призывает его быть осторожным. Иерей Константин, человек беспечный, ест рыбу рассеянно, не думая о ее костях. Думая о строящейся приходской церкви. Он пытается в очередной раз счесть количество закупленных материалов и тревожится, что их не хватит. Иерей Константин не сразу замечает, как с нежной рыбьей плотью в его горло входит дугообразная кость с обломком хребта. Он кашляет, и из его рта летят куски рыбы – все, кроме кости.

Кость цепляется за горло тремя точками. Она не идет дальше вниз, но и не поднимается наверх. Ушла слишком глубоко, чтобы можно было достать пальцами. Матушка Марфа бьет мужа по спине, но кость сидит неподвижно. Иерей Константин ложится животом на стол и, свесив голову почти к полу, пытается кость выкашлять. Изо рта течет слюна с кровью, но кость не сдвигается ни на вершок.

К иерею Константину приводят врача Терентия. Терентий просит больного открыть рот и подносит ко рту свечу. Но и при свете свечи кости не видно. Терентий пытается засунуть больному в горло свои длинные пальцы, но даже они не способны нащупать кость. Иерей Константин безмолвно сотрясается от рвотных движений и в конце концов вырывается из рук врача. Матушка Марфа выставляет Терентия из избы.

Они отказываются от медицинской помощи, говорит собравшимся на улице врач Терентий. И положа руку на сердце, они правы, ибо глубина залегания кости превосходит возможности современной медицины.

После ночи страданий иерея Константина везут через реку в Запсковье. Придя на кладбище Иоаннова монастыря, иерея ставят перед Арсением. Но больной уже не может стоять, он садится на могильную плиту. Горло его распухло, и он задыхается. В глазах страдание и скорбь: ему кажется, что его уже хоронят. Он боится, что боль его не пройдет и после смерти.

Арсений садится перед иереем Константином на корточки. Он прощупывает его шею двумя руками. Иерей тихо стонет. Внезапно Арсений хватает его за ноги и приподнимает над землей. Трясет с неожиданной силой и яростью. Ярость Арсения направлена против болезни. Из горла больного исходят вопль, красная слизь и кость.

Иерей лежит на земле и тяжело дышит. Полузакрытыми глазами смотрит на причину своего страдания. Некие из случившихся на кладбище хотят его поднять, но он останавливает их рукой: ему нужно отдышаться. Матушка Марфа становится перед Арсением на колени. Арсений наклоняется и хватает матушку за ноги, пытаясь поднять и ее. Матушка кричит. Она слишком тяжела, а у Арсения уже не так много сил.

Практически неподъемна, перешептываются присутствующие, качая головами.

Арсений оставляет матушку Марфу и покидает кладбище. Матушка заворачивает кость в платок на благодарную семейную память.

У посадника Гавриила погибает дочь Анна. На шестнадцатом году своего жития. Поскользнувшись на пароме, Анна падает в воду и камнем идет ко дну. За ней бросаются несколько человек. Они ныряют в разных направлениях, пытаясь угадать, куда повлекло тело девицы. Выныривают, задыхаясь, набирают в легкие воздуха и вновь погружаются в воду. С трудом достигают дна реки Великой, но и там не могут обрести дочери посадника. Вода мутна. Вода быстра и полна водоворотов. Один из нырявших едва не тонет, но усилия ныряльщиков тщетны. Тело утопленницы находят ниже по течению несколько часов спустя, когда его прибивает к камышам.

Посадник Гавриил вне себя от горя. Он хочет похоронить дочь в Иоанновом монастыре и едет к настоятельнице. Настоятельница говорит ему, что Анну лучше похоронить в скудельнице. Посадник Гавриил хватает настоятельницу за плечи и трясет ее продолжительное время. Настоятельница смотрит на посадника без страха, но с печалью. Она позволяет посаднику хоронить его дочь в монастыре. Посадник распоряжается надеть на Анну золотые и серебряные украшения, дабы и мертвая она не потеряла своей красоты. Паром с телом встречают жители Завеличья и других частей Пскова. Все они в слезах. Надгробное рыдание творяще, Анну предают земле. Уходят все, кроме посадника. Он остается и несколько часов лежит на свежей могиле. Когда спускается ночь, посадника уводят. Прислонившись к сросшимся дубам, на кладбище остается лишь Арсений. Кажется, что он тоже с ними сросся, переняв цвет их коры и неподвижность.

Это впечатление ошибочно, так как суть Арсения не древесна, но человечна и молитвенна. Внутри него стучит сердце, а губы его шевелятся. Он просит о небесных дарах для новопреставленной Анны. Глаза его широко открыты. В них отражается огонек свечи, неуверенно пересекающий кладбище. Огонек огибает кресты и приподнимается на кочках. Достигнув могилы Анны, останавливается. Невидимая рука укрепляет его на пне рядом с могилой. Другая рука обламывает ветку осины и прикрывает ею огонек со стороны монастыря. В мерцающем круге свечи появляется лопата. Она без труда срезает могильный холм. Свежая земля не требует усилий. Копающий уже по колено стоит в могиле. Стоит по пояс. Его лицо оказывается на одном уровне со свечой. Арсений узнает это лицо.

Жила, говорит он тихо.

Жила вздрагивает и поднимает голову. Он никого не видит.

Если ты, Жила, войдешь в эту могилу по грудь, то уже никогда из нее не выйдешь, говорит Арсений. Не сказано ли в украденных тобой грамотах: смерть грешников люта?

Жилу трясет. Он смотрит в темное небо.

Ангел ли еси?

Разве имеет значение, кто я, отвечает Арсений, ангел ли, человек ли. Прежде ты грабил живых, а теперь стал могильным вором. Получается, что еще при жизни ты приобретаешь земляные свойства и оттого можешь в одночасье стать землею.

Так что же мне делать, спрашивает Жила, если я сам себе в тягость?

Молись непрестанно, а для начала закопай могилу.

Жила закапывает могилу.

Если бы ты не был ангелом, ты бы не знал, как меня зовут, говорит он кому-то вверху. Потому что во граде Пскове я сегодня первый день.

Мало-помалу слава о врачевательном даре Арсения разносится по всему Пскову. К нему приходят люди с самыми разными болезнями и просят дать им облегчение. Глядя в голубые глаза юродивого, они рассказывают ему о себе. Они чувствуют, как в этих глазах тонут их беды. Арсений ничего не говорит и даже не кивает. Он внимательно их выслушивает. Им кажется, что его внимание особое, ибо тот, кто отказывается от речи, выражает себя через слух.

Иногда Арсений дает им травы. Сестра Агафья, порывшись в его мешке, находит соответствующую грамоту Христофора и зачитывает больному вслух. Получившему траву *куколь* предписывается варить ее в воде с корением: вытянет гной из ушей. Покусанному пчелами выдают траву *пырей* и велят натереться. Арсений молча внимает чтению сестры Агафьи, хотя значение предлагаемых трав переоценивать не склонен. Врачебный опыт подсказывает ему, что медикаменты в лечении – не главное.

Арсений помогает не всем. Чувствуя свое бессилие помочь, он выслушивает больного и отворачивается от него. Иногда прижимается лбом к его лбу, и из глаз его текут слезы. Он делит с больным его боль и в какой-то степени смерть. Арсений понимает, что с уходом больного мир не останется прежним, и сердце его наполняется скорбью.

Если бы был во мне свет, я исцелил бы его, говорит Арсений о таком больном Устине. Но я не могу его исцелить по тяжести грехов моих. Это грехи не дают мне подняться на ту высоту, где лежит спасение этого человека. Я, любовь моя, виновник его смерти и оттого пла́чу о его уходе и о своих грехах.

Но и те больные, которых Арсений не может вылечить, чувствуют благотворность общения с ним. После встреч с Арсением боль, как им кажется, становится меньше, а вместе с ней уменьшается и страх. Неисцелимые видят в нем того, кто способен понять глубину страдания, ибо в исследовании боли он опускается до самого ее дна.

К Арсению приходят не только больные. На кладбище появляются беременные. Он смотрит на них сквозь слезы и кладет им ладонь на живот.

После встречи с юродивым они чувствуют себя лучше, а роды проходят легко. Приходят кормящие, у которых исчезло молоко. Арсений дает им траву *чистяк*. Если трава не помогает, Арсений ведет женщин в один из завеличских хлевов и велит доить корову. Смотрит, как сквозь красные от напряжения пальцы сочится белая влага. Как колеблется тугое коровье вымя. Сзади в дверях стоят хозяева. Они тоже смотрят. Они знают, что приход юродивого и женщины является благословением. Арсений знаком показывает, чтобы кормящая выпила молока. Она пьет и чувствует, как набухают ее собственные соски. И спешит к своему дитяти.

Арсений переходит реку Великую. Замечает по ходу следования, что льда уже нет, но вода все еще холодна. Речным непрогретым ветром с самого утра веет на Запсковье, выстуживая эту часть города. Юродивый Фома, щурясь, смотрит куда-то вдаль. Бороду его выворачивает ветром. Юродивый Карп стоит, закрыв лицо руками. Вполоборота к юродивому Фоме. Калачник Самсон не заставляет себя долго ждать и появляется с лотком калачей. С доброй улыбкой на устах. Юродивый Карп устало отнимает руки от лица и сжимает их в замок за спиной. На виске его бьется синяя жилка. Он уже, в сущности, немолод. Черты лица его тонки. Мягкой балетной походкой юродивый Карп подходит к калачнику Самсону и берет зубами ближайший калач. Сделав шаг от лотка, юродивый Карп оборачивается. Жалобно смотрит на Самсона. Самсон, не меняясь в лице, снимает лоток и бережно ставит на землю. Делает несколько шагов по направлению к юродивому Карпу. Ладная фигура калачника ломается. Рука его съезжает к голенищу сапога. Там блестящее, холодное и острое. Калачник подходит вплотную к Карпу. Карп вытягивается в струну. Он выше калачника и ощущает его дыхание шеей. Нож медленно входит в тело юродивого. Силы небесные, шепчет калачник Самсон, сколько же я ждал этого дня.

КНИГА
ПУТИ

а

Амброджо Флеккиа родился в местечке Маньяно. На восток от Маньяно, в дне пути верхом, лежал Милан, город святого Амвросия. В честь святого назвали и мальчика. Амброджо. Так это звучало на языке его родителей. Напоминало, возможно, об амброзии, напитке бессмертных. Родители мальчика были виноделами.

Подрастая, Амброджо стал им помогать. Он послушно выполнял все, что ему предписывалось, но в труде его не было радости. Флеккиа-старший, не раз наблюдавший за сыном украдкой, все более в этом убеждался. Даже топча виноград в чане босыми пятками (что может быть радостнее для ребенка?), Амброджо оставался серьезен.

Потомственный винодел, Флеккиа-старший и сам не любил избыточного веселья. Он знал, что брожение вина – процесс неспешный, даже меланхолический, а потому и в виноделе допускал определенную степень задумчивости. Но отрешенность, с которой подходил к производству вина его сын, была чем-то другим: в глазах отца она граничила с равнодушием. Настоящее же вино (стряхивая с пальцев жмых, Флеккиа-старший вздыхал) способен делать только человек неравнодушный.

Помощь мальчика семейному делу пришла с неожиданной стороны. За пять дней до большого сбора винограда Амброджо сообщил, что виноград следует собирать немедленно. Он сказал, что утром, когда он открыл глаза, но по-настоящему еще как бы не проснулся, ему предстало видение грозы. Это была страшная гроза, и Амброджо описал ее в подробностях. В описании присутствовали внезапно сгустившийся мрак, завывание ветра и со свистом летящие градины величиной с куриное яйцо. Мальчик рассказывал, как спелые гроздья винограда бились мочалкой о стволы, как круглые льдинки на лету дырявили мечущиеся листья и добивали на земле упавшие ягоды. Вдобавок ко всему с небес спустился синий звенящий холод и место катастрофы укрылось тонким слоем снега.

Такую грозу Флеккиа-старший видел лишь единожды в жизни, а мальчик не видел никогда. Однако все подробности рассказа в точности сходились с тем, что в свое время наблюдал отец. Не склонный к мистике, Флеккиа-старший после колебаний все же послушался Амброджо и приступил к сбору винограда. Он ничего не сказал соседям, потому что боялся осмеяния. Но после того как пять дней спустя над Маньяно действительно разразилась страшная гроза, Флеккиа оказались единственным семейством, собравшим в тот год урожай.

Смуглого отрока посещали и другие видения. Они касались самых разных сфер жизни, но от виноделия были уже довольно далеки. Так, Амброджо предсказал войну, развернувшуюся в 1494 году на территории Пьемонта между французскими королями и Священной Римской империей. Сын винодела ясно видел, как с запада на восток мимо Маньяно промаршировали передовые французские части. Местное население французы почти не трогали, лишь отобрали для пополнения провианта мелкий скот да двадцать бочек пьемонтского вина, показавшегося им неплохим. Эта информация поступила к Флеккиа-старшему в 1457 году, то есть очень заранее, что, в сущности, и не позволило ему извлечь из нее возможную пользу. О предсказанных боевых действиях он забыл уже через неделю.

Амброджо предсказал также открытие Христофором Колумбом Америки в 1492 году. Это событие тоже не привлекло внимания отца, поскольку на виноделие в Пьемонте существенного влияния не оказывало. Самого же мальчика видение привело в трепет, ибо сопровождалось зловещим свечением контуров всех трех Колумбовых каравелл. Нехорошим светом был тронут даже орлиный профиль первооткрывателя. Генуэзец Коломбо, перешедший в силу обстоятельств на испанскую службу, был, по сути, земляком Амброджо. Не хотелось думать, что 12 октября 1492 года такой человек занимался чем-то неподобающим, и оттого световые эф-

фекты ребенок был склонен объяснять чрез-
мерной наэлектризованностью атлантической
атмосферы.

Когда Амброджо подрос, он выразил желание
уехать во Флоренцию, чтобы учиться в тамошнем
университете. Флеккиа-старший ему в этом не
препятствовал. К тому времени он окончательно
убедился, что сын его создан не для виноделия.
В сущности, всем в Маньяно было уже понятно,
что Флеккиа-младший – отрезанный ломоть, так
что его отъезда из местечка ожидали со дня на
день. Отъезд, однако, был отложен по решению
самого Амброджо, который сумел предвидеть,
что ближайшие два года во Флоренции будет сви-
репствовать чума.

В конце концов юноша оказался во Флоренции. В этом городе все было по-другому: он был
совершенно не похож на Маньяно. Амброджо
застал его оправляющимся от чумы, великоле-
пие там все еще было смешано с растерянностью. В университете Амброджо изучал семь сво-
бодных искусств. Постигнув предметы тривиума
(грамматика, диалектика, риторика), он перешел к квадривиуму, включавшему в себя арифме-
тику, геометрию, музыку и астрономию.

Как это нередко бывало в университетах преж-
них времен, процесс учебы оказался длительным.
Он включал в себя несколько лет тщательного
обучения, которые перемежались годами столь
же тщательного осмысления изученного, когда
посещение университета приостанавливалось,
и Амброджо отправлялся в путешествия по Италии. На деле же связь студента с *alma mater* не пре-
рывалась никогда, даже в дни поездок в самые

отдаленные уголки его родины – по счастью, не такой уж большой.

Из всего, с чем Амброджо довелось познакомиться во время учебы, больше всего он полюбил историю. Как отдельный предмет историю в университете не рассматривали: в рамках тривиума она изучалась как составная часть риторики. Над историческими сочинениями юноша готов был просиживать часами. Направленные в прошлое, они (и это роднило их с видениями, направленными в будущее) были для него уходом от настоящего. Движение по обе стороны настоящего стало необходимо Амброджо как воздух, ибо разомкнуло одномерность времени, в которой он задыхался.

Амброджо читал историков античных и средневековых. Читал анналы, хроники, хронографы, истории городов, земель и войн. Он узнавал, как создавались и рушились империи, происходили землетрясения, падали звезды и выходили из берегов реки. Особо отмечал исполнение пророчеств, а также появление и осуществление знамений. В таком преодолении времени ему виделось подтверждение неслучайности всего происходящего на земле. Люди сталкиваются друг с другом (думал Амброджо), они налетают друг на друга, как атомы. У них нет собственной траектории, и оттого их поступки случайны. Но в совокупности этих случайностей (думал Амброджо) есть своя закономерность, которая в каких-то частях может быть предвидима. Полностью же ее знает лишь Тот, Кто все создал.

Однажды во Флоренцию пришел купец из Пскова. Купца звали Ферапонтом. На фоне местного населения он выделялся длинной, о двух хвостах бородой и огромным оспяным носом. Помимо связок соболиных шкур Ферапонт привез известие, что в 1492 году на Руси ждут конца света. К этим сведениям во Флоренции отнеслись в целом спокойно. Во-первых, флорентийцы были заняты уймой текущих дел, и думать о вещах, не грозящих непосредственно, у многих просто не было времени. Во-вторых, далеко не все во Флоренции представляли себе местонахождение Руси. Ввиду необычного облика самого Ферапонта (было неясно, все ли на его родине имеют подобные бороды и носы) допускалась возможность нахождения Руси вне обитаемого мира. Это давало населению надежду, что предполагаемый конец света одной лишь Русью и ограничится.

Из всех живших во Флоренции сообщение купца Ферапонта показалось по-настоящему важным только одному человеку – Амброджо. Юноша разыскал Ферапонта и спросил у него, на основании чего им было сделано заключение о конце света именно в 1492 году. Ферапонт отвечал, что это заключение делалось не им, но было услышано от компетентных людей в Пскове. Не будучи способен как-либо обосновать фатальную дату, Ферапонт в шутку предложил Амброджо отправиться за пояснениями в Псков. Амброджо не засмеялся. Он задумчиво кивнул, ибо такой возможности не исключал.

После этого разговора он начал брать у купца уроки (древне)русского. Флеккиа-старший даже не подозревал, на что тратятся его деньги. Амброджо, в свою очередь, благоразумно ничего отцу не говорил: существование Руси показалось бы Флеккиа-старшему еще более сомнительным, чем подробности войны 1494 года, некогда описанные ему сыном.

К этому же времени относится знакомство Амброджо Флеккиа с будущим мореплавателем Америго Веспуччи. По глазам Веспуччи Амброджо без труда понял, куда лежит его курс. Было очевидно, что в 1490 году Америго отправится в Севилью, где, работая в торговом доме Джуаното Берарди, примет участие в финансировании экспедиций Колумба. Начиная с 1499 года, вдохновленный успехами Колумба, флорентиец и сам предпримет несколько путешествий, да так удачно, что вновь открытому континенту присвоят его, а не Колумбово имя. (В том же 1499 году – и об этом Амброджо не мог не сказать купцу Ферапонту – архиепископ Новгородский Геннадий составит первое на Руси полное Священное Писание, названное впоследствии Геннадиевской Библией.)

Амброджо обратил внимание Америго Веспуччи на странное сближенье предполагаемых событий 1492 года. С одной стороны – открытие нового континента, с другой – ожидавшийся на Руси конец света. Насколько (недоумение Амброджо) эти события связаны, и если связаны, то – как? Не может ли (догадка Амброджо) открытие нового континента быть началом растянувшегося во времени конца света? И если это так (Амброджо берет Америго за плечи и смотрит ему в глаза), то стоит ли такому континенту давать свое имя?

Между тем занятия с купцом Ферапонтом продолжались. Амброджо читал имевшуюся у купца славянскую Псалтирь и многое, нужно сказать, понимал в ней, потому что латинский текст псалмов он знал наизусть. С не меньшим интересом он слушал чтение Ферапонта. По его просьбе каждый из псалмов прочитывался неоднократно. Это позволяло Амброджо запомнить не только слова (их он заучивал еще при чтении), но и особенности произношения. К удивлению Ферапонта, мало-помалу юноша становился его речевым двойником. В некоторых из произносимых Амброджо слов русские образцы угадывались не сразу, но порой – и это случалось все чаще – Ферапонт невольно вздрагивал: из уст итальянца исходили чистейшие интонации псковского купца.

Настал день, когда Амброджо понял, что готов отправиться на Русь. Последним, что от него услышали флорентийцы, оказалось предсказание страшного наводнения, которому суждено было обрушиться на город 4 ноября 1966 года. Призывая горожан к бдительности, Амброджо указал, что река Арно выйдет из берегов и на улицы хлынет масса воды объемом 350 000 000 куб. м. Впоследствии Флоренция забыла об этом предсказании, как забыла она и о самом предсказателе.

Амброджо отправился в Маньяно и сообщил о своих планах отцу.

Но ведь там предел обитаемого пространства, сказал Флеккиа-старший. Зачем ты туда поедешь?

На пределе пространства, ответил Амброджо, я, может быть, узнаю нечто о пределе времени.

В

Флоренцию Амброджо покидал не без сожаления. В те годы там обреталось немало достойных людей (Сандро Боттичелли, Леонардо да Винчи, Рафаэль Санти и Микеланджело Буонаротти), чья роль в истории культуры была ему в целом ясна уже тогда. Ни один из них, однако, не мог внести ни малейшей ясности в вопрос о конце света – единственно значимый для Амброджо. Этот вопрос не тревожит их, отмечал про себя Амброджо, ибо они творят для вечности.

В последние дни своей жизни во Флоренции Амброджо удостоился нескольких – больших и малых – видений. Видения были ему не вполне понятны, и он о них никому не рассказывал. Они не касались всеобщей истории. Виденные им события касались историй отдельных людей, из которых, думалось Амброджо, и слагается в конечном счете история всеобщая. Одно из видений – наименее им понятое – касалось той большой страны на севере, в которую он стремился. По некотором размышлении Амброджо решил рассказать его купцу Ферапонту. Состояло оно вкратце в следующем.

В 1977 году Юрий Александрович Строев, без пяти минут кандидат исторических наук, Ленинградским университетом им. А.А.Жданова был послан в археологическую экспедицию в Псков. Диссертация Юрия Александровича, посвященная раннему русскому летописанию, была почти окончена. Не хватало лишь содержащего выводы заключения, которое диссертанту почему-то не давалось. Как только он приступал к выводам, ему начинало казаться, что они неполны, упрощают его работу и в каком-то смысле сводят ее на нет. Возможно, диссертант просто переутомился. По крайней мере так считал профессор Иван Михайлович Нечипорук, его научный руководитель. Который, собственно, и включил Строева в состав археологической экспедиции. Профессор полагал, что диссертанту нужно немного отдохнуть и выводы его выстроятся сами собой. У профессора был большой опыт руководства.

В Пскове участников экспедиции разместили на частных квартирах. Квартира Строева находилась в Запсковье, на улице Первомайской, недалеко от храма Спаса Нерукотворного Образа, построенного в великий мор 1487 года. Квартира состояла из двух комнат. В большей жила молодая женщина с сыном пяти лет, а в меньшую поселили Строева. Женщину, как ему сообщили, звали Александрой Мюллер, и она была русской немкой.

Немка представилась Строеву как Саша. Так же звали ее сына, который встречал гостя вместе с ней. Мальчик обнял ее ногу, и ситцевое платье Александры превратилось в обтягивающие брюки. Погруженный в мысли о диссертации, Строев все же отметил, что у Александры стройные ноги.

Дом Строеву понравился. Это был старый купеческий дом красного кирпича. Окна его по вечерам светились желтоватым электрическим светом. Когда Строев первый раз вернулся с раскопок, он остановился у крыльца, чтобы полюбоваться их сиянием. Это сияние отражалось на автомобиле *Победа*, стоявшем у дома. И на круглых булыжниках мостовой.

Войдя, Строев увидел, что Александра с сыном пьют чай. И он пил чай вместе с ними.

Чем занимается ваша экспедиция, спросила Александра.

За стеной кто-то начал играть на скрипке.

Мы исследуем фундамент собора Иоанна Предтечи. За прошедшие столетия он значительно опустился. Строев медленно приблизил ладони к столу.

Ладони мальчика также едва касались стола. Заметив взгляд Строева, он стал водить пальцами по узорам клеенки. Это были сложные и мелкие узоры, но пальцы мальчика были еще мельче. С этой геометрией они легко справлялись.

При Иоанновом монастыре жил юродивый Арсений, называвший себя Устином, сказала Александра. У кладбищенской стены.

Сейчас там нет стены.

Нет даже кладбища. Александра подлила Строеву чая. Кладбище стало Комсомольской площадью.

А как же покойники, спросил мальчик. Что ли они стали комсомольцами?

Строев наклонился к самому уху ребенка:

Это выяснится в ходе раскопок.

На следующий вечер они отправились гулять. Пересекли улицу Труда, дошли до Гремячей башни и там сидели на берегу Псковы. Мальчик бросал в реку камешки. Строев нашел несколько осколков кафеля и пустил их по речной поверхности *лягушкой*. Самый большой подпрыгнул на воде пять раз.

В другой раз они отправились в Завеличье. Перейдя реку Великую по мосту Советской армии, направились в сторону Иоаннова монастыря. Подошли к собору и долго стояли на краю раскопа. По лесенке осторожно спустились вниз. Гладили древние камни, согревшиеся августовским вечером. Впервые за многие века согревшиеся. И впервые за многие века их кто-то гладил. Так думала Александра. Она представляла у этих камней древнего юродивого и не могла себе ответить, действительно ли верит тому, что о нем читала. А был ли, вообще говоря, юродивый? А была ли, спрашивается, его любовь? И если была, то во что же она превратилась за сотни ушедших лет? И кто тогда ее чувствует, если любившие давно истлели?

Мне хорошо с ними обоими, сказал Строев в сердце своем, потому что в них обоих я чувствую нечто родственное. Определенное, можно сказать, созвучие, несмотря на ее немецкое происхождение. Она спокойна, русоволоса, и черты лица ее правильны. Почему она одна со своим мальчиком, и где ее муж? Что делает она здесь, в русской провинции, среди вросших в землю подслеповатых окон, старых автомобилей, льняных (с накладными карманами) рубах навыпуск и дождями омытых, посыпанных пылью (ветер едва заметно колышет под ними ковыль) морщинистых и желтолицых обитателей досок почета? Не знаю, сам же ответил, что делает, ибо для этого мира она неорганична. И он представил Александру Мюллер на бурлящей ленинградской улице или, например, в театре им. С.М.Кирова, раскрасневшуюся, перед третьим звонком, и сердце его дрогнуло, потому что перенести ее туда было в его силах.

Потом они вернулись домой и пили чай, и за стеной опять зазвучала скрипка.

Это Пархоменко играет, сказал мальчик. Мы любим его слушать.

Александра пожала плечами.

Строев пытался увидеть их – всех троих, в окне, в желтом электрическом свете – мысленным взором с улицы. А может быть, даже взором из Ленинграда. Он уже сейчас знал, что будет тосковать по этой кухне, по автомобилю *Победа* у окна, булыжной мостовой и невидимой скрипке Пархоменко. Он уже рассматривал их, сидящих, как дорогую фотографию, и оконная рама была ее рамой, и свет люстры заливал ее желтизной времени. *Почему я (думал Строев) тоскую заранее, предопределяя события и обгоняя время? И как это я всегда знаю наперед, что буду тосковать? Что же рождает во мне это щемящее чувство?*

Я преподаю в школе русский язык и литературу, сказала Александра, но это здесь мало кого интересует.

Строев взял из вазы печенье и прижал его к нижней губе.

А что их интересует?

Не знаю. Помолчав, она спросила:

А почему вы выбрали средневековую историю?

Трудно сказать... Может быть, потому, что средневековые историки не были похожи на нынешних. Для объяснения исторических событий они всегда искали нравственные причины. А непосредственной связи между событиями как бы не замечали. Или не придавали ей большого значения.

Как же можно объяснять мир, не видя связей, удивилась Александра.

Они смотрели поверх повседневности и видели высшие связи. А кроме того, все события связывало время, хотя такую связь эти люди не считали надежной.

Мальчик держал печенье у нижней губы. Александра улыбнулась:

Саша копирует ваши жесты.

Через две недели Строев вернулся домой. Начинался семестр, и, вопреки ожиданиям, первое время он не чувствовал тоски. Не чувствовал он ее и позднее, потому что все осенние месяцы был занят окончанием диссертации и подготовкой ее к защите. В самом конце года Строев успешно защитился. Его диссертацией были довольны все, в особенности же профессор Нечипорук, убедившийся, что решение послать диссертанта на раскопки оказалось единственно правильным. В январь нового года Строев вошел, сбросив груз, висевший на нем долгое время и порядком, откровенно говоря, отравлявший его существование. Душа его стала легкой. В этом невесомом, почти парящем состоянии она ощутила отсутствие Александры Мюллер.

Это не значит, что Строев стал постоянно думать об Александре. И уж тем более что-то предпринимать, чтобы ее увидеть, поскольку действие не было сильной его стороной. Но перед сном, в тот трепетный миг, когда дневные дела уже отошли, а сновидения еще не приблизились, он вспоминал Александру. Перед ним проплывала ее кухня, матерчатый абажур над столом и расписанный листьями чайник. Лежа в своей постели, Строев вдыхал запах старого псковского дома. Он слышал шаги прохожих за окном и обрывки их бесед. Видел жесты мальчика, оказавшиеся его собственными жестами. Строеву становилось спокойно, и он засыпал.

Однажды он рассказал об Александре своему другу и коллеге Илье Борисовичу Уткину.

Возможно, это любовь, сказал, поколебавшись, Уткин.

Но любовь (Строев взмахнул руками) – это такое всепоглощающее чувство, от которого, как я понимаю, просто судорогой сводит. Колбасит практически. А я такого не чувствую. Мне ее не хватает – да. Мне хочется быть рядом – да. Слушать ее голос – да. Но не безумствовать.

Ты говоришь о страсти, которая действительно род безумия. А я говорю о любви осмысленной и, если угодно, предопределенной. Потому что когда тебе кого-то не хватает, речь идет о недостающей части тебя самого. И ты ищешь воссоединения с этой частью.

Звучит очень романтично, подумал Строев, но каково оно с такими понятиями в реальной жизни? Вот у Александры, допустим, сын, очень милый мальчик. Но это не мой сын. О его отце я ничего не знаю. Строев пожевал губами. И, строго говоря, не хочу знать. Не исключаю, что с этим человеком связаны какие-то мрачные истории. Какие-то, чего доброго, бездны в жизни самой Александры. Да дело по большому счету и не в нем. Я просто боюсь, что не смогу поладить с самим мальчиком.

Примерно через месяц он сказал Уткину:

Я все думаю о ребенке. Не будет ли он стоять между мной и Александрой?

Разве она уже согласилась быть твоей женой?

А ты думаешь, не согласится?

Я этого не знаю. Позвони, спроси.

Такие вещи не решаются по телефону.

Значит, поезжай.

Ну, ты тоже скажешь, Илья... К этому я еще не готов.

Я сам не знаю, чего хочу, признался Строев сам себе. У меня много разных мыслей и чувств, но я опять не могу сделать выводы.

В марте Уткин сам спросил Строева об Александре.

Я боюсь, сказал Строев, что она может выйти за меня только для того, чтобы уехать из провинции. Или чтобы у ее ребенка был отец.

А ты не хочешь, чтобы она уехала из провинции и чтобы у ее ребенка был отец?

Почему ты меня об этом спрашиваешь?

Потому что ты еще не смотрел на происходящее ее глазами. Если у тебя получится это сделать, значит, ты ее любишь и тебе нужно к ней поехать.

В конце мая Строев сказал Уткину:

Знаешь, Илья, я, пожалуй, поеду.

Строев сел в поезд и отправился в Псков. В окно вагона врывался тополиный пух. Строев ехал и думал, что Александру он там уже не застанет. Подойдет к двери, а ему никто не откроет. Он прижмется лбом к стеклу кухонного окна. Приложит ладони к вискам, чтобы не мешало отражение, и увидит остатки прежнего счастья. Абажур, стол. На столе пусто. Сердце сожмется. Из соседней двери выйдет укоризненно Пархоменко (а я вам, понимаете, играл), плечистый, коротконогий. Вот что, оказывается, стояло за музыкой. Их нет, скажет Пархоменко, уехали навсегда. На-всег-да. Вы слишком долго собирались. В сущности, дело ведь здесь и не во времени, ибо настоящая любовь вне времени. Она может ждать хоть целую жизнь. (Пархоменко вздохнет.) Причина текущих событий в отсутствии внутреннего огня. Ваша беда, если хотите, в том, что вам не свойственно приходить к окончательным выводам. Вы боитесь, что принятое решение лишит вас дальнейшего выбора, и это парализует вашу волю. Вы и сейчас не знаете, зачем приехали. Между тем вы упустили лучшее, что готовила вам жизнь. У вас, доложу я вам, были все условия, какие только может предоставить человеку природа: жилье на тихой псковской улице, старые липы у окна и хорошая музыка за стеной. Из перечисленного вы не воспользовались ничем, и ваша нынешняя поездка, как, впрочем, и предыдущая, – пустая трата времени.

Пустая трата времени, задумчиво сказал Амброджо.

Пустая трата времени, повторил купец Ферапонт.

Г

На Руси Амброджо Флеккиа появился то ли в 1477-м, то ли в 1478 году. В Пскове, куда его направил купец Ферапонт, итальянца встретили сдержанно, но без враждебности. Его принимали как человека, чьи цели не вполне ясны. Когда же убедились, что конец света является единственным его интересом, к нему стали относиться теплее. Выяснение времени конца света многим казалось занятием почтенным, ибо на Руси любили масштабные задачи.

Пусть выясняет, сказал посадник Гавриил. Опыт мне подсказывает, что признаки конца света у нас будут самыми очевидными.

Познакомившись с итальянцем поближе, посадник Гавриил стал ему покровительствовать. Без этого покровительства Амброджо пришлось бы нелегко, потому что он ничего не производил и ничем не торговал. Своей неплохой, в сущности, жизнью в Пскове он был всецело обязан щедрости посадника.

Гавриилу нравилось беседовать с Амброджо. Итальянец рассказывал ему о бывших в истории знамениях, о признаках конца света, о знаменитых битвах и просто об Италии. Рассказывая о своей родине, Амброджо сокрушался, что не может передать волнистой голубизны гор, влажной солености воздуха, а также многих других вещей, делающих Италию прекраснейшим местом на свете.

И не жаль тебе было покидать такую землю, спросил его однажды посадник Гавриил.

Жаль, конечно, ответил Амброджо, но красота земли моей не давала мне сосредоточиться на главном.

Все свое время Амброджо посвятил чтению русских книг, в которых он пытался найти ответ на волновавший его вопрос. Многие люди, зная о его поисках, спрашивали о времени конца света.

Мню, яко единому Богу се ведомо есть, уклончиво отвечал Амброджо. В чтомых мною книгах многажды о сем речено, обаче несть в них численного согласия.

Разноречие источников приводило Амброджо в смятение, но попыток выяснить дату конца света он не оставлял. Его удивляло, что, несмотря на указание семитысячного года как наиболее для конца света вероятного, приближения грозного события не чувствовалось. Как раз напротив: большие и малые видения Амброджо касались лет куда более поздних. В сущности, он был этому даже рад, но недоумения его от этого увеличивались.

В лето 6967 (читал Амброджо) грядет рожество Антихристово, и будет в рожении его трус, иже николиже не бывал прежде времени сего окаянного и лютого, и будет плач велик тогда по всей земли вселеньской.

Да (думал Амброджо), Антихрист должен появиться за тридцать три года до конца света. Но 6967 год от Сотворения мира (он же 1459 от Рождества Христова) давно прошел, а знамения пришествия Антихристова все еще не ощутимы. Следует ли из этого, что конец света откладывается на неопределенный срок?

В один из дней посадник Гавриил сказал ему:

Мне нужен человек, который добрался бы до Иерусалима. Я хочу, чтобы в память моей погибшей дочери Анны он повесил в храме Гроба Господня лампаду. И этим человеком мог бы быть ты.

Что ж, ответил Амброджо, я мог бы быть этим человеком. Ты много для меня сделал, и я отвезу лампаду в память твоей погибшей дочери.

Посадник Гавриил обнял Амброджо.

Знаю, что ты ждешь здесь конца света. Я думаю, до того времени ты успеешь вернуться.

Не волнуйся, посадник, сказал Амброджо, ибо если ожидаемое произойдет, то оно будет заметно повсюду. А посещение Иерусалима благодатно.

По улице вели связанного калачника Самсона.

Славные, милые мои хлебобулочные изделия, говорил, плача, калачник. Я любил вас паче жизни моей и чужой, ибо умел вас взлелеять как никто другой в целом граде Пскове. Юродивый же Карп хватал вас своим нечистым ртом и валял по земле, он раздавал вас тем, кто горбушки вашей не стоит, а все улыбались, мня, яко добро творит. И я улыбался, ибо что же мне оставалось делать, когда все числили меня добрым человеком, да я и был таким, если разобраться. Просто мера ожидавшегося от меня превышала меру моей доброты, так бывает, что тут удивительного. И вот, доложу я вам, зазор между ожидаемым и имевшимся заполнялся во мне просто-таки свинцовой злостью. Зазор увеличивался, и злость увеличивалась, а на устах моих цвела улыбка, которая была для меня, верите ли, родом судороги.

Знаешь ли, сколько времени ты уже провел во Пскове, спросил Арсения юродивый Фома.

Арсений пожал плечами.

А я знаю, возликовал юродивый Фома. Ты отработал уже за Лию, и за Рахиль, и еще за кого-то третьего.

Только не за Устину, сказал в сердце своем Арсений.

Фома показал на уводимого стражей калачника Самсона и закричал:

С уходом Карпа в твоем молчании больше нет
смысла. Ты мог молчать, потому что говорил
Карп. Теперь у тебя нет такой возможности.

Так что же мне теперь делать, спросил Арсений.

Карп звал тебя в Небесный Иерусалим, а ты
не стал ему попутчиком. Это и понятно: ты не
пойдешь туда без Устины. Но отправься в Иерусалим земной, чтобы попросить о ней у Всевышнего.

Как же я доберусь до Иерусалима, спросил Арсений.

Есть тут у меня одна идея, ответил юродивый
Фома. Пока же, приятель, отдай мне мешок с грамотами Христофора. Он тебе больше не понадобится.

Арсений отдал юродивому Фоме мешок с грамотами Христофора, но внутренне был скорбен.
Отдавая мешок, Арсений подумал, что у него,
оказывается, оставалась привязанность к имуще-
ству, и устыдился своего чувства. Юродивый же
Фома понял, что творится в душе Арсения, и сказал ему:

Не скорби, Арсение, поскольку собранная
Христофором мудрость войдет в тебя беспись-
менным путем. Что же касается описаний трав,
то для тебя, я считаю, это уже пройденный этап.
Исцеляй болящих, принимая их грехи на себя.
Как ты, надеюсь, понимаешь, для такого лечения
не требуются травы. И еще: отныне ты не Устин,
но, как прежде, Арсений. Готовься же, товарищ,
в путь.

Д

Вскоре всему Пскову стало известно, что Устин заговорил. Что имя его не Устин, а Арсений. И все ходили на него смотреть, но не могли его увидеть, потому что жил он уже не на кладбище, а в гостевой келье Иоаннова монастыря.

Ну что вам здесь, цирк, что ли, спрашивала у приходивших настоятельница. Человек четырнадцать лет жил на свежем воздухе, так дайте же ему прийти в себя.

В один из дней к Арсению пришел Амброджо.

Меня послал к тебе посадник Гавриил, сказал Амброджо. Он хочет, чтобы ты стал моим спутником на пути в Иерусалим. Я исхожу из того, что конец света наступит не раньше 7000 года, 1492-го от Рождества Христова. Так что, если все будет в порядке, мы успеем вернуться.

На чем же ты основываешься в своих расчетах, спросил его Арсений.

Все очень просто. Уподоблю дни тысячелетиям, ибо сказано в восемьдесят девятом псалме: тысяща лет пред очима Твоима, Господи, яко день вчерашний. Поскольку дней в неделе семь, получаем семь тысячелетий жития человеческого. Ныне год 6988-й: в нашем распоряжении еще двенадцать лет. Для покаяния не так уж, я считаю, мало.

Уверен ли ты, спросил его Арсений, что сейчас именно этот год, то есть уверен ли ты в том, что от Сотворения мира до сегодняшнего дня прошло ровно 6988 лет?

Если бы я не был в том уверен, отвечал Амброджо, наверное, не звал бы тебя с собой в Иерусалим. Посуди сам: от 5500 года, когда родился Спаситель наш Иисус Христос, все царствования удостоверены эллинскими и римскими хрониками. Сложи годы правления императоров римских и константинопольских, и ты получишь искомую дату.

Но почему – прости меня, чужеземец, – ты считаешь, что от Сотворения мира до рождества Спасителя нашего Иисуса Христа прошло в точности 5500 лет – не больше и не меньше? Что послужило источником для такого заключения?

Я лишь внимательно читаю Священное Писание, отвечал Амброджо, и оно является главным моим источником. Например, Книга Бытия указывает возраст каждого из праотцев ко времени рождения первенца. Более того, в ней названо количество лет, прожитых праотцем после рождения первенца, а также общая сумма лет жизни праотца. Как видишь, брате Арсение, две последние позиции для моего счета даже избыточны. Чтобы узнать общее количество протекших лет, достаточно сложить годы праотцев ко времени рождения их первенцев.

Но ведь буквы, означающие числа, подвержены порче, возразил Арсений. Долгаго ради времени пишемая стираются и незнаема бывают. И се егда в **т**(вердо) едина чертица сотрется, то несть разумети, **т**(вердо) было или **п**(окои), да тем в трехсотном числе осмьдесятное мнится. Чем ты докажешь, скажи, Амброджо, что расчеты твои непогрешимы и что рождество Спасителя нашего Иисуса Христа действительно пришлось на 5500 год? Какой, спрашивается, гармонией ты поверишь всю эту алгебру?

Числа, Арсение, имеют свой высший смысл, ибо отражают ту небесную гармонию, о которой ты спрашиваешь. Теперь же слушай внимательно. Страсть Христова выпала на шестой час шестого дня недели, и это указывает на то, что Спаситель родился в середине шестого тысячелетия, то есть в 5500 году от Сотворения мира. На то же указывает сумма измерений Моисеева ковчега, которая, согласно двадцать пятой главе Книги Исход, составляла пять с половиной локтей. Потому и Христос как истинный Ковчег должен был прийти в 5500 году.

Этот человек способен рассуждать здраво, сказал Арсений Устине. С таким и в самом деле можно отправиться в Иерусалим. Если верить его расчетам (а я к этому склонен), на путешествие у нас есть по меньшей мере десять лет. Так что я, любовь моя, иду к самому центру земли. Иду к той ее точке, которая ближе всего к Небу. Если дано моим словам долететь до Неба, то произойдет это именно там. А все мои слова – о тебе.

є

С того дня Арсений и Амброджо начали готовиться к путешествию в Иерусалим. На дорогу каждому из них посадник Гавриил предназначил по кошельку золотых венгерских дукатов. Дукаты признавались на всем пространстве от Пскова до Иерусалима и охотно брались паломниками в дорогу. Посадник мог бы дать их и больше, но он знал, что в Средневековье монеты редко задерживались у путешественников надолго. Как деньги, так и вещи преодолевали пространство с трудом. Их владельцы часто возвращались домой без того и без другого. Еще чаще – не возвращались.

Полезнее денег для странствующих порой были рекомендательные письма и личные связи. В ту непростую эпоху было важно, что кто-то кого-то в определенном месте ждет или, наоборот, куда-то отправляет, ручается за него и просит ему споспешествовать. В некотором роде это было подтверждением того, что человек и прежде имел место в жизни, что он не возник из ниоткуда, а честно перемещался в пространстве. В самом же общем смысле путешествия подтверждали миру непрерывность пространства, которая все еще вызывала определенные сомнения.

Арсению и Амброджо выдали рекомендательные письма в несколько городов. Это были письма особам княжеского достоинства, духовным лицам и представителям купечества: помочь при случае могло любое из них. Каждому пожаловали по две лошади и по два ездовых кафтана. В подолы кафтанов паломники вшили дукаты. Чтобы монеты не звенели и не прощупывались, они проложили их полосками кожи. Были куплены также сушеные мясо и рыба – столько, сколько способны были везти две лошади, оставшиеся неоседланными. Всеми приготовлениями руководил Амброджо, у которого был опыт дальних странствий.

Собирая одежду и еду, они соблюдали меру. В Псковской земле стояло теплое время года, в земле же Палестинской оно было теплым всегда. Теплым и сытным, яко земли той потоци воднии и источници от бездны текут по пажитем и горам, напаяющи винограды, смоковница и финикы, земля та источает олей и мед, ибо поистине земля та благословенна и к Раеви Божию приложима.

Накануне отъезда Арсения и Амброджо позвал к себе посадник Гавриил и вручил им шестигранную серебряную лампаду. Лампада была небольшой, чтобы не привлекать лишнего внимания. По этой же причине отдельно от лампады посадник вручил им шесть адамантов. По прибытии на место адаманты следовало вставить в предназначенные для них места на каждой из лампадных граней. Вставить и зажать шипами, которые легко гнулись. Посадник показал им, как гнулись шипы:

Ничего сложного.

Он помолчал.

Я долго думал, кого послать в Иерусалим, и выбрал вас. Вы разных вер, но оба настоящие. И стремитесь к одному Господу. Вы пойдете по землям православным и неправославным, и ваше несходство вам поможет.

Посадник Гавриил поцеловал лампаду. Обнял Арсения и Амброджо.

Мне это важно. Мне это очень важно.

Они поклонились посаднику Гавриилу.

Გ

Лошади топтались у берега и боялись ступить на судно. Им было не страшно движение по воде: в своей жизни они не раз переплывали реки и переходили их вброд. Их пугало движение *поверх* воды. Оно казалось им неестественным. Лошадей затаскивали по сходням за поводья. Они ржали и били копытами по дереву палубы. Глядя на лошадей, Арсений не заметил, как отчалили.

Отчалила и толпа на берегу. Когда гребцы взмахнули веслами, она стала уменьшаться в размерах и звуках. Толпа бурлила, превращаясь в водоворот. Заворачивалась вокруг посадника, который стоял в ее центре. Он даже не махал. Стоял неподвижно. Рядом с ним трепетало облачение настоятельницы Иоаннова монастыря. Иногда черное сукно касалось самого лица посадника, но он не уклонялся. На ветру настоятельница казалась гораздо шире обычного. Казалась слегка надутой. Она благословляла уходящее судно медленными широкими крестами.

Берега двигались в такт взмахам весел. Они пытались догнать скользившие по небу облака, но им явно не хватало скорости. Арсений с наслаждением вдыхал речной ветер, понимая, что это ветер странствий.

Столько лет, сказал он Устине, столько лет я сидел здесь без движения, а сейчас плыву строго на юг. Чувствую, любовь моя, что движение это благотворно. Оно приближает меня к тебе и удаляет от людей, внимание которых, правду сказать, стало меня уже тяготить. У меня, любовь моя, хороший спутник, молодой интеллигентный человек с широким кругом интересов. Смугл. Кудряв. Безбород, ибо в его краях бороды бреют. Пытается определить время конца света, и хотя я не уверен, что сие в его компетенции, само по себе внимание к эсхатологии кажется мне достойным поощрения. С нами едут псковские корабельщики. По реке Великой они везут нас до пределов Псковской земли. Река широка. Жители проплывающих берегов провожают нас взглядами, если замечают. Иногда машут вслед. Мы им тоже машем. Что нас ждет? Чувствую несказанную радость и не боюсь ничего.

Под вечер причалили к берегу и развели костер. Лошадей с судна не сводили, потому что они там уже привыкли. Начиналась поздняя псковская ночь.

В наших землях, сказали корабельщики, трудно ожидать сюрпризов. А вот дальше, по некоторым сведениям, встречаются люди с песьими головами. Не знаем, правда ли это, но так говорят.

Не возноситесь, ответил Амброджо, ибо и здесь всего в достатке. Зайдите, допустим, в кремль: там таких много.

Время от времени кто-то из корабельщиков шел к близлежащему лесу и собирал там обломанные ветки. Арсений следил за тем, как разгорался костер. Он задумчиво подкладывал ветку за веткой, выстраивая их пирамидой. Огонь вначале их облизывал. Прежде чем охватить ветки всецело, он как бы пробовал их на язык. Некоторые сучья при горении потрескивали.

Сырые, сказали корабельщики. В лесу еще сыро.

Вокруг костра вились комары и мошки. Они летали полупрозрачным роем, почти дымом. Описывали внутри роя круги и эллипсы, так что казалось, что ими кто-то жонглирует. Но ими никто не жонглировал. Когда дым поворачивал в их сторону, они разлетались. Арсений с удивлением отметил, что бегство комаров его радует.

Веришь ли, сказал он Устине, я стал привередлив и боюсь кровососущих. Живя яко в чуждем телеси, я никого не боялся. Вот это-то, любовь моя, и пугает. Не растерял ли я в одночасье того, что собирал для тебя все эти годы?

Мы слыхали, сказали корабельщики, что огонь, сходящий в Пасху на Гроб Господень, не опаляет. Вы же отправились в путь после Пасхи, и получается, что не увидите необыкновенных свойств огня.

Не всякий ли день Господень должен стать для нас Пасхой, спросил Арсений.

Он распростер ладонь над самым огнем. Языки пламени проходили сквозь разведенные пальцы и подсвечивали их розовым светом. Среди спустившейся ночи ладонь Арсения сияла ярче костра. Амброджо смотрел на Арсения не отрываясь. Корабельщики крестились.

3

На следующий день они достигли южных пределов Псковской земли. К этим пределам и было велено доставить паломников. Река Великая становилась малой и поворачивала на восток.

Река приближается к своим истокам, сказали корабельщики, все чаще встречаются мели, с которыми справляться та еще головная боль. Жаль, если честно, с вами расставаться, но утешает лишь то, что обратно нам предстоит двигаться по течению.

Давно замечено, подтвердил Амброджо, что по течению двигаться гораздо легче. Так отправляйтесь же с миром.

Лошади были сведены на берег, и Амброджо с Арсением обнялись с корабельщиками на прощание. Глядя, как удаляется судно, они почувствовали неспокойствие. Отныне странствующие были предоставлены сами себе и Господу. Их ждал нелегкий путь.

Они двинулись на юг. Ехали не торопясь – впереди Арсений и Амброджо, сзади, привязанные поводьями, две вьючные лошади. Дорога была узка, местность холмиста. Спешивались, чтобы поесть. Отреза́ли полосками сушеное мясо, запивали его водой. Лошади наскоро щипали траву на стоянках. Переходя через ручьи, припадали к ним губами и, фыркая, пили.

К концу дня прибыли в городок Себеж. При въезде спросили, где можно остановиться на ночь. Им указали на корчму. В корчме воняло то ли разлитым пивом, то ли мочой. Корчмарь был пьян. Усадив пришедших на лавку, сам сел на другую. Долго и немигающе на них смотрел. Сидел, широко расставив ноги, уперев руки в колени. На вопросы не отвечал. Потрогав его за плечо, Арсений понял, что корчмарь спит. Он спал с открытыми глазами.

Появилась жена корчмаря и отвела лошадей в стойло. Гостям показала комнату.

Эй, Черпак, позвала она мужа, но тот не пошевелился. Черпак! Женщина махнула рукой. Пусть спит.

Закройте ему глаза, попросил Амброджо. Спать с закрытыми глазами гораздо лучше.

Нет уж, лучше так, сказала жена корчмаря. Если вы начнете шарить по корчме, он вас увидит.

Черпак спит – Черпак бдит, произнес корчмарь, отрыгнув. Не мудрствуйте лукаво. Главное, не посягайте на жену мою, ибо она сама на вас посягнет. Он забросил ноги на лавку и укрылся рогожей. Вы даже не представляете себе, на какие вещи мне приходится закрывать глаза.

Среди ночи Арсений почувствовал, как по его животу перемещается что-то теплое. Он подумал, что это крыса, и дернулся, чтобы ее сбросить.

Тс-с, прошептала жена корчмаря. Главное, не шуми, я беру недорого, можно сказать, символически, я бы вообще не брала, но муж, ты же видел это животное, он считает, что во всяком деле должна быть экономическая составляющая, его, подлеца, не переубедишь, а тебе ведь хочется, ну хочется ведь...

Уйди, прошептал он еле слышно.

Она продолжала гладить Арсения по животу, и он чувствовал, как под рукой этой женщины, немолодой и некрасивой, теряет всякую волю. Он хотел сказать Устине, что сейчас может разбиться то, что создавалось все эти годы, но жена корчмаря прохрипела почти в голос:

Да я вашего брата знаю как облупленного...

Ее рука скользнула в низ живота, Арсений подскочил и ударился головой о что-то тяжелое и звонкое, что сорвалось со стены, покатилось, запрыгало и вылетело из комнаты вместе с женой корчмаря.

В соседней комнате затеплился огонь.

Нет, ну ты посмотри, ты посмотри, крикнула жена корчмаря, показав на Арсения. Начал ко мне приставать.

Воспользовавшись моей минутной расслабленностью, сказал корчмарь. Он был почти трезв и потому зол.

Он домогался меня, Черпак! В его руках осталась часть моей одежды. А я вырвалась.

Арсений протянул руки, и они были пусты:

Нет у меня ничьих одежд.

Жена корчмаря посмотрела на Арсения и крикнула уже спокойнее:

Ишь руки распустил, ты не у себя в Пскове. Плати золотой за бесчестие.

Это есть Великое княжество Литовское, сказал корчмарь, и я то есть никому не позволю...

Арсений заплакал.

Слушай, Черпак, сказал Амброджо, у меня есть грамота, которую я вручу вашим властям. Но устно (Амброджо подошел вплотную к корчмарю) я сообщу им и о том, как в Себеже принимают гостей. Не думаю, что они порадуются.

А я что, сказал корчмарь. Я ведь все только с ее слов знаю. Не хочешь, так не плати за бесчестие.

Жена корчмаря окинула его строгим взглядом:

Эх ты, Черпак. Сей же рече ми: наслажуся красоты твоея. Аз же ему возбраних. Если не золотой, дайте хоть что-нибудь.

За красоту ли твою платить тебе, спросил Амброджо.

Заплатим ей за то, что она меня отвергла, сказал Арсений. Ибо если она отвергает меня на словах, то способна совершить это и на деле. А во всем виноват я, и это мое падение. Прости меня, добрая женщина, прости и ты, Устина.

Не говоря ни слова, Амброджо достал дукат и протянул его жене корчмаря. Женщина стояла, опустив глаза. Корчмарь пожал плечами. Она посмотрела на мужа и, стесняясь, взяла дукат. За окном светало.

От Себежа до Полоцка двигались молча. Арсений выехал чуть вперед, и Амброджо его не догонял.

После стольких лет молчания, сказал Амброджо, трудно тебе опять привыкнуть к речи.

Арсений кивнул.

Когда они в очередной раз спешились, Амброджо сказал:

Я понимаю, почему ты взял вину на себя. Тот, кто включает в себя мир, отвечает за все. Но ты не подумал о том, что лишил чувства вины эту женщину. Благодаря тебе она убедилась, что ей все позволено.

Ты ошибаешься, сказал Арсений. Вот что я нашел в своем кармане.

Он достал руку из кармана и разжал кулак. На его ладони лежал дукат.

И

В Полоцке они спешились у Спасо-Евфросиниевского монастыря. Амброджо привязал коней к старому вязу. Арсений же прижался лбом к монастырской ограде и сказал:

Здравствуй, преподобная Евфросиние. Как ты, вероятно, знаешь, мы с моим спутником Амброджо (Амброджо склонил голову) едем в Иерусалим. Не нам тебе рассказывать, сколь сложен путь туда, ибо ты его проделала, а мы в самом его начале. И уж тем более неуместно нам будет рассказывать о том, сколь сложен путь обратно: мы его даже не начинали. Ты же, преподобная, вообще отказалась от него и милостью Божией упокоилась на Святой земле. Мы едем туда просить о двух женщинах и очень рассчитываем на твою помощь. Благослови нас, преподобная Евфросиние.

Паломники поклонились и отъехали.

На окраине Полоцка Амброджо обратился к прохожему:

Мы ищем дорогу на Оршу.

Орша стоит на Днепре, сказал прохожий. Днепр – большая река, и это открывает, соответственно, большие возможности.

Он показал направление на Оршу и отправился по своим делам.

Я заметил, сказал Амброджо, глядя вслед прохожему, что за негодностью дорог люди Древней Руси предпочитают водный путь. Они, кстати, еще не знают, что Русь – Древняя, но со временем разберутся. Определенные навыки предвидения позволяют мне это утверждать. Как, впрочем, и то, что положение с дорогами не изменится. Вообще говоря, история твоей земли будет развиваться довольно необычно.

Разве история моей земли – свиток, чтобы ей развиваться, спросил Арсений.

Всякая история до определенной степени – свиток в руках Всевышнего. Некоторым (например, мне) дано в него изредка заглядывать и видеть, что будет впереди. Одного лишь не знаю: не будет ли этот свиток внезапно выброшен.

Ты имеешь в виду конец света, спросил Арсений.

Да, конец света. А заодно и конец тьмы. В этом событии, знаешь ли, есть своя симметрия.

Несколько часов они ехали, не произнеся ни слова. Дорога шла вдоль Двины. Дорога следовала реке, петляла, глохла, иногда вообще терялась. Но неизменно отыскивалась где-то дальше. Они въехали в бор, и звук копыт стал звонче.

Арсений спросил:

Если история – свиток в руках Творца, значит ли, что все, что я думаю и делаю, – думаю и делаю не я, а мой Творец?

Нет, не значит, потому что Творец благ, ты же думаешь и делаешь не только благое. Ты создан по образу и подобию Божию, и подобие твое состоит, среди прочего, в свободе.

Но раз люди свободны в своих помыслах и поступках, получается, что история создается ими свободно.

Люди свободны, ответил Амброджо, но история несвободна. В ней столько, как ты говоришь, помыслов и поступков, что она не может свести их воедино и объемлется только Богом. Я бы даже сказал, что свободны не люди, а человек. Скрещение же человеческих воль уподоблю блохам в сосуде: их движение очевидно, но разве оно имеет общую направленность? Потому у истории нет цели, как нет ее и у человечества. Цель есть только у человека. И то не всегда.

⊖

Вдоль реки они ехали уже второй день. Проезжая лесом, увидели поляну и спуск к воде. Амброджо спешился, чтобы напоить коня. У самой реки поскользнулся на глине и упал в воду. Оказалось неожиданно глубоко, почти по горло. Выплевывая водоросли, Амброджо смеялся. Его длинные черные волосы также напоминали водоросли. Они струились по его смеющемуся лицу. Смех Амброджо плескался солнечными бликами на поверхности воды.

Сегодня теплый, почти жаркий день, сказал Арсений. Мы можем выстирать кое-что из одежды, и она до вечера высохнет.

Собрав березовой коры и веток, он начал разводить костер. Достал из мешка кресало и кремень. Достал трут, сделанный им из гриба-трутовика и замотанный в отдельную тряпку. Чиркал кремнем о кресало, пока одна из искр не подожгла трут. Он заметил это по маленькой струйке дыма. Затем на труте появилась едва различимая точка тления, которая стала расширяться. Арсений положил на нее тончайшие пластинки березовой коры и сухие сосновые иголки. Широким куском бересты стал раздувать пламя. Когда оно разгорелось, Арсений положил тонких веток. Затем веток потолще.

Теперь остается подождать, пока дерево превратится в золу, сказал Арсений. Зола нам нужна для стирки.

Амброджо все еще стоял в воде. Руки его чертили на ней два пенистых полукруга.

Прыгай сюда, крикнул он Арсению.

Поколебавшись, Арсений разделся и прыгнул в реку. Воду ощутил как чье-то прикосновение. Нежное прохладное прикосновение сразу ко всему его телу. Арсений почувствовал счастье и устыдился его, ибо Устина не могла войти с ним в воды Двины. Он вышел на берег. Стесняясь своей наготы, повязался широким поясом, который стирать не собирался.

Когда часть веток прогорела, Арсений отгреб золу в сторону и залил водой. Расстелив на земле тряпку, переложил на нее золу. Концы тряпки завязал. Попробовал – получилось туго. Заметил выступающий из воды камень и перенес к нему то, что предназначалось для стирки. Выйдя из воды, Амброджо с трудом снял мокрый кафтан. Прибавил к кафтану кое-что из платья и положил на кучу, собранную Арсением.

Намочив одежду и белье, Арсений тер их на камне узелком с золой. Сидел на корточках. От соприкосновения с камнем глухо стучали в кафтанах вшитые дукаты. Амброджо полоскал выстиранное и развешивал на нижних ветках деревьев. Развешивал на кустах шиповника и молодых сосенках, которые сгибались под тяжестью мокрых средневековых одежд.

Арсений лег недалеко от воды. Спиной он ощущал жар солнца, животом – мягкость травы. И то, и другое было целебно для его тела. Он сам становился травой. По его рукам ползали маленькие безымянные существа. Они преодолевали волоски на его коже, чистили лапки и задумчиво взлетали. По воде били крыльями утки. Выворачивая листья наизнанку, ветер шевелил верхушки дубов. Арсений заснул.

Проснувшись, обнаружил, что лежит уже в тени. Солнце обошло его сзади и спряталось за деревьями. Иногда, с порывами ветра, появлялось в просветах крон. Ветер подхватывал пепел от костра, на который Амброджо положил крест-на-крест два рассохшихся березовых ствола. Стволы горели медленно, неярко, но надежно: ветер не мог их погасить. Амброджо успел снять с ветвей белье и теперь щупал кафтаны. Они все еще были влажными.

Я думаю, мы останемся здесь ночевать, сказал Амброджо.

Останемся, кивнул Арсений.

Ему хотелось остаться здесь навсегда, но он знал, что это невозможно.

В сумерках стало прохладно. Они принесли из леса сухих веток и сложили их возле костра. По небу поплыли тучи, и тогда окончательно стемнело. Не стало луны и звезд. Не стало леса и реки. Остался лишь костер и то немногое, что он освещал. Неправильная пирамида поленьев. Два сидящих странника. Многорукие тени на деревьях.

Правда ли, что есть многорукие чудовища, спросил Арсений.

О таковых не слышал, ответил Амброджо, но, путешествуя к востоку от Руси, один мой соотечественник видел чудовищ, у которых была только одна рука, да и та на середине груди. Плюс одна нога. Ввиду таких своих особенностей из одного лука стреляли двое. И перемещались они так быстро, что лошади не могли их догнать, несмотря на то, что те скакали на одной ноге. Когда они утомлялись, то ходили на руке и ноге, вертясь кругом. Представляешь?

Амброджо сидел запрокинув голову, и лица его не было видно. По голосу итальянца Арсению показалось, что тот улыбается. Арсений же был серьезен. Он поражался огромному черному миру, который раскинулся за их спинами. Этот мир заключал в себе много неизвестного, таил опасности, шелестел на ночном ветру листвой и мучительно скрипел ветками. Арсений уже не знал, существовал ли этот мир вообще или по крайней мере сейчас, в то зыбкое время, когда пребывал во мраке. Не отменялись ли на темное время суток леса, реки и города? Не отдыхала ли природа от своей упорядоченности, чтобы утром, собравшись с силами, из хаоса вновь превратиться в космос? Единственным, кто в это странное время не изменял себе, был Амброджо, и Арсений чувствовал к нему за это горячую признательность.

Т

Через несколько дней они добрались до Орши. Выяснилось, что за время пути запасы их сильно уменьшились, и теперь они не нуждались во вьючных лошадях. Две лошади были проданы в Орше. С двумя оставшимися лошадьми думать о водном пути было проще. Через два дня они нашли судно, идущее в Киев, и погрузились на него.

Днепр в Орше еще не был широк. Был не шире Великой. Но Арсений и Амброджо догадывались, что он будет расширяться, потому что слышали, что, в отличие от псковской реки, Днепр действительно велик. Амброджо хотел было узнать об этой реке побольше, но корабельщики оказались мрачными и разговоров не поддерживали. Они отдавали себе отчет в том, что им платят за перевозку людей и грузов. И догадывались, видимо, что за разговоры не платят.

Они не разговаривали даже тогда, когда, собравшись тесным кругом, по вечерам распивали какой-то мутный напиток. Ни Арсений, ни Амброджо не знали, что именно пили эти люди, только напиток не делал их веселее. Спины их становились еще более сутулыми. Сидящие напоминали большой непривлекательный цветок, который закрывается на ночное время. Изредка они начинали что-то вполголоса петь. Песни их были столь же безрадостны и мутны, как то, что они пили.

Многие русские мрачны, поделился наблюдением Амброджо.

Климат, кивнул Арсений.

Через три дня причалили в Могилеве. Ни город, ни тем более его название не улучшили настроения корабельщиков. Вечером они выпили больше обычного, но спать не ложились. Около полуночи к пристани подъехала подвода. С нее свистнули. Корабельщики, переглянувшись, сошли на берег. Обратно они вернулись с туго завязанными мешками. Тащить мешки на корабль им помогали люди с подводы. С любопытством и открытостью иноземца Амброджо хотел было спросить у них, что в мешках, но Арсений приложил палец к губам.

Когда корабль отчалил, Арсений подошел к одному из корабельщиков. Он взял его двумя руками за шею и спросил:

Како ти имя, кораблениче?

Прокопий, ответил корабельщик.

У тебя, Прокопие, опухоль дыхательных путей. Положение твое опасно, но не безнадежно.

Если решишь просить помощи у Господа, избавься прежде от того, что тебя отягощает.

Корабельщик Прокопий ничего не ответил Арсению, но из глаз его потекли слезы.

В Рогачеве река стала значительно шире.

В Любече к Арсению подошел Прокопий и сказал:

Про мою болезнь еще никто не знает, но я уже начинаю задыхаться.

Ты задыхаешься от своих грехов, ответил Арсений.

Когда подходили к Киеву, корабельщик Прокопий сказал Арсению:

Уразумех реченное тобою и сотворю по словеси твоему.

Увидев по правому борту киевские горы, корабельщик Прокопий закричал:

Преподобнии печерстии, молите Бога о нас!

Товарищи мрачно смотрели на Прокопия. Его неожиданное благочестие их настораживало. Когда же судно зашло в реку Почайну, чтобы причалить у киевского Подола, Прокопий сказал им:

Бежите с корабля сего, яко хощю покаятися во гресех своих и предатися властем предержащим.

Если бы корабль стоял не у многолюдной киевской пристани, если бы на борту не находилось двое гостей, корабельщику Прокопию, возможно, не удалось бы покинуть корабль так легко. Вполне вероятно, ему вообще не удалось бы его покинуть. Но обстоятельства были на стороне Прокопия.

Он сошел на берег и последние наставления бывшим товарищам давал уже оттуда. Он советовал им не коснеть в грехе, а, покаявшись, идти вверх по течению Днепра до города Орши и там искать себе честных занятий. Корабельщики слушали молча, ибо что же они могли возразить на справедливые речи Прокопия. Следя за движением его губ, они в какой-то мере сожалели, что не свернули ему шею где-нибудь под Любечем и не бросили в полноводную реку Днепр.

К кораблю подошли портовые власти. Корабельщик Прокопий по доброй воле рассказал им, что, помимо паломников и их коней, льняных рубах и глиняной посуды, в город Киев судно доставило награбленное добро из Могилева. Он рассказал, что три недели назад в Могилеве был убит купец Савва Чигирь. Имущество Саввы, которое из-за опасности опознания нельзя было продать в Могилеве, было переправлено по воде в Киев. Таким же путем прежде переправляли имущество и других могилевских купцов, о чем корабельщик Прокопий, будучи взят на службу без особых объяснений, ничего не знал. Хотя и удивлялся, конечно, что погрузка осуществляется глубокой ночью с необычными для рубах и посуды предосторожностями. Когда же в этот раз вместо посуды в одном из мешков он обнаружил драгоценности, а также кубок убиенного Саввы (на серебряном кубке было выгравировано имя), Прокопий сразу заподозрил неладное. И то, что здоровье его ухудшилось, представляется ему не случайным, а в словах паломника Арсения он видит указание Божье и потому кается пред всеми. Прокопий выдохнул. И следующий вдох показался ему легче предыдущего.

Услышав признание корабельщика, портовые власти поднялись на борт, но уже не нашли там людей. Нашли несколько мешков, и впрямь набитых ценными вещами. Тогда они стали расспрашивать Прокопия о его товарищах, и он рассказал все, что знал. Говорил сдавленным голосом, потому что ему не хватало воздуха.

Подойдя к Прокопию, Арсений снова положил руки на его шею. Ощупал ее и сдавил лежащими на гортани большими пальцами. Корабельщик зашелся в кашле. Он согнулся пополам, и из его рта вышла кровавая слюна. Цепляясь за бороду Прокопия, она висела над землей тонкой розовой сосулькой.

Учитывая искреннее раскаяние корабельщика, его невовлеченность в дело, а также плачевное состояние здоровья, власти его отпустили.

Теперь причастись – и пойдешь на поправку, сказал ему Арсений. Верь мне, брате Прокопие, ты очень легко отделался.

aï

У Арсения и Амброджо было письмо от псковского посадника Гавриила к киевскому воеводе Сергию. Гавриил просил Сергия споспешествовать паломникам и по возможности присоединить их к одному из купеческих караванов, время от времени отправлявшихся из Киева. Когда паломники стали расспрашивать, где им найти воеводу, местные жители указали им на Замок. Так называлась часть города, расположенная на небольшом плато и обнесенная стеной.

Замок был виден отовсюду. Взяв лошадей под уздцы, Арсений и Амброджо стали медленно подниматься по одной из улиц. Улица петляла, но путешественники знали, что не заблудятся. Замок нависал над ними обугленными бревнами стены.

Орда, сказал им прохожий, показав на потемневшую стену. Признав в вас странников, поясняю вам причину сей обугленности: орда Менгли-Гирея. Большая, прямо скажем, головная боль.

Он улыбнулся широкой беззубой улыбкой и пошел по своим делам.

Все же русские не так мрачны, как тебе кажется, сказал Арсений Амброджо. Иногда они пребывают и в хорошем настроении. Например, после ухода орды.

У входа в Замок их встретила стража. Когда они себя назвали, их впустили. В Замке располагались дома киевской знати и несколько церквей. Они подошли к дому воеводы Сергия и представились другим стражникам. Выслушав их, один из стражников исчез в доме. Через несколько минут вернулся и сделал знак, чтобы пришедших обыскали. После короткого похлопывания по одежде Арсения и Амброджо пустили внутрь.

Воевода Сергий был лыс и броваст. Его неинтересное лицо брови делали выразительным. Малейшее движение чувств, у всякого другого человека незаметное, у воеводы Сергия благодаря бровям становилось выражением лица. Встретив паломников (брови сдвинуты) сурово, воевода принял от них письмо посадника Гавриила. По мере погружения в письмо лицо читавшего разглаживалось, пока брови не вытянулись в один ровный и толстый шнурок. Дочитав письмо до конца, он положил его на стол и прижал рукой. Пальцы другой руки были пропущены под левый борт кафтана. Они находились в движении.

Я знаю посадника и помогу вам, сказал воевода Сергий. Отправлю вас с ближайшим караваном купцов. В ожидании же пребудьте в гостином доме.

Долго ли нам ожидать сего, спросил Амброджо.

Может, неделю, ответил воевода Сергий. А может, и месяц. Кто ж его знает. Он отпил из ковша-лебедя и провел ладонью по лбу. Жарко.

Было понятно, что аудиенция окончена. Уже в дверях Арсений сказал:

Знаешь, воевода, дело ведь не в твоем сердце. Дело в позвоночнике. От него вообще очень многое зависит. Гораздо больше, чем мы иногда склонны предполагать.

Брови воеводы Сергия поползли вверх.

Ты знаешь, что у меня болит сердце?

Повторяю, это не сердце, а позвоночник, ответил Арсений. У тебя защемило одну из сердечных жил, а ты думаешь, что это сердце. Раздевайся, воевода, и я посмотрю, что можно сделать.

Поколебавшись, воевода Сергий стал стаскивать с себя одежду. Плечи и грудь его были покрыты волосами. Сутулый, с большим животом, он сам напоминал ковш, из которого пил. Арсений показал на лавку:

Ложись, воевода, на живот.

Сергий лег на живот, как на что-то от него отдельное. Лавка под ним переливчато заскрипела. Пальцы Арсения погрузились в мохнатую спину воеводы. Они шли сверху вниз, ощупывая позвонок за позвонком. На одном из них остановились. Слегка помяли. Уступили место нижней части ладони. На ладонь Арсений положил другую ладонь и стал надавливать на позвоночник мощно и ритмично. Амброджо смотрел, как сотрясается жирный загривок пациента. Раздался легкий хруст, и воевода вскрикнул.

Порядок, сказал Арсений. Отныне отпустит тебя боль сердечная и всякая боль.

Воевода Сергий встал с лавки и потер спину. Распрямился. Ничего не болело. Спросил:

Что просиши за помощь твою, врачевателю?

Одного прошу: бойся сквозняков и поднятия тяжестей, ответил, подумав, Арсений. Они для тебя нож острый.

ВІ

Воевода Сергий не дал им уйти в гостиный дом и разместил в своих палатах. В следующие три дня их посетило много людей.

Приходил тесть воеводы Феогност, давно не сгибавшийся. Он постоянно пребывал словно бы в полупоклоне и опирался на невысокую палку. Арсений уложил больного на лавку. Перебрав хребет Феогноста позвонок за позвонком, он нашел причину его несгибаемости. От Арсения Феогност ушел без палки.

Приходила беременная жена воеводы Фотинья, жалуясь на неспокойствие ребенка во чреве. Арсений положил ей руку на живот.

Месяц у тебя восьмой, сказал он ей, а родится мальчик. Что до неспокойствия его, то он ведь сын воеводы, как же ему быть спокойным?

Приходила теща воеводы Агафья, у которой после зимнего падения не срасталась поломанная в запястье кость. Арсений туго забинтовал запястье Агафьи холстиной и подержал его в своих руках.

Не печалься боле, Агафие, яко до рожения внука твоего будеши здрава.

Побывали у Арсения тиун Еремей с больными зубами, попадья Серафима с трясущейся головой, мещанин Михалко с гниющей раной на бедре и некоторые другие люди, прослышавшие об удивительной помощи от человека из Пскова. И приходивших к нему он излечил от недугов или дал облегчение тем, что укрепил их в противостоянии одолевающим болезням, ведь само общение с ним казалось целительным. Иные же искали коснуться его руки, потому что чувствовали, что из нее исходит жизненная сила. И тогда необъяснимым образом прилетело из Белозерья его первое прозвище – Рукинец. И все приходившие к Арсению знали, что он – Рукинец. А уже потом узнавали его главное прозвище – Врач.

В ночь на четвертый день пребывания в Киеве Арсений и Амброджо вышли за пределы города и направились к Печерскому монастырю. Они шли по заросшей лесом горе, а внизу темной громадой покоился Днепр. Его не было видно, но он дышал и чувствовался, как чувствуется море и всякое обилие воды. Когда Арсений и Амброджо подошли к монастырю, начинало светать. С вершины горы просматривался пологий левый берег. Взгляд на восток ничем не прерывался, он парил над равниной и достигал лежавшей в дальней дали Руси. Оттуда зримо и как бы даже толчками поднималось огромное красное солнце.

У ворот монастыря их долго расспрашивали о том, кто они. Когда узнали, что Амброджо католик, засомневались, пускать ли. Послали к игумену. Решив, что посещение монастыря может принести чужеземцу пользу, игумен благословил войти обоих.

Им дали по свече, и монах повел их в пещеры Антониевы и пещеры Феодосиевы. Они видели мощи преподобных Антония и Феодосия. Там было много и других святых, о которых Арсений знал, а порой, кажется, и не знал. Впереди шел сопровождавший их монах. На одном из поворотов он повернулся, и в его глазах загорелось по свече.

Евфросиния Полоцкая (монах показал на одну из рак). Вернулась оттуда, куда вы направляетесь. Во времена нестроений на Святой земле ее мощи были перенесены сюда.

Мир ти, Евфросиние, сказал Арсений. А мы ведь заезжали в Полоцк, но тебя, конечно, не застали.

Она вернется в Полоцк в 1910 году, предположил Амброджо. До Орши мощи будут доставлены по Днепру, а от Орши до Полоцка их понесут на руках.

Монах ничего не сказал и пошел дальше. Арсений и Амброджо двинулись вслед, ощупывая ногами неровный пол. Там, наверху, искрились рассвет и лето, а здесь лишь три свечи разрывали мрак. Мрак уходил от свечей, но как-то неуверенно и недалеко. Замирал под низкими сводами на расстоянии вытянутой руки и клубился, готовый вновь сомкнуться. В этот ранний час наверху было уже жарко, а здесь царила прохлада.

Здесь всегда так прохладно, спросил Амброджо.

Здесь не бывает ни мороза, ни жары, которые суть проявление крайностей, ответил монах. Вечность умиротворенна, и ей свойственна прохлада.

Арсений поднес свечу к надписи у одной из рак.

Здравствуй, возлюбленный Агапите, тихо произнес Арсений. Я так надеялся на встречу с тобой.

Кому здесь ты желаешь здоровья, спросил Амброджо.

Это преподобный Агапит, врач безмездный. Арсений опустился на колени и припал губами к руке Агапита. Знаешь, Агапит, мои исцеления – это такая странная история... Не могу тебе толком объяснить. Пока я лечил травами, все было более или менее ясно. Я лечил и знал, что помощь Божья приходит через травы. Ну вот. А теперь помощь Божья приходит через меня самого, понимаешь? А я меньше моих исцелений, гораздо меньше, сам я не стою их, и мне то ли страшно, то ли неловко.

Ты хочешь сказать, что ты хуже травы, спросил монах.

Арсений поднял глаза на монаха.

В определенном смысле хуже, ибо трава безгрешна.

Так ведь она оттого безгрешна, что не имеет сознания, сказал Амброджо. Разве есть в этом ее заслуга?

Значит, нужно сознательно избавляться от грехов, пожал плечами монах. Всего-то делов. Нужно, знаете ли, не рассуждать, а обожествляться.

Три человека шли дальше, а им встречались все новые и новые святые. Святые вроде бы не двигались и даже не говорили, но молчание и неподвижность умерших были не безусловны. Там, под землей, происходило не вполне обычное движение и раздавались особого рода голоса, не нарушавшие строгости и покоя. Святые говорили словами псалмов и строками из своих житий, памятных Арсению с детства. Тени от подносимых свечей перемещались по высохшим лицам и полусогнутым коричневым кистям. Казалось, что святые приподнимали головы, улыбались и едва заметно манили руками.

Город святых, прошептал Амброджо, следя за игрой теней. Они представляют нам иллюзию жизни.

Нет, также шепотом возразил Арсений. Они опровергают иллюзию смерти.

ГӀ

Через неделю из Киева отправился караван купцов в Венецию, и Арсений с Амброджо к нему примкнули. Отпуская их в дорогу, воевода Сергий испытывал грусть, которой не скрывал. Воеводе было жаль расставаться с таким замечательным врачом. Ему было жаль расставаться с хорошими собеседниками. За то недолгое время, что у него гостили паломники, он успел многое узнать о жизни в Пскове и в Италии, о всемирной истории и способах подсчета времени конца света. Воевода Сергий предпринял слабые попытки удержать своих гостей, но всерьез остановить их не пытался. Он знал, по какому поводу Арсений и Амброджо предприняли это путешествие.

Караван подобрался из сорока купцов, двух новгородских посланников и трех десятков человек охраны. Деньги на охрану были собраны со всех путешествующих, включая Арсения и Амброджо, с которых – учтя, что груза у них почти не было, – взяли четыре дуката. Каждый из купцов привел нескольких навьюченных лошадей, многие же везли свой груз на возах, запряженных волами. Собранный караван заполнил собой всю площадь перед храмом Святой Софии. Повсюду раздавались скрип возов, конское ржание, рев волов и ругань охранявших караван стражников. Как и положено стражникам, они были людьми сердитыми.

После двух часов построения и денежных расчетов караван тронулся с места. Достигнув Золотых ворот, он сжался и, будто сквозь бутылочное горлышко, стал тяжело просачиваться наружу. За выход из города с товарами следовало платить. Арсений с Амброджо ехали без товаров, и с них ничего не взяли. Из ценных вещей они имели только серебряную лампаду, но об этом никто не знал.

Купцы же везли меха, шапки, пояса, ножи, мечи, замки, плужное железо, полотно, седла, копья, луки, стрелы и украшения. С точки зрения стоявших в Золотых воротах, купцам было за что платить. Деньги взимались не за отдельные товары, а за возы. Потому на каждый воз накладывали столько, сколько он мог выдержать, порой даже больше. В таких случаях возы ломались, и их груз, согласно закону, становился собственностью киевского воеводы. Вещи упавшие (что с воза упало, то пропало) также безжалостно отбирались. Дорога в воротах была изрыта колдобинами. Если со временем колдобины сглаживались, их тщательно продалбливали вновь. В Средневековье, как и в более поздние времена, с путешествующими таможня работать умела.

Отъехав от городской стены на немалое расстояние, караван остановился. Здесь его ждал десяток возов, на которые предполагалось переложить часть вывезенного груза. В том виде, в каком товары проехали через ворота, до Венеции они бы не добрались, и это купцы понимали. Перераспределением товаров занимались несколько часов. Когда караван окончательно тронулся в путь, солнце стояло уже низко.

Заночевали недалеко от Киева. Караван был настолько велик, что пристанища пришлось искать сразу в нескольких деревнях. Когда разводили по деревням, к Амброджо и Арсению подошел стражник Власий. В руках его был кистень, на поясе – боевой топор.

Из Пскова, спросил стражник Власий.

Из Пскова, ответили путешественники.

Я тоже оттуда, а стражей деньги зарабатываю. Идемте, поселю вас в хорошем месте.

Арсений и Амброджо были размещены в одной хате с польским купцом Владиславом, который ехал в Краков. С собой он вез семь связок соболиных шкур, купленных в Новгороде. Все семь связок купец Владислав сложил у лавки, на которой ему постелили.

Шкуры были свежими и издавали резкий запах. Рассказывая о своем товаре, купец держался за мочки больших ушей – за каждую поочередно. От жары в хате уши его горели, и их необычный размер был от этого еще заметнее. На его толстых пальцах сияло несколько перстней. Время от времени он запускал пальцы в соболиный мех, как в траву, и драгоценные камни мерцали оттуда крупной несъедобной земляникой.

Отличные шкуры, подытожил купец Владислав.

В Кракове таких нет, спросил из вежливости Амброджо.

Почему нет – есть, обиделся купец. Просто по другим ценам. В королевстве Польском есть все.

Он говорил с заметным акцентом, и некоторые его слова разобрать удавалось с трудом.

Речь говорящих уже не так надежна, как в начале нашего путешествия, сказал Арсений Устине, ложась на лавку. Слова теперь все более и более зыбки. Кое-какие ускользают, не будучи опознанными. Честно говоря, любовь моя, это меня немного тревожит.

Через мгновение Арсений спал.

Д҃І

На рассвете караван вновь отправился в путь. Построение напоминало вчерашнее, но в точности его не повторяло. Окончательно строй установился за последним покинутым путешественниками селом. Движение каравана было медленным. Оно определялось скоростью волов, животных по природе своей неторопливых. Волы имели задумчивый вид, хотя на самом деле ни о чем не думали. Караван двигался, не оставляя следов, потому что дождя давно не было. За ним оставались лишь клубы пыли, носившиеся в сухом воздухе.

Чуть впереди Арсений и Амброджо увидели стражника Власия. Вчера он казался старше, а теперь выглядел почти мальчишкой. Был рус. Сероглаз. Махнул им рукой и что-то сказал. Из-за каравáнного шума они не услышали. Амброджо показал на ухо.

Я в Запсковье жил, крикнул стражник Власий. В За-псковь-е. Он улыбнулся. Знаете такое место?

Они знали и кивнули: понятное дело, в Запсковье.

Дорога была узкой, и лошадь Арсения время от времени касалась лошади Амброджо. Арсений взял лошадь своего спутника за повод и сказал:

Я много лет пытаюсь служить спасению Устины, которую убил. И все не понимаю, благодатен ли мой труд. Я все жду какого-то знака, который указал бы мне, что я иду в правильном направлении, но все эти годы я не видел ни одного знака.

Идти по знакам легко, и для этого не нужно мужества, ответил Амброджо.

Если бы речь шла о моем спасении, я бы не проявлял нетерпения. Я двигался бы дальше и дальше, пока шли бы мои ноги, ибо не боюсь движения и усилий. Я лишь боюсь, что иду не туда.

Так ведь главная трудность состоит, я думаю, не в движении (Амброджо встретил взгляд Арсения), а в выборе пути.

Караван шел по лесу. Арсений молча покачивался в седле, и было непонятно, кивает ли он в знак согласия с Амброджо или качает головой в такт ходу коня. Когда выехали в поле, Арсений сказал:

Просто я боюсь, Амброджо, что все мои дела не помогают Устине, а путь мой ведет меня не к ней, но от нее. Ввиду близкого конца света ты ведь понимаешь, что я не вправе заблудиться. Потому что если я пошел по неправильному пути, то на правильный уже не успею вернуться.

Амброджо расстегнул верхние пуговицы кафтана.

Я скажу странную вещь. Мне все больше кажется, что времени нет. Все на свете существует вневременно, иначе как мог бы я знать небывшее будущее? Я думаю, время дано нам по милосердию Божию, чтобы мы не запутались, ибо не может сознание человека впустить в себя все события одновременно. Мы заперты во времени из-за слабости нашей.

Значит, по-твоему, и конец света уже существует, спросил Арсений.

Я этого не исключаю. Существует ведь смерть отдельных людей – разве это не личный конец света? В конце концов, всеобщая история – это лишь часть истории личной.

Можно сказать и наоборот, заметил, подумав, Арсений.

Можно и наоборот: эти две истории изначально не могут друг без друга. Здесь, Арсение, важно то, что для каждого отдельного человека конец света наступает через несколько десятков лет после рождения – это уж кому сколько отпущено. (Амброджо наклонился к шее коня и выдохнул ему в гриву.) Всеобщий конец света, как ты знаешь, меня волнует, но я его не страшусь. То есть страшусь не более собственной смерти.

Дорога стала шире, и с ними поравнялся купец Владислав.

Я слышал, как вы говорили о смерти, сказал купец. Вы, русские, очень любите говорить о смерти. И это отвлекает вас от устройства жизни.

Амброджо пожал плечами.

А разве в Польше не умирают, спросил Арсений.

Купец Владислав почесал в затылке. Лицо его выражало сомнение.

Умирают, конечно, но все реже и реже.

Он пришпорил коня и поскакал к началу каравана. Арсений и Амброджо молча смотрели ему вслед.

Я все думаю над твоими словами о времени, сказал Арсений. Ты помнишь, как долго жили праотцы? Адам прожил девятьсот тридцать лет, Сиф – девятьсот двенадцать, а Мафусаил – девятьсот шестьдесят девять. Скажи, разве время не благословение?

Время, скорее, проклятие, ибо в Раю, Арсение, его не было. Праотцы же так долго жили оттого, что на их лицах еще сияла райская вневременность. Они как бы привыкали ко времени, понимаешь? В них было еще немного от вечности. А потом их возраст стал сокращаться. И когда фараон спросил у старца Иакова, сколько ему лет, Иаков ответил: дний лет жития моего, яже обитаю, сто тридесят лет. Малы и злы быша дние лет жития моего: не достигоша во дни лет отец моих.

Ты, Амброджо, говоришь об истории общей, которую считаешь предопределенной. Может быть, так оно и есть. Но личная история – это ведь совсем другое. Человек не рождается готовым. Он учится, осмысливает опыт и строит свою личную историю. Для этого ему и нужно время.

Амброджо положил Арсению руку на плечо.

Я ведь, друже, не ставлю под вопрос необходимость времени. Просто надо помнить, что во времени нуждается лишь материальный мир.

Но только в материальном мире и можно действовать, сказал Арсений. В этом сейчас состоит разница между мной и Устиной. И мне нужно время если не для нас обоих, то хотя бы для нее. Я, Амброджо, очень боюсь, что время может кончиться. Мы к этому не готовы – ни я, ни она.

К этому никто не готов, тихо сказал Амброджо.

ई

Через несколько дней караван достиг Житомира. Выйдя из Житомира, он направился в Заслав. Из Заслава путь его лежал в Кременец. Когда же покинули Кременец, купец Владислав сказал:

Дальше начинается королевство Польское.

Он произнес это так громко и медленно, что окружающие обернулись. От королевства Польского хотелось ждать чего-то особенного: в конце концов, на пути каравана возникало первое королевство. Настроение было приподнятым. Караван шел вперед, но по обе стороны дороги продолжали тянуться те же леса, поля и озера, что сопровождали странников на преодоленном пути. Некоторые полагали, что леса, поля и озера уже не те. Иные же, отмечая сходство с виденным прежде, объясняли его тем, что королевство Польское еще не начиналось.

Ночь застала караван на пустынной территории, и никто, включая купца Владислава, не в силах был указать, Польша это уже или еще Литва. Мимо каравана проскакала группа всадников. У всадников спросили, по какой земле идет караван, но они не знали или не хотели отвечать. Это были довольно мрачные всадники.

Остановились в поле у леса и развели костры. Арсений и Амброджо оказались у одного костра с купцом Владиславом и стражником Власием. Перед тем как лечь спать, стражник Власий спросил у присутствовавших, существуют ли люди с песьими головами. Стражник был молод и любил познавательные беседы.

Путешествуя к востоку от Руси, сказал Амброджо, итальянский монах Джованни дель Плано Карпини таких людей видел. Или ему о них рассказывали, что, конечно, не одно и то же.

Прочистив горло, в беседу вступил купец Владислав.

В королевстве Польском видели людей, которые имели во всем человеческий облик, но концы ног у них были, как у ног быков, и голова была у них человеческая, а лицо, как у собаки, два слова говорили они на человеческий лад, а при третьем лаяли, как собака.

Королевство Польское необычайно интересно, сказал Амброджо, и остается лишь пожалеть, что мы проходим его без длительных остановок.

А видели и людей, продолжил купец Владислав, у которых уши столь велики, что они покрывают ими все тело.

Арсений невольно посмотрел на уши купца Владислава. Они тоже были немалы, но покрыться ими было невозможно.

Стражник Власий спросил:

А есть ли в королевстве Польском люди, живущие одними лишь запахами? Мне про таких рассказывали.

В королевстве Польском есть всё, ответил купец Владислав. Есть люди с небольшими желудками и маленьким ртом: они не едят мяса, а лишь варят его. Сварив мясо, ложатся на горшок, впитывают пар, и этим только себя поддерживают.

И что же, изумился стражник Власий, они совсем ничего не едят?

Если и едят, то очень немного, скромно сказал купец.

Костер догорал, и новых дров уже никто не подкладывал. Все, в том числе и стражник Власий, стали укладываться спать. В эту ночь он не был занят в охране. Мало-помалу погасли и остальные костры – кроме одного, за которым сидело несколько стражников. Они должны были бодрствовать до утра. Спустя некоторое время погас и этот костер.

Арсений нарвал мягкой травы и папоротников и сложил из них постель. В головах положил седло. Седло пахло кожей и конским потом. В душную ночь это было особенно неприятно. В душу его входила смутная тревога. В глаза светила полная луна. Арсений перевернулся было на бок, но так седло стало давить на скулу. Поколебавшись, он опять лег на спину.

Седло создано для другого места, прошептал Амброджо, глядя, как устраивается Арсений. У меня есть кое-что получше.

Он протянул Арсению широкий мягкий пояс. Арсений хотел было отказаться, но вовремя себя остановил. Его обожгло чувство благодарности к Амброджо за то, что тот о нем заботится. Арсений лежал и думал, что после стольких лет он впервые не один. Он почувствовал, как устал от своего одиночества. И заплакал. И заснул в слезах.

हं

Арсению приснились крики. Крики были воинственными и истошными одновременно. Арсению было ясно, что их издавали разные люди. Возможно, это были и не люди. Могло статься, это были те, кто боролся за Устину. Две противоположные силы, тянувшие душу усопшей в разные стороны.

Арсений открыл глаза и понял, что крики ему не снились. Они раздавались с дальнего конца поля, на котором был разбит лагерь. Арсений увидел, как, отстегивая от пояса боевой топор, мимо него пробежал стражник Власий. Стражник бежал туда, где раздавались крики. В воздухе все еще был разлит мрак, и лишь на востоке, откуда шел караван, начинало светлеть.

На караван напали, крикнул кто-то поблизости.

Так оно и было. Для нападения разбойники выбрали предутренний сон, когда налившееся теплом тело безвольно и беззащитно. Первым делом они устремились к стражникам ночной охраны. Те не оказали сопротивления, потому что не бодрствовали, а, напротив, были объяты глубоким сном. Их зарубили сразу же, во сне, у потухшего костра. Один из них, смертельно раненный, успел закричать и разбудил других стражников. Спавшие в ту ночь одетыми, стражники немедленно бросились в бой.

Разбойники не ожидали сопротивления. Они привыкли, что в таких случаях охрана разбегается, оставляя все добро напавшим. Но охрана не разбежалась. Она молча и зло сопротивлялась разбойникам, окончательно просыпаясь по ходу боя. Злодеи видели, что быстрой победы уже не будет, а победа любой ценой в их планы не входила. Потеряв убитыми нескольких человек, они решили отступить. Раздалась негромкая команда, и разбойники стали покидать расположение каравана. Через несколько минут группа всадников уже мчалась на восток. Их никто не преследовал.

Когда окончательно рассвело, стало понятно, как ужасен был бой. У потухшего костра лежало четверо заколотых стражников. В их руках не было оружия, они просто не успели проснуться. Были также обнаружены тела трех разбойников. По форме нательных крестов определили, что они были из русских.

Поле боя оглашалось исступленными криками. Они то затихали, то возобновлялись с нечеловеческой силой, ибо в этих криках не было уже ничего человеческого. Арсений пошел на крики. Кричавшего окружала толпа, но никто не решался к нему подойти. Скрюченный человек катался по кровавой земле, а за ним волочились, собирая пыль и сосновые иголки, вывалившиеся кишки. Когда человека на мгновение распрямило судорогой, Арсений увидел, что кричавшим был стражник Власий.

Арсений сделал шаг к Власию, и толпа перед ним расступилась. Она ждала того, кто сделает этот шаг. Ее горячее желание помочь воплотилось в том, как быстро и широко она приготовила Арсению путь. Арсений склонился над раненым. Власий, немногословный, доброжелательный Власий, превратился в исходящую криком страдающую плоть. И Арсений спросил сам у себя, есть ли ныне в этой плоти дух, и ответил, что не может не быть.

Острым ножом Арсений разрезал на страдальце одежду и оголил ему торс. Спросил воды. Когда ему принесли кувшин с водой, он приказал окружающим держать Власия за ноги и за руки. Затем приподнял с земли кишки Власия и стал омывать их струей. На их скользкой поверхности он чувствовал сгустки крови и слизи. Власий закричал так, как еще не кричал. Амброджо, чтобы поддержать Арсения, касался его спины, но смотрел в другую сторону, потому что смотреть на происходящее с Власием сил у него не было. Арсений вправил кишки в живот и обмотал его холстиной. Несколько человек подняли раненого и положили на один из возов поверх шкур. Голова его безжизненно свесилась. Власий был без сознания.

Я вижу, что через малое время он умрет, сказал Арсений Устине, и я, любовь моя, бессилен ему помочь. Но прожить это время теперь ему будет легче.

Убитых стражников было решено похоронить в ближайшем русском селе, ибо купец Владислав сообщил, что в королевстве Польском есть не только польские, но и русские села, особенно вблизи границы. По размышлении решили взять и тела разбойников, однако предать их земле отдельно.

Караван тронулся. От движения воза пришел в себя стражник Власий и застонал. Тряска доставляла ему страдания. Арсений подошел к возу и взял несчастного за плечо. Тот снова забылся. Когда Арсений убирал руку, Власий приходил в себя и снова начинал кричать. Потому Арсений шел рядом с ним и не снимал своей руки.

Дойдя до ближайшей деревни, караван остановился. Там решили оставить Власия, который от тряски изнемог. Это была польская деревня, и туда отправился купец Владислав. После нескольких безуспешных попыток пристроить раненого купцу удалось договориться с двумя стариками. Их звали Тадеуш и Ядвига, и они не имели детей. Эти милосердные люди были готовы смотреть за больным.

Когда Власия принесли в дом Тадеуша и Ядвиги, он открыл глаза. Увидев у своей постели Арсения, взял его за руку, ибо пока держал он руку Арсения, боль его отпускала. Власий одними губами спросил:

Се оставляеши мя, Арсение?

Купцы из каравана смотрели на Власия, и глаза их были полны слез. Они понимали, что с караваном должны уйти все.

Не скорби, Власие, сказал Арсений. Аз пребуду с тобою.

Арсений обернулся к Амброджо. Амброджо наклонил голову. Он вышел с купцами и через короткое время вернулся, ведя двух лошадей. Из двора Тадеуша и Ядвиги Арсений и Амброджо наблюдали, как караван тяжело тронулся в путь.

Ядвига хотела было сварить для Власия кашу, но Арсений ее остановил. Он разрешил давать раненому лишь воду. Раз за разом Амброджо подносил к его губам глиняную кружку. Власий жадно пил, не выпуская руки Арсения. День он провел в полузабытьи. Вечером открыл глаза и спросил:

Я умру?

Рано или поздно все мы умрем, ответил Арсений. Пусть тебе это будет утешением.

Но я умираю рано.

Глаза Власия медленно подергивались пеленой. Наклонившись над ним, Арсений произнес:

Слова *рано* и *поздно* не определяют содержания явлений. Они относятся только к форме их протекания – времени. Которого, как считает Амброджо, в конечном счете нет.

Арсений оглянулся на Амброджо.

Я думаю, сказал Амброджо, что исчерпывается не время, но явление. Явление выражает себя и прекращает свое существование. Поэт гибнет, скажем, в 37 лет, и люди, скорбя о нем, начинают рассуждать о том, что бы он мог еще написать. А он, может быть, уже состоялся и всего себя выразил.

Не знаю, кого ты имеешь в виду, но здесь есть о чем подумать. Арсений показал на забывшегося Власия. Ты хочешь сказать, что этот мальчик себя уже выразил?

Этого не может знать никто, ответил Амброджо. Кроме Бога.

Власий с неожиданной силой сжал руку Арсения:

Мне страшно уходить из этого мира.

Не бойся. Тот мир лучше. Свободной рукой Арсений вытер ему со лба пот. Я бы и сам ушел, но должен закончить одно дело.

Мне страшно уходить одному.

Ты не один.

Мать и братья остались во Пскове.

Я твой брат.

Вот я поехал сюда в страже служить. Денег заработать. Зачем?

Жить-то на что-то надо.

А вот теперь и не надо. Ты руку мою не отпускай.

Держу.

До самого конца.

Умирающий закрыл глаза.

Первые петухи, слышишь?

Нет, ответил Арсений, не слышу.

А я слышу. Это они мне кричат. Плохо, что я без причастия ухожу. Без покаяния.

Исповедуйся мне. Я довезу твою исповедь до Иерусалима и, верю, грехи твои обратятся в прах.

Но ведь так будет только после моей смерти. Разве это мне зачтется?

Я же говорю: существование времени под вопросом. Может быть, *после* просто нет.

Тогда Власий начал исповедоваться. Амброджо вышел в сени, где сидели Тадеуш и Ядвига. Они что-то сказали ему по-польски. Амброджо не понял их слов, но кивнул. Он был согласен с любым их словом, поскольку видел, что они добрые люди.

Только не забудь ни одного из моих грехов, прошептал Власий Арсению.

Не забуду, Власие. Арсений погладил его по волосам. Все будет хорошо, слышишь?

Но Власий уже ничего не слышал.

зı

Предав земле Власия, Арсений и Амброджо отправились в путь. Они надеялись догнать караван и ехали быстро. Они действительно догнали его около полуночи, потому что караваны неторопливы. Утром следующего дня Арсений и Амброджо вышли в дорогу вместе с караваном.

Леса вновь сменялись полями, а польские местечки – русскими. В Буске жили преимущественно поляки, в Неслухове – русские, в Запытове же, следует полагать, поровну. Кто жил во Львове, было непонятно. На львовской улице каравану встретился мещанин Степан. Степан был нетрезв, и язык его не определялся. Мещанин грозил едущим кулаком. Поскользнувшись на навозе, он покатился под лошадь одного из стражников. Конское копыто опустилось на Степанову руку и переломило кость. Уложив Степана на повозку, послали за Арсением.

Как имя твое, человече, спросил Арсений, стягивая Степану руку холстиной.

Степан шевельнул здоровой рукой и промычал нечленораздельное.

Судя по жесту, его зовут Степан, предположил купец Владислав.

Слушай, Степан, сказал Арсений, мир Божий шире твоего местечка. Ты бы не грозил людям кулаком. А то можешь лишиться руки.

За Львовом прошли Ярослав, за Ярославом – Жешов.

В Жешове Арсений сказал Устине:

В речи жешовцев, здешних жителей, очевидно учащение шипящих. Подчас ощущаешь пресыщение.

После Жешова был Тарнов, за Тарновом – Бохня, за Бохней – Краков. В Кракове Арсений и Амброджо простились с купцом Владиславом. Купец звал погостить в его городе, но они с благодарностью отказались. Им нужно было идти дальше. На прощание обнялись. В глазах купца стояли слезы:

Не люблю расставаться.

Жизнь состоит из расставаний, сказал Арсений. Но помня об этом, полнее радуешься общению.

А я бы (купец Владислав сморкнулся) собрал всех встреченных мною добрых людей и не отпускал их.

Думаю, что так они быстро стали бы злыми, улыбнулся Амброджо.

Выйдя из Кракова, караван пошел вдоль Вислы. Река здесь была еще неширокой. Петляя вместе с ней, дошли до местечка Освенцим. Амброджо сказал:

Верь мне, Арсение, через века это место будет наводить ужас. Но тяжесть его чувствуется уже сейчас.

Дальше начиналась Силезия. Пока Арсений расспрашивал у купцов о Силезии, она незаметно перешла в Моравию. Он поторопился узнать все о Моравии, ибо ничто в Моравии не предвещало, что она больше Силезии. В устах живших там людей славянская речь равномерно чередовалась с немецкой и венгерской. С продвижением на юго-запад немецкая речь встречалась все чаще, пока совершенно не вытеснила собой все остальное. Так начиналась Австрия.

Немецкая речь была Арсению не чужда. В том, что произносили встречные люди, он угадывал те слова, которые и сам когда-то пытался читать в Белозерске, когда учился у купца Афанасия Блохи. Выяснилось, что произношение говоривших по-немецки существенно отличалось от произношения Афанасия. Впрочем, Афанасий был виноват в этом лишь отчасти. Жители Австрии уже тогда старались говорить по-немецки на собственный лад. В конце XV века австрийцы еще в точности не знали, отличаются ли они от немцев и если отличаются, то чем. Особенности произношения в конце концов дали им ответ на оба вопроса.

ні

В Вене Амброджо пошел в собор Святого Стефана, чтобы причаститься. Арсений решил его сопровождать. Он шел с Амброджо с тем большей уверенностью, что православного храма в Вене все равно не было. Ему хотелось увидеть огромный собор изнутри. А кроме того – и это было, вероятно, главным, – он никогда еще не был на католической мессе.

Впечатление двойственное, сообщил Арсений Устине из собора Святого Стефана. С одной стороны, ощущение чего-то родного, потому что у нас общие корни. С другой – я не чувствую себя здесь дома, ибо наши пути разошлись. Наш Бог ближе и теплее, их же выше и величественнее. Возможно, это впечатление поверхностно и вызвано, любовь моя, незнанием латыни. Но за все время службы я так и не определил, знают ли ее сами австрийцы.

В Вене к каравану присоединился францисканский монах Гуго из Дрездена. По делам своего монастыря брат Гуго был в Богемии, а теперь направлялся в Рим. Он ехал на осле и даже объяснял, загибая пальцы, почему он это делает. Во-первых, на осле ездил Христос (монах осенял себя крестным знамением). Во-вторых, осел меньше лошади и требует, соответственно, меньшего ухода. В-третьих, осел – животное упрямое, и это именно то, что необходимо настоящему монаху для смирения.

Все сказанное братом было правдой. Обычное ослиное упрямство усугублялось тем, что в качестве всадника брат Гуго ослу не нравился. Брат был добродушен и общителен, но толст и нетерпелив. Он постоянно подгонял осла, ударяя его пятками по бокам, в то время как животное превыше всего ценило неторопливость и тишину. Стоит ли удивляться, что и разговорчивость Гуго его откровенно раздражала. Всякий раз, как брат Гуго начинал говорить, осел стремился укусить его за колено.

Побеседовав с разными людьми в караване (это стоило ему нескольких болезненных укусов), францисканец прибился к Арсению и Амброджо. В отличие от многих других, в большей или меньшей степени они понимали немецкий. По этой, вероятно, причине в общении с ними у брата Гуго возникало чувство легкости – гораздо большей легкости, чем он испытывал в беседах с торговыми людьми каравана. Кроме того – и это было немаловажно, – ему стало казаться, что в присутствии двух паломников его осел становился спокойнее и кусал его гораздо реже.

Покинув Вену, караван пошел вдоль Альп. Между дорогой и горами раскинулись поля. Было что-то успокоительное, почти ленивое в том, как лежали эти горы. Но, несмотря на кажущийся покой, неподвижность их была мнимой. В отличие от полей, честно остававшихся на своих местах, горы двигались. Они сопровождали караван справа, не приближаясь к нему, но и не удаляясь. Стремились вперед со скоростью каравана, и шедшим казалось, что обогнать их невозможно.

На дальнем краю полей, где ветер причесывал рожь в противоположную сторону, – там начиналось движение. Оставаясь равниной, эти пространства уже двигались вместе с горами. На ходу горы менялись. Они становились выше, круче, лес оборачивался камнем, а камень покрывался снегом. Арсений впервые видел высокие горы и теперь любовался ими не отрываясь.

Так караван дошел от Вены до Граца, из Граца же взял курс на Клагенфурт. Здесь дорога шла уже через горы. Она вилась, приноравливаясь к гигантским каменным складкам. Скалы сдвигались над дорогой все теснее. Иногда они почти смыкались наверху, и тогда становилось темно. Порою же горы снова расступались, и в таких местах устраивался привал, поскольку в широких местах опасность попасть под камнепад была меньше.

Место привала брат Гуго всякий раз посыпал ирландской дорожной пылью, которая убивает змей, ибо знал, что по молитвам святого Патрика Ирландия избавлена от пресмыкающихся. Почва этой страны настолько непереносима для гадов, что даже привезенные на корабле жабы, едва их выбрасывают на ирландский берег, тут же лопаются. Пыль, предусмотрительно собранная францисканцем в Ирландии, продолжала защищать путешественников и в Альпах.

Привязав осла к дальнему кустарнику, брат Гуго имел возможность спокойно рассказать на привале о том, как Апеннины сдерживают жару южного ветра, а утесы Альп останавливают холодные северные ветры Борей и Арктос. Кое-что он знал и о Гиперборейских горах на Крайнем Севере, у которых поверхность гладкая, как стекло, что позволяет им легко отражать лучи солнца. Вогнутая форма гор заставляет лучи сходиться в одной точке, и это нагревает воздух. Высота же гор не дает этому воздуху смешиваться с арктическим холодом, что, собственно, и делает климат в высшей степени приятным. Потому обитающие там гиперборейцы достигают такого возраста, когда естественным образом устают от жизни и без каких-либо видимых причин бросаются с высоких скал в море, тем самым прекращая свое существование, что, конечно же, грех.

Найдя удобную минуту, брат Гуго рассказывал своим новым знакомым и о других горах. Он делился сведениями об Олимпе, который свысока взирает на облака, об утопающем в лесах Ливане и о горе Синай, чья вершина у самых небес, отчего подняться на нее обычным людям невозможно. Будучи францисканцем, монах, разумеется, вспомнил о горе Ла Верна, на которой уединился святой Франциск, благословивший гору так же, как прежде благословлял птиц. Не обошел брат Гуго вниманием и гору, мимо которой проходил Александр Великий, превращавшую храбрецов в трусов и трусов в храбрецов. Александр был самозабвенным путешественником, и дорога сама расстилалась под его ногами.

Иногда я чувствую себя Александром, сказал Арсений Устине. И дорога сама расстилается под моими ногами. И, подобно Александру, любовь моя, я не знаю, куда она ведет.

В один из дней караван попал под камнепад. Камни летели, отдаваясь в ущелье тысячекратным эхом, и было страшно. Когда все стихло, все увидели, как в придорожном кустарнике, хрипя, билась лошадь. Она судорожно выбрасывала перед собой копыта, и было слышно, как под ее крупом трещали ветки. Ее хотели заколоть, чтобы не продолжать ее мучений, но Арсений остановил тех, кто намеревался это сделать. Он подошел к лошади со стороны куста и положил ей на гриву руку. Лошадь перестала бить ногами. Стало видно, что из передней ноги течет кровь. Арсений обошел лошадь и ощупал раненую ногу.

Это не агония, сказал Арсений, лошадь бьется не оттого, что подыхает, а от невыносимой боли. Нога ее сильно ушиблена, но не перебита. Дайте мне холстину, и я перевяжу ногу, чтобы остановить кровотечение.

Возьми, но будь осторожен, крикнули ему из каравана, потому что ударом копыта она может убить. К тому же имей в виду, что караван не может ждать выздоровления лошади.

Арсений перевязал лошади ногу и, сидя рядом, осторожно водил по холстине рукой. Через небольшое время лошадь поднялась. Она шла прихрамывая, но – шла. Купцы благодарили Арсения – не столько за спасение лошади, сколько за то необычное, свидетелем которого они стали. Они понимали, что дело здесь не в лошади. Караван двинулся дальше.

В широких и светлых ущельях, где дорога позволяла ехать бок о бок трем всадникам сразу, маленький осел брата Гуго неизменно оказывался между лошадьми Арсения и Амброджо. Размеренная поступь лошадей сопровождалась его дробным цоканьем, напоминавшим игрушечный барабан. В такт этой дроби тряслись щеки и подбородки брата Гуго. Несмотря на разницу в шаге, лошади и осел шли ноздря в ноздрю: для последнего это было вопросом чести. Самому же брату было лишь важно, чтобы оба собеседника слышали его в равной степени хорошо.

Во время дождя брат Гуго рассказывал им о природе туч и облаков, в хорошую же погоду говорил о небесных поясах, по которым плавают светила, дневные и ночные. Наблюдая, как быстро меняется в Альпах погода, францисканец не утаил от Арсения и Амброджо и того, что знал о влиянии климата на характер человека. Из климатических особенностей земель он достоверно выводил, что римляне мрачны, греки переменчивы, африканцы коварны, галлы свирепы, а англичане и тевтоны крепки телом. Сильный мистраль в долине Роны привел к тому, что люди там ветрены, легкомысленны и не держат данного ими слова. Переселение же народов вместе со сменой климата неизбежно ведет к изменению нрава. Так, ломбардцы, перебравшись в Италию, утратили жестокость – отчасти, конечно, потому, что женились на итальянках, но в основном, как следует полагать, все же из-за климатических условий.

Не встреть мы тебя, брат Гуго, сказал Арсений, мы бы никогда не узнали многих полезных вещей.

Перемещение в пространстве обогащает опыт, скромно ответил брат.

Оно спрессовывает время, сказал Амброджо. И делает его более емким.

θі

Путешествующий в Альпах подобен тому, кто двигается по лабиринту. Он идет зигзагами по дну ущелий, следуя их форме, и путь его никогда не бывает прям. Ущелья порой соединяются друг с другом, давая путнику возможность беспрепятственно переходить из одного в другое. Но, являясь для человека по преимуществу испытанием, горы не всегда предусматривают удобство перехода. Нередки случаи, когда ущелье наглухо закрыто горами. В таких случаях остается единственный путь: вверх.

Именно так предстояло двигаться каравану. Дорога шла по наиболее пологому склону, и караван набирал высоту медленно. Пока подъем не был слишком крут, брат Гуго рассказывал об удивительной природе ледников, которые не только сползают вниз между скал, но и пребывают в постоянном внутреннем движении, так что верхние их части постепенно уходят вниз, а нижние поднимаются на поверхность, отчего тела тех, кто падал в расщелины или глубокие трещины, обнаруживали впоследствии уже на поверхности льда. Брат Гуго поведал также о снежных лавинах, которые сходят от малейшего крика и несутся, нарастая, как огромный бесформенный ком, и закатывают в него все, что попадается на пути: людей, лошадей, повозки, – и всё попавшее в лавину больше не выходит на поверхность, ибо после схода лавина замирает навеки.

С каждым часом склон становился все круче, что делало подъем не только трудным, но и небезопасным. Воздух был уже ощутимо холоднее. Дорога сужалась. Справа от идущих возвышалась отвесная скала, слева же на дне ущелья ревел поток, и в брызгах его сверкала радуга. Когда поднялись еще выше, пошел снег, а капли и пар от потока оседали и замерзали на дороге, делая ее скользкой.

Ноги осла брата Гуго то и дело разъезжались, и даже подкованные лошади заметно скользили. Несколько раз осел упал на передние ноги, и брат Гуго спешился. Он уже ничего не рассказывал и шел, задыхаясь, впереди Арсения и Амброджо. Ширина дороги позволяла теперь ехать лишь двум всадникам. Через некоторое время все, кто ехал верхом, спешились и вели лошадей под уздцы. Хозяева возов подталкивали их сзади, потому что ноги волов начали беспомощно скрести по льду.

При очередном повороте дороги ноги осла поехали вправо, он упал на бок и смешно заскользил, увлекая за собой брата Гуго. Осел скользил вниз и медленно вращался, и все, замерев, смотрели, как подрагивал его белый и какой-то слишком большой живот, на который съехали дорожные сумки, как беспомощно дергались его ноги, только ускоряя движение вниз, и брат Гуго скользил вместе с ним, не в силах отпустить веревку...

В последний миг Амброджо схватил францисканца за шиворот, и тот отпустил веревку, а животное все продолжало скользить, страшно шурша на заледеневших камнях, и доскользило до края пропасти. Повисло в воздухе. С затихающим ревом обрушилось в поток.

Брат Гуго встал на ноги. Молча обвел всех взглядом. Сделал несколько шагов к пропасти, и стоявшие были уже готовы схватить его, думая, что он обезумел. Но брат Гуго упал на колени. Было непонятно, молится ли он, или его просто не держат ноги. Когда же он встал, в руке его был клочок ослиной шерсти. Он держал клочок перед всеми, и из глаз его текли слезы.

Брат Гуго проплакал весь спуск с перевала. Вместе с другими он придерживал один из возов, чтобы тот не катился слишком быстро, и слезы текли по его лицу ручьями. То и дело он доставал из-за пазухи подобранный клочок и прикладывал его к глазам. На равнинной местности два киевских купца посадили брата Гуго на воз с мехами, поскольку от быстрой ходьбы у него начиналась одышка. Горюя о своем погибшем товарище, он неожиданно для себя отметил, что его больше никто не кусает. Это не могло примирить его с потерей, но до некоторой степени облегчало боль.

К

Выход из последнего альпийского ущелья был узким. Он напоминал арку, верхней частью которой были молодые деревца, выросшие на скалах по обе стороны дороги и склонившиеся друг к другу. В этой-то арке и появилась группа всадников, преградившая путь каравану. Хвост каравана все еще продолжал тянуться по ущелью, а находившаяся впереди стража уже не двигалась. Она стояла на некотором расстоянии от всадников, не делая попыток к ним приблизиться, ибо вид их не предвещал ничего хорошего.

Это разбойники, сказал брат Гуго, сидя на мехах, и окружающие не могли с ним не согласиться.

Между собой разбойники говорили по-итальянски. После недолгого совещания вести переговоры с ними было поручено Амброджо. С ним вызвалось пойти несколько стражников, но Амброджо отказался. Он показал на подъехавшего Арсения и сказал:

Достаточно нас двоих.

Троих, вмешался брат Гуго. Троих. Я ведь тоже владею итальянским. Кроме того, с сегодняшнего дня мне уже нечего терять.

Тогда брату Гуго дали коня, чтобы он не разговаривал с разбойниками снизу вверх, а держался бы с ними как равный. В караване предположили, что вид монаха способен смягчить даже жестокие сердца. Три всадника медленно тронулись в сторону разбойников.

Мир вам, крикнул еще издали брат Гуго.

Ответа не последовало, и брат повторил свое обращение с более близкого расстояния.

Ты не очень-то хорошо говоришь на нашем языке, чужеземец, сказал разбойник на белой лошади. А за это надо платить.

Остальные разбойники засмеялись. В говорившем угадывался атаман. Он был немолод и грузен. Лицо его было пунцовым, как стакан пьемонтского вина, а на глубокой залысине в череп врезался сабельный шрам. Его лошадь била копытом, и было понятно, что так выражается нетерпение всадника.

Для Господа нет чужеземцев, возразил брат Гуго.

Вот мы вас к Нему и отправим, сказал атаман, будете там своими. А барахло ваше останется нам.

Разбойники опять засмеялись, на этот раз сдержанней. Они еще сами не знали, до какой степени сказанное шутка.

У нас хорошая охрана, и она не разбежится, сказал Амброджо. Проверено.

Проверено, но не нами.

Атаман натянул поводья, и его лошадь заржала.

Амброджо пожал плечами.

Чем бы ни кончилось дело, у вас будут потери.

Ничего не отвечая, атаман отъехал с несколькими разбойниками к обочине. Они совещались довольно долго. Не будучи теми, кто воюет ради войны, эти люди понимали, что исход сражения неочевиден. Направив свою лошадь к Амброджо, атаман сказал:

Вы принесете нам по десять дукатов с человека – включая стражу, и ничья кровь не прольется.

Амброджо задумался.

По одному дукату, сказал брат Гуго. За возможность пройти к Гробу Господню в Иерусалиме неверные берут по два дуката, что чистый грабеж. Поскольку в данном случае нас грабят христиане, считаю возможным ограничиться одним дукатом.

Кажется, мы торгуемся, удивился атаман.

Я пытаюсь как могу облегчить вашу совесть, пояснил брат Гуго.

После всестороннего обсуждения была найдена приемлемая для всех сумма – пять дукатов с идущего в караване. Когда брат Гуго отъехал к каравану, чтобы сообщить результат переговоров, Арсений сказал Амброджо:

Человек, который с тобой разговаривал, в опасности. В его голове сильный шум. Кровь давит на его головные сосуды, и они готовы лопнуть. Я вижу, Амброджо, как они раздуты от переизбытка крови. Они похожи на жирных свившихся червей. В этой голове еще можно улучшить кровоток, но верь мне: без перемены мыслей в ней ничего не получится.

Выслушав Арсения, Амброджо обратился к атаману:

Шум, который ты слышишь в голове твоей, есть следствие поселившихся там мыслей. Он опасен для твоей жизни, но мой товарищ мог бы тебе еще помочь.

Разбойники, ничего не знавшие о шуме в голове атамана, снова засмеялись. Но атаман оставался серьезен. Он спросил:

И что же твой товарищ просит за это?

Он человек греко-русской веры и просит тебя поменять мысли, иначе говоря – покаяться, ибо по-гречески покаяние – *метáнойя*, что дословно и означает перемену мыслей.

Вы снова торгуетесь, усмехнулся атаман. Но предметом торговли могут быть только деньги.

Это не торговля, а условие, покачал головой Амброджо. Необходимое условие, при котором мой товарищ способен тебе помочь.

К беседующим подъехал брат Гуго с деньгами. Атаман взял из его рук мешочек с золотыми и бросил одному из разбойников для пересчета. Уже отъезжая, он повернулся к Арсению и Амброджо:

Знаете, я не принимал еще ничьих условий. Он показал на замкнутый скалами кусочек неба. Даже Его.

Караван молча следил за тем, как разбойники покидали ущелье. Когда последний разбойник исчез за скалой, караван тоже тронулся. Все понимали, что на этот раз легко отделались, но радости от этого не испытывали.

Каких только людей не бывает на свете, вздохнул один из киевских купцов.

Что он сказал, спросил брат Гуго у Амброджо.

Он сказал, что люди очень непохожи.

Что правда, то правда, подтвердил брат Гуго.

Он снова забрался на воз с мехами. Устроившись поудобнее на соболиных шкурах, брат Гуго продолжил:

Люди – они разные. Вот говорят, есть люди, называемые андрогинами. Тело имеют с одной стороны мужское, с другой стороны женское: у такого человека правый сосок мужской, а левый сосок женский. А есть люди, называемые сатирами. Жилища их в горных лесах, и движение их скоро: когда бегут, никто не может их настигнуть. Ходят же нагими, а тела их обросли волосами. Не говорят на человеческом языке, только криком кричат. Существуют, как известно, и скиаподы – люди, отдыхающие в тени своих ступней. Ступни их столь велики (брат Гуго приподнял свои ступни), что в жаркую погоду они закрываются ими, как навесом. Есть, доложу я вам, много на свете разных порождений: у иных собачьи головы, а иные без голов, на груди зубы, на локтях глаза, у иных два лица, иные с четырьмя глазами, иные по шести рогов на голове носят, у иных по шести пальцев на руках и на ногах.

Если они действительно существуют, спросил, обернувшись, Арсений, в чем же цель их существования?

Брат Гуго задумался.

Цели нет, есть причина. Все дело в том, что после столпотворения Бог отпустил всех жить по склонности сердец их. Вот некоторые и заблудились. Направили свой путь сообразно своим склонностям, и их внешний вид стал соответствовать их образу мысли. Все очень логично.

Амброджо засмеялся:

Логично? Я знал людей с таким образом мысли, что вид их по этой логике должен был быть ужасен. Между тем они выглядели вполне благополучно.

Не дожидаясь ответа, Амброджо пришпорил коня и поскакал вперед. После короткого раздумья за ним двинулся и Арсений.

Не бывает правил без исключений, крикнул им вслед брат Гуго. Рассказывают, например, что на обратной стороне земли живут антиподы. И многие из них выглядят, представьте, так же, как мы.

Но Амброджо его уже не слышал.

Как вам это нравится, обратился брат Гуго к киевским купцам.

Купцы кивнули. По-немецки они не понимали ни слова.

Но я не очень верю в рассказы об антиподах, продолжил ободренный брат, и знаете почему? Ведь чтобы относиться к ним всерьез, потребуется признать, что земля круглая! Я уж не говорю о том, что это нелепо, что это кощунство, – это прежде всего смешно. Как только мы признаем, что земля круглая, мы просто обязаны будем допустить, что люди на той стороне земли ходят вниз головами!

Брат Гуго громко захохотал. Глядя на него, стали улыбаться и киевские купцы. Смех брата Гуго оказался столь заразителен, что через минуту смеялся уже весь караван. С этим смехом выходила тревога людей, в течение последних дней подвергавшихся смертельной опасности. В этом смехе заключалась радость тех, кого впереди ждала Венеция – прекраснейший город на земле.

Когда на следующее утро караван покидал место ночного привала, со стороны Альп подъехали два всадника. В них узнали разбойников, встреченных накануне. Увидев Арсения и Амброджо, они приблизились к ним.

Нашему атаману совсем плохо, обратились разбойники к Амброджо. Вчера вечером его хватил удар, и он лежит без движения. Твой товарищ может чем-нибудь помочь?

Амброджо перевел Арсению сказанное.

Сообщи им, что сейчас я бессилен помочь, ответил Арсений. Часы этого человека сочтены, и сегодня вечером он умрет. В скорой смерти милость, явленная ему Всевышним.

Выслушав ответ Арсения, разбойники сказали:

Пока он еще мог говорить, он просил передать вам это.

Один из разбойников достал из-за пазухи мешочек с золотыми и передал его Амброджо. Деньги тут же вернули тем, кто отдал их накануне. Караван взял курс на Венецию.

ка

На въезде в Венецию караван остановила стража. У всех спрашивали подорожные письма, которые могли бы доказать, что странники прибывают с севера, а не с юго-востока. В Малой Азии свирепствовала чума, и власти боялись проникновения ее в Венецианскую республику. Письма были у всех, кроме брата Гуго, потерявшего их вместе с сумками и ослом, но в караване единодушно подтвердили, что брат пересекал с ними Альпы.

Пересекал, вздохнул францисканец, хотя и не убежден, что это было правильным решением.

В Венеции все прощались. Прощание было отмечено особой сердечностью, ибо многие знали, что расстанутся навсегда. В этом была особенность расставаний того времени. Средневековье редко имело возможность дважды свести людей в течение земной жизни.

Брат Гуго пригласил Арсения и Амброджо переночевать во францисканском монастыре. Иного пристанища в Венеции у них не имелось, и приглашение было с благодарностью принято. До монастыря добирались довольно долго, потому что дорогу брат Гуго помнил нетвердо. Он сидел на одной лошади с Амброджо, показывая, куда ехать. Улицы петляли, превращались в тупики или вели на прежнее место. Трижды они оказывались на площади Сан-Марко и дважды у моста Риальто. Лошади шли друг за другом, и цоканье их копыт перекрывалось собственным эхом. Иногда приходилось вплотную прижиматься к стенам, чтобы пропустить встречных всадников. Амброджо с улыбкой оглядывался на Арсения. Впервые он видел своего друга изумленным.

Арсений был действительно изумлен, ведь прежде не видел ничего подобного. Один раз он даже остановился на мосту и смотрел, как пожилая венецианка спускалась в гондолу прямо из дверей своего дома. Гондола под ее ногой закачалась. Арсений отвернулся. Услышав плеск весла, он осторожно повернул голову. Венецианка спокойно сидела на корме. Она не догадывалась о тревоге Арсения, потому что последние полвека из своего дома выходила именно так.

Путешественников в монастыре приняли благожелательно. Брат Гуго сообщил приору, что Арсений не католик, и приор ответил замысловатым жестом. Этот жест можно было толковать по-разному, но прямого запрета останавливаться в монастыре он не означал. Так по крайней мере воспринимал его брат Гуго. Он отвел Арсения и Амброджо в предназначенную для всех троих келью, где им были приготовлены постели и вода для умывания. Через час их ждали к вечерней трапезе.

К трапезе никто из троих не вышел. Брат Гуго и Амброджо – погрузившись с дороги в глубокий сон, Арсений – испытывая от встречи с Венецией глубокое волнение. Оно не дало ему заснуть. Оно же не дало ему и остаться в келье. Он тихо спустился вниз и, поклонившись привратнику, вышел наружу.

Монастырь стоял на канале. С улицы он казался обычным домом, не отличавшимся от прочих домов, построенных вплотную друг к другу. Между домами и каналом шла узкая полоска мостовой, и здесь не нужно было выходить прямо на воду. Арсений сделал несколько шагов к каналу. Опустившись на корточки, наблюдал, как колышутся водоросли на причальной свае. Вода здесь пахла иначе, чем в других виденных им местах. Запах был гнилостным. Вспоминая его впоследствии, Арсений испытывал счастье, ибо это был запах Венеции.

Вечерело. Солнца не было видно из-за домов, но стены, до которых удавалось добраться последним лучам, становились охристыми и желтыми. Арсений шел вдоль каналов – там, где можно было идти, – и пересекал дугообразные мостики. Вначале он пытался запомнить пройденный путь, чтобы вернуться, но уже через несколько улиц не мог определить даже направления, в котором лежал францисканский монастырь. Никогда в своей жизни не попадал он еще в такое удивительное место, и теперь не мог уложить его в своей памяти. Арсений чувствовал пространство леса и пространство поля, ледяную пустыню Белоозера и деревянные улицы Пскова и всюду без труда находил дорогу. Теперь же, попав в чересполосицу воды и камня, он понял, что этого пространства не ощущает. Он был один в странном и прекрасном городе и не знал его языка. Единственный, кто мог ему помочь, спал, утомленный, в неизвестно где стоящем монастыре. И Арсению стало спокойно.

Он пошел наугад и уже не пытался запомнить дорогу. Некоторые улицы поначалу казались ему знакомыми. Но уже в следующее мгновение он обнаруживал не виденные прежде балконы и барельефы и понимал, что подобие беззастенчиво выдает себя за повторение. Когда совсем стемнело, Арсений вышел на площадь Сан-Марко. Восходящая луна осветила собор, похожий во мраке на темную гору. Он был сложен из камней разграбленного Константинополя – так говорил Арсению Амброджо. Он прикоснулся к мраморной колонне и ощутил тепло, которое она вобрала в себя за день. Он подумал, что это, вероятно, тепло Византии.

Арсений сел справа от входа и прислонился к колонне. Он почувствовал, что устал. Устраиваясь поудобнее, Арсений коснулся чего-то мягкого. В нише между колоннами сидела девушка, ее детское лицо казалось одним из барельефов – оттого, возможно, что было неподвижно. Арсений поднес руку к ее глазам, и она моргнула.

Мир ти, чадо, произнес Арсений. Я хотел лишь узнать, не покинула ли тебя жизнь.

Она смотрела на него без удивления.

Меня зовут Лаура, и я не понимаю твоего языка.

Я вижу, что ты чем-то подавлена, но не знаю причины твоей скорби.

Иногда легче говорить, когда тебя не понимают.

Возможно, ты беременна, и ребенок твой не будет законным, ибо его отец не стал твоим мужем.

Потому что когда пребываешь в отчаянии, хочешь высказать свою боль и боишься, что она выйдет из твоих уст и станет всем известна.

Знаешь, в этом нет ничего непоправимого. Его отец еще может стать твоим мужем. Или твоим мужем может стать другой человек, так бывает. Я бы, верь, взял тебя в жены, чтобы тебе помочь, но не могу этого сделать, потому что имею вечную любовь и вечную жену.

А я, можно сказать, и не боюсь уже. Мне известно средство, примиряющее со всеми бедами. Если уж мне станет совсем плохо, мое отчаяние даст мне силы им воспользоваться.

В моей жизни была Устина и был маленький мальчик без имени, но я не сохранил их обоих.

Несколько дней назад я услышала, что больна проказой. Когда появились пятна на запястьях, я еще не знала, что это значит. И когда посреди лета стало першить в горле – тоже не догадывалась. Но меня увидел случайный человек на улице и сказал: а ведь у тебя проказа. Сказал: покинь город сей и иди в город прокаженных, чтобы не стать проклятием для дома твоего. И я пошла к врачу, и врач подтвердил, что тот человек прав.

С тех пор я стараюсь беседовать с ними, но у них все не получается мне отвечать. Мальчик умер маленьким, он и не может ответить. Но не отвечает ведь и Устина. Конечно, в их положении это не так-то просто. Разве я не понимаю? Понимаю... И все-таки жду. Пусть не слова – знака. Иногда мне очень тяжело.

И я уже не вернулась домой. Я знала, что мои домашние меня не отпустят и предпочтут медленно умирать со мной.

А я все не прихожу в отчаяние. По мере сил все-таки стараюсь рассказывать Устине о происходящем здесь. Она ведь не дожила жизнь, вот я и пытаюсь как-то восполнить непрожитое. Только это трудно. Жизни в целом, во всех деталях, не рассказать, понимаешь?

Между мной и остальным миром опустилась стена. Пока она стеклянная, потому что о моей беде никто не знает. Но потом все станет заметно. Мне врач все рассказал. Мне показалось, что это доставляло ему удовольствие. А может быть, он хотел избавить меня от надежд и разочарований.

По-настоящему туда можно передать лишь общую идею. Главное из того, что происходило. Например, мою к ней любовь.

Меня отправят в лепрозорий. Со временем у меня появится седловидный нос. Львиное лицо. Я буду стыдиться того, что на это лицо попадает общее солнце. Я буду знать, что не имею на него права. Не имею права ни на что из прекрасного. Можно умереть, будучи еще живым.

Арсений взял Лауру за руки, посмотрел ей в глаза, и так ему открылась суть происходящего. Он поцеловал Лауру в лоб.

Пребуди, чадо, в здравии. Пока человек на земле, многое поправимо. Знай, что не всякая болезнь остается в теле. Даже самая страшная. Объяснить это не могу ничем иным, кроме как милостью Всевышнего, но вижу, что проказа из тебя выйдет. Ты же возвращайся к твоим домашним, и обними их, и не разлучайся с ними никогда.

Увидев, что у Лауры нет больше сил, Арсений помог ей подняться и повел к дому. Начался мелкий ночной дождь. Та часть неба, в которой находилась луна, была все еще свободна от туч. В лунном свете блестели, покачиваясь, мокрые гондолы. Об их днища со звучным чмоканьем плескалась вода. На пороге своего дома (в объятиях родителей) Лаура обернулась к Арсению.

Но Арсения не было. Призрачный город был создан для того, чтобы в нем исчезать. Растворяться в дожде. Лаура знала это и не удивилась. Даже находясь рядом, Арсений не казался ей существом реальным. Лаура не смогла бы повторить его слов, но они наполнили ее бесконечной радостью, ибо главный их смысл был ей уже открыт. Теперь она воспринимала последние дни как страшный сон. Она сама не понимала, что с ней произошло, и больше всего на свете хотела проснуться.

Арсений шел к монастырю. Теперь, когда небо окончательно заволокло тучами и дождь пошел сплошной стеной, направление движения стало ему более или менее ясно. Брат Гуго и Амброджо не знали о его отсутствии. Они спали и видели сны.

Брату Гуго снился его осел – ласковый, с расчесанной гривой, нарядно украшенный. Он медленно парил над пропастью и видом своим напоминал Пегаса. На его спине едва заметно трепетала белая попона. Я знал, что ничто из бывшего не исчезает, шептал во сне брат Гуго. Ни человек, ни животное, ни даже лист. *Deus conservat omnia.* Лицо его было мокрым от слез.

Амброджо во сне видел улицу в городе Орле. На ступенях магазина *Русский лен* фотографировалась группа из пяти человек. Слева направо: Матвеева Нина Васильевна, Коротченко Аделаида Сергеевна (верхний ряд); Романцова Вера Гавриловна, Мартиросян Мовсес Нерсесович, Скоморохова Нина Петровна (нижний ряд). 28 мая 1951 года. В честь пятилетия открытия магазина *Русский лен* директор Мартиросян предложил коллективу устроить праздник. Женщины приготовили дома холодец, голубцы, винегрет и плов. Они принесли все это на работу в кастрюлях и разложили по блюдам и салатницам. Перемешав поочередно винегрет и плов, облизали ложки. Мовсес Нерсесович принес две бутылки шампанского и бутылку коньяка «Арарат». Он пришел в медалях. От женщин пахло духами и наглаженными платьями. Пахло солнечным майским днем. Произносили тосты (Мовсес Нерсесович), было очень весело. Когда директор магазина поднимал бокал, медали на его груди приятно звенели. Потом приехал фотограф и снял всех на фоне магазина. Разглядывая в 2012 году пожелтевшую фотографию, Нина Васильевна Матвеева сказала: тогда

Мовсес объявил в магазине короткий день. Из тех, кого вы видите на фотографии, в живых осталась только я. Я даже не могу посетить их могил, потому что переехала в Тулу, а они остались в Орле. Неужели же все это было с нами? Я смотрю на них словно с того света. Господи, как же я их всех люблю.

КВ

Через неделю Арсений и Амброджо взошли на борт корабля *Святой Марк*. За эту неделю брату Гуго через приора монастыря удалось выхлопотать для них подорожное письмо от синьора Джованни Мочениго, венецианского дожа. Это письмо призвано было охранять их по всей Венецианской республике, раскинувшейся по обе стороны Адриатического моря. В эти же дни Арсению и Амброджо пришлось продать лошадей. Предстоял долгий морской путь, и никто не знал, как смогут его выдержать животные. Кроме того, перевозка лошадей была недешева.

На корабле Арсению и Амброджо велено было быть к полуночи. До пристани их провожал брат Гуго. На следующий день он тоже покидал Венецию и отправлялся в Рим. Братья францисканцы подарили ему другого осла, но эту замену он не счел равноценной. Придирчиво осмотрев осла и потрепав его по холке, брат Гуго сказал:

В этом животном нет настоящего характера, и я боюсь, что оно не будет меня смирять.

Не бойся этого, брат Гуго, ответили ему францисканцы. Оставь свою заботу, ибо это животное будет тебя смирять. У него есть характер, и этим обстоятельством до некоторой степени объясняется наше желание с ним расстаться.

Желая помочь Арсению и Амброджо с доставкой поклажи на пристань, брат Гуго навьючил ее на своего нового осла. Груз был в сущности невелик, но осел не хотел нести и его. Всю дорогу он сердито взбрыкивал, пытаясь сбросить перекинутые через седло кожаные сумки. Он тер сумки о стены и цеплялся ими за стремена проезжавших мимо всадников. Видя это, брат Гуго несколько успокоился. Он осознал, что возможность смиряться у него все еще остается.

На пристани брат Гуго обнялся с отплывающими. Он заплакал и сказал:

Иногда думаешь, стоит ли привязываться к людям, если потом так тяжело расставаться.

Обнимая брата Гуго, Арсений похлопал его по спине:

Знаешь, друже, всякая встреча больше ведь, чем расставание. До встречи – пустота, ничто, а после расставания пустоты уже не бывает. Встретившись однажды, полностью расстаться невозможно. Человек остается в памяти как ее, памяти, часть. Эту часть создал он, и она живет и иногда входит в соприкосновение со своим создателем. Иначе отчего же мы чувствуем дорогих людей на расстоянии?

Уже поднявшись на борт, Арсений и Амброджо просили брата Гуго не стоять на пристани, потому что никто не знал, когда в точности отчалит судно. Францисканец кивал, но не уходил. В слабых огнях судна было не сразу заметно, как то и дело натягивалась веревка в руках брата Гуго и как отчаянно сопротивлялся его осел, не желавший покидать пристань. Животное следило за погрузкой на борт ста двадцати пехотинцев, которых венецианский дож отправлял для службы на Крите. Они прибыли в полном обмундировании, и провожавшим их женщинам было вдвойне грустно отпускать их в таком молодцеватом виде. Такими, думали женщины, мы их видим в первый раз. А возможно, и в последний.

В четыре часа утра, перед самым рассветом, судно подняло якорь. Оно медленно выходило из порта, и на фоне светлеющего неба уже угадывались очертания собора Сан-Марко. В то время как все путешествующие спали на подвесных койках в трюме, Арсений несколько часов не покидал палубы. Он с наслаждением слушал скрип мачты и хлопанье парусов – то была сладостная музыка странствий. Арсений наблюдал, как вода из черной постепенно становилась розовой, из розовой – изумрудной.

Ему казалось, что в сравнении с той водой, которую он видел в своей жизни прежде, морская вода была жидкостью совершенно иного состава. Слизывая с рук брызги волн, он ощущал их соленость. Морская вода была другого цвета, она не так пахла и даже вела себя по-иному. В ней не было мелкой речной ряби. От речной и даже озерной воды она отличалась так, как журавль отличается от воробья. Придя к такому сравнению, Арсений подразумевал не столько величину, сколько характер движений. Морская вода перекатывалась большими валами, и движения ее были величавы и плавны.

Увидев интерес Арсения к морской воде, к нему подошел капитан корабля, одутловатый человек с толстыми губами. Капитан слышал беседу Арсения с братом Гуго и заговорил с ним по-немецки:

Морская вода и речная суть две различные стихии. Я бы никогда не согласился водить суда по пресной воде, синьор.

В знак уважения к позиции капитана Арсений наклонил голову. Привлеченные рассуждениями о воде, к беседующим приблизились два паломника из Бранденбурга.

Совершенно очевидно, продолжал капитан, что пресная вода слабее соленой. Если же кто-то в этом сомневается, то пусть объяснит мне, почему, скажем, морские воды способны отбросить такой могучий пресноводный поток, как Сена в Руане, и заставить его течь в противоположном направлении в течение трех дней?

Возможно, сказал паломник Вильгельм, пресной воде соленая кажется отвратительной, и поэтому она перед ней отступает.

А я думаю, возразил паломник Фридрих, что река выражает почтение к своему отцу – морю, уступая ему дорогу. Когда же начинается отлив, она так же почтительно следует за ним.

Говоря об отцовстве, ты, чужеземец, полагаешь, что между столь разными стихиями существует родство, удивился капитан.

Конечно, сказал паломник Фридрих, ведь море – источник всех рек и ключей, как Господь Иисус Христос – источник всяческих добродетелей и знаний. Разве не являются чистые устремления все до единого потоками из одного и того же источника? И подобно тому, как духовные потоки стремятся к своему источнику, все воды возвращаются в море.

Что о коловращении вод думаешь ты, спросил Арсения паломник Вильгельм.

Земля наша напоминает человеческое тело, ответил Арсений, и внутри пронизана каналами, как тело пронизано кровеносными сосудами. Где бы человек ни начал копать землю, он обязательно наткнется на воду. Так говорил мой дед Христофор, который чувствовал воду под землей.

У меня было два деда, но я не увидел ни одного, вздохнул капитан. Оба были моряками, и оба утонули.

После слов капитана собеседники некоторое время помолчали.

Впадение пресной воды в соленую, тихо сказал паломник Фридрих, уподоблю тому, как сладость этого мира в конце концов превращается в соль и горечь.

КГ

Через полтора дня после отплытия из Венеции *Святой Марк* пересек Адриатическое море и бросил якорь в четверти мили от города Паренцо. Подойти к городу ближе мешали скалы, но и двигаться дальше тоже не было возможности: на море стоял полный штиль. Многочисленные путешественники находились на палубе.

Красивый город Паренцо, сказал Арсений капитану.

Он красив оттого, что его основал Парис, ответил капитан. Так говорят.

Ошибаются, сказал паломник Вильгельм.

А почему же тогда Парис и Паренцо звучат похоже? Произнося два имени собственных, пухлые губы капитана брызнули слюной. Парис, доложу я вам, основал город тогда, когда греки украли Елену.

Греки не крали Елену, сказал паломник Фридрих. Все это языческие басни.

Может быть, и Троя – басни, ехидно спросил капитан.

И Троя – басни, подтвердил паломник Фридрих.

Капитан развел руками и облизал мокрые губы. Добавить ему было решительно нечего.

Я не уверен, любезный Фридрих, что ты прав, сказал Амброджо. Есть у меня предчувствие, что в один прекрасный день Трою кто-то отыщет. Возможно, это даже будет человек из твоих краев.

К вечеру того же дня подул попутный ветер. Сутки двигались с этим ветром, но затем пришлось войти в далматинский порт Зара, потому что начал дуть противоположный ветер, называемый итальянцами сирокко. Этот ветер мог дуть несколько дней, и путешественникам надлежало запастись терпением. Сто двадцать пехотинцев, равнодушных к городам побережья, дружно принялись играть в кости. Все остальные путешественники сошли на берег.

На пристани они были встречены венецианским претором, который осведомился, со здорового ли воздуха следует корабль. Его заверили, что корабль прибыл из Венеции, а не с Востока. Претору было также показано подорожное письмо венецианского дожа, и он позволил всем желающим войти в город и его крепость.

Город Зара был знаменит тем, что в храме Симеона Богоприимца почивали мощи праведного старца. Арсений и Амброджо отправились поклониться Симеону. Опустившись на колени перед его нетленными мощами, Арсений сказал:

Ныне отпущаеши раба Твоего по глаголу Твоему с миром, яко видеста очи моя спасение мое. Знаешь, Симеоне, я ведь не ожидаю награды, сравнимой с твоей. А мое спасение заключается в спасении Устины и младенца. Возьми их в свои руки, как брал ты Младенца Христа, и отнеси их к Нему. Вот суть моей просьбы и моления.

Чтобы не намочить мощи Симеона слезами, Арсений коснулся их верхней частью лба. Но одна слеза все-таки сорвалась с его ресниц и упала на мощи. Что ж, пусть пребудет там, подумал Арсений. Она будет напоминать старцу обо мне.

К҃Д

На следующий день Арсений, Амброджо и два бранденбургских паломника гуляли по крепости города Зары. Перед тем как вернуться на корабль, они зашли пообедать в трактир. В трактире что-то праздновали люди, представлявшие хорватское население Венецианской республики. Увидев посетителей в дорожном платье, жители Зары насторожились. Поскольку турецкая угроза была уже не пустым звуком, они не исключали, что незнакомцы могли оказаться вражескими лазутчиками. С увеличением количества выпитого подозрение переходило в уверенность. Последним, что подкрепило эту уверенность, стал немецкий язык паломников, который немедленно был принят за турецкий. Праздновавшие разом встали, и лавки, на которых они сидели, с грохотом перевернулись.

Арсений и Амброджо, в целом понимавшие славянскую речь, осознали смысл происходящего раньше остальных. Но даже бранденбургским паломникам, которые славянской речи не понимали, стало ясно, что события принимают опасный оборот. В паломника Вильгельма как человека, говорившего на непонятном языке, полетела оловянная кружка.

Арсений сделал несколько шагов в сторону нападавших и вытянул вперед руку. В какое-то мгновенье показалось, что этот жест их успокоил. Замерев, они сосредоточенно смотрели на руку Арсения. Арсений сказал им по-русски:

Мы паломники и едем на Святую землю.

Жителям Зары язык показался хотя и понятным, но странным. Поскольку их речь была уже тоже невнятной, они отнеслись к этому с подобающей терпимостью. Уже спокойнее они сказали Арсению:

Ну-ка, перекрестись.

Арсений перекрестился.

Буря возобновилась. Ей потребовалось лишь одно необходимое для вдоха мгновение:

Он даже не умеет правильно креститься! Стоило ли от турецких лазутчиков ждать чего-либо другого?!

Амброджо попытался было объяснить, что католики и православные крестятся по-разному, требовал отвести их к венецианскому претору, но его уже никто не слушал. Жители Зары обсуждали, как бы им следовало поступить с пойманными. После недолгого, но горячего спора они пришли к выводу, что лазутчиков следовало бы повесить. При этом жители Зары не были склонны откладывать дело на потом, поскольку им было известно, что время – главный враг решимости.

Они потребовали у трактирщика веревку. Тот вначале не давал, так как боялся, что провинившихся повесят прямо у него в трактире. Когда же он узнал, что на данном этапе веревка требуется лишь для связывания (ибо кто же вешает людей в трактире?), он с радостью ее дал и даже налил ловцам лазутчиков по последней за счет заведения. Связав, несмотря на сопротивление, пойманных, они выпили на скорую руку, ведь занятие им предстояло хлопотное и требующее времени. Уже в дверях попросили еще одну веревку, а главное – мыла, о чем совершенно позабыли за последним, поднятым за гибель всех лазутчиков, тостом.

Какая глупая у нас будет смерть, сказал вполголоса Арсению Амброджо.

А какая смерть не глупа, спросил Арсений. Разве не глупо, когда грубое железо входит в плоть, нарушая ее совершенство? Тот, кто не в силах создать даже ногтя на мизинце, разрушает сложнейший механизм, недоступный пониманию человека.

Вынесенный в трактире приговор было решено привести в исполнение в порту. Там было много подходящих балок и крюков, да и место было открытым, а значит – доступным для обзора в назидание всем будущим лазутчикам.

Амброджо еще раз попытался достучаться до сердец и умов жителей Зары. Он кричал им, что у паломников есть подорожное письмо от венецианского дожа и неоднократно предлагал перекреститься по-католически, но все было тщетно. Сердца и умы этих людей были повреждены алкоголем.

Арсений удивлялся недоверчивости жителей Зары. Возможно (думал он), их здесь действительно замучили лазутчики. Не исключал Арсений и того, что этим людям просто хотелось кого-нибудь повесить.

В конце концов рот Амброджо заткнули кляпом. Всем пленникам, посовещавшись, развязали ноги, чтобы они могли идти, руки же оставили связанными. Теперь Амброджо не мог ни кричать, ни креститься.

Он шел рядом с Арсением и смотрел на пару бранденбургских паломников, шагавших впереди. Несмотря на драматизм происходящего, их вид не мог не вызывать улыбки. Они шли, переваливаясь из стороны в сторону, и связанные сзади руки придавали им торжественный, почти профессорский вид. Еще они напоминали пару пингвинов, с которыми Европе предстояло познакомиться через каких-нибудь десять-пятнадцать лет. Фридрих и Вильгельм до сих пор ничего не понимали и надеялись, что в ближайшее время недоразумение разъяснится. Арсений не хотел их в этом разубеждать, Амброджо тоже не хотел, но, конечно же, и не мог.

Любовь моя, сказал Арсений Устине в порту, очень возможно, что именно здесь конец моего пути. Но не конец моей любви к тебе. Если от-

влечься от грустной стороны дела, можно пора-
доваться, что путь мой завершается в столь кра-
сивом месте – с видом на море, дальний остров
и все благолепие мира Божия. Но главное, мне
радостно оттого, что последние мои часы протекают рядом с праведным старцем Симеоном, чье
чаяние, в отличие от моего, исполнилось. Мне
жаль, любовь моя, что я успел так мало, но твердо верю, что, если Всеблагий меня сейчас забира-
ет, все не сделанное нами сделает Он. Без этой веры не было бы смысла в существовании – ни твоем, ни моем.

Солнце было уже низко. Оно прочертило себе
путь от портового причала до горизонта. Не оставалось сомнений, что там, на самой дальней точке, оно и собиралось садиться. Солнце било Арсению прямо в глаза, но он не жмурился. Солнце било в глаза капитану, стоявшему на палубе *Святого
Марка*, и он перешел на противоположный борт.
С этого борта он заметил, как через сваю порто-
вой лебедки перебрасывают веревку с петлей.

Вешать кого-то собираются, объявил капитан
стоявшим на палубе. Кто интересуется, можно
посмотреть.

Интересовались все, включая пехотинцев. Все
всматривались в стоявших у лебедки людей, особенно же в того, на чью шею надевалась петля.

Это Арсений, неуверенно спросил капитан.
Арсений!

Он обернулся к зрителям на палубе, и те кивнули.

Это Арсений, закричал капитан жителям Зары. Он держал руки рупором, и в порту его услышали все. Человек сей под личной защитой Джо-

ванни Мочениго, дожа Венеции, и всякий поднимающий на него руку будет казнен!

Жители Зары приостановились. Они знали капитана и повернулись к *Святому Марку*, чтобы увериться в услышанном, но капитан уже сбегал по сходням. С борта корабля смотрели все сто двадцать пехотинцев, которых игра в кости к тому времени порядком измотала.

Вы слышали меня, крикнул капитан еще раз на ходу, всякий поднимающий – будет казнен!

Но теперь жители Зары уже не поднимали руки́ на Арсения. Еще прежде они начинали догадываться, что в своих обвинениях не вполне правы, так что вешали его скорее по инерции. Им не хватало хоть крохотной причины, чтобы остановиться, и вот теперь она нашлась. Гнев их иссяк так же внезапно, как и возник.

Мы более никого не вешаем, сказали жители Зары. Твои слова разъяснили нам ситуацию и сняли все вопросы.

Подбежав, капитан стащил с Арсения петлю и вынул кляп изо рта Амброджо.

Мы с моим товарищем Вильгельмом так и не поняли, чего они от нас хотели, воскликнул паломник Фридрих, обращаясь ко всем. Мы желали бы знать, в чем суть их претензий к нам и почему они вдруг решили повесить Арсения? В этом человеке мы не видим никакой вины.

Арсений ответил им признательным поклоном. Амброджо засмеялся и сказал:

Я вспомнил одного ирландского монаха, который шутил, что из восточных языков ему важнее всего немецкий. Его шутка оказалась пророческой: вашу речь здесь приняли за турецкую.

Уже на борту *Святого Марка* Арсений спросил:

Скажи, Амброджо, твой дар предвидения говорил тебе, что мы спасемся?

Труднее всего, Арсение, предвидеть собственную жизнь, и это – хорошо. А на спасение я, конечно, надеялся. Уж если не на этом свете, так на том.

к͞є

Сирокко стих два дня спустя, и корабль поднял паруса. Стоя у левого борта, Арсений сказал праведному Симеону:

Слава ти, старче. Думаю, что по твоим молитвам продлилось время ожидания моего. Так помолись же еще, чтобы не было ожидание мое напрасным.

Следующими большими городами на пути корабля были Спалато и прекрасная Рагуза. Но поскольку ветер продолжал быть благоприятным, ни в один из них не заходили. Капитан *Святого Марка* доверял воде гораздо больше, чем суше, и без крайней нужды на берег не сходил.

Выйдя в Средиземное море, впервые ощутили сильную качку. Слабых нутром капитан попросил держаться ближе к бортам, потому что запах извергаемого при качке не выветривался из трюма еще очень долго. Несмотря на выход в большое море, *Святой Марк* старался берег из виду не терять.

У входа в гавань острова Корфу счастливо обошли песчаную отмель, о которой знают все, кто так или иначе причастен к судоходству. Остановившись в полумиле от острова, пополнили запасы пресной воды и провианта. Все это островитяне доставляли на больших барках и с криками перегружали на корабль. Арсений смотрел, как матросы носили привезенное в трюм. Помимо зелени на борт было доставлено десятка два ящиков с живыми цыплятами. И вода, и зелень пробовались на вкус лично капитаном. Цыплят он пробовал на ощупь. Выпив полкружки привезенной воды, капитан сказал:

Пресная вода совершенно безвкусна, но соленую, к моему великому сожалению, нельзя пить.

На острове Кефалония, где корабль подходил к пристани, купили трех быков на замену съеденным в пути. При попытке загнать быков в трюм один матрос был поднят быком на рога. Арсений осмотрел матроса и увидел, что, несмотря на обилие крови, рана его не тяжела. Рог быка проткнул матросу мягкие ткани ягодиц, но жизненно важных органов не задел. Из-за особенностей раны лежать в гамаке матрос больше не мог, и Арсений уложил его на большой кухонный сундук. Капитан поблагодарил Арсения и сказал матросу, что теперь ему следует больше лежать на животе. Матрос знал это, поскольку лежать иначе просто не мог, но в свою очередь поблагодарил капитана. Атмосфера поездки Арсению определенно нравилась.

Нужно сказать, что и Арсений пришелся по душе капитану. Сумев спасти Арсения от верной гибели, капитан и в дальнейшем не оставлял его своим вниманием. Однажды в свободную минуту капитан рассказал Арсению, как образуется соленая вода. Оказалось, под воздействием жарких солнечных лучей она попросту выпаривается из обычной воды в тропическом океане и оттуда распространяется течением в другие моря. Изменения, претерпеваемые водой, ярко видны на примере озера в графстве Экс недалеко от Арля. Под воздействием зимних холодов вода этого озера превращается в лед, а под влиянием летней жары естественным образом – в соль. Это доказывает, что проплыть вокруг земли невозможно, поскольку омывающий ее океан на севере замерзает, а на юге превращается в соль.

Мы плаваем, в сущности, в узком промежутке между льдом и солью, подвел итог капитан.

Арсений поблагодарил капитана за сведения. Помимо благодарности за спасение он испытывал к нему уважение как к мореплавателю, трезво оценивающему пределы своих возможностей.

На подходе к Криту капитан ознакомил присутствующих с историей похищения Зевсом Европы. Бранденбургские паломники протестовали и обвиняли капитана в легковерии. Не обращая внимания на их возражения, капитан изложил также доступные ему сведения о Минотавре, Тесее и нити Ариадны. Для большей наглядности он даже велел матросу принести клубок ниток и, петляя между мачтами и снастями, размотал его по палубе. Паломники сопровождали эти действия скептическими замечаниями. Капитан же продолжал говорить неестественно спокойным тоном, и всякому, кто хоть сколько-нибудь разбирался в людях, было ясно, что нервы его на пределе. Паломник Вильгельм, в людях не разбиравшийся, сказал:

Это всё языческие басни, и в наше время верить в них стыдно.

Не говоря ни слова, капитан сгреб паломника Вильгельма в охапку и сделал шаг по направлению к борту. Паломник Вильгельм, желая, возможно, пострадать в противостоянии язычеству, не оказал ни малейшего сопротивления. Остальные же находились в некотором отдалении от капитана и просто не имели времени прийти на помощь несчастному: расстояние от капитана с паломником в руках до борта было по сути ничтожным. Они видели Вильгельма уже летящим через борт, ибо намерения капитана были написаны у него на лице и не составляли тайны. Видели Вильгельма зависшим над морской пучиной. Видели поглощенным ею – все, включая Арсения.

Но он видел это на мгновение раньше других, и едва капитан занес паломника Вильгельма над бортом, Арсений уже стоял перед ним. Он вцепился в паломника что было сил, не давая бросить его за борт. Бой за тело Вильгельма, который по-прежнему держался как сторонний наблюдатель, оказался краток. Капитан не был кровожадным человеком, и, когда мгновенная ярость схлынула, он отпустил паломника Вильгельма. В глубине своего сердца капитан не испытывал к паломнику зла.

Смотри-ка, любовь моя, в этот раз мне удалось опередить время, сказал Арсений Устине, а это показывает, что оно не всевластно. Я опередил время всего лишь на одно мгновение, но это мгновение стоило целой человеческой жизни.

Несколько успокоившись, капитан предложил бранденбургским паломникам сойти на берег и вместе отправиться к лабиринту, который, по его словам, существовал до сих пор. Паломники отказались, считая это напрасной тратой времени, но среди стоявших на палубе нашелся человек, брат Жан из Безансона, который существование лабиринта подтвердил.

Некоторое время назад, будучи на Крите, он с другими монахами там даже побывал. По словам брата Жана, трудности в лабиринте создавала не столько запутанность его пещер, сколько темнота, так что, когда свечу одного из братьев затушил пролетавший нетопырь, брат тут же заблудился. Его не могли найти три дня, и только благодаря местному населению, более или менее освоившемуся в лабиринте, брат был в конце концов обнаружен мучимый гладом, жаждой и временным помешательством, которое, ввиду хорошего ухода, впоследствии, однако, прошло. Сам же лабиринт не произвел на брата Жана особого впечатления и напомнил ему заброшенные каменоломни.

Тогда капитан снова повторил свое предложение бранденбургским паломникам, но они снова его отвергли. Паломники заявили, что каменоломен они видели сколько угодно, ибо жизнь только и делала, что сталкивала их с каменоломнями, но нигде еще добывание камня не сопровождалось подобным количеством басен.

По приезде на Крит корабль покинули пехотинцы. На пристани их встречали женщины, числом не менее ста двадцати.

Не те ли это женщины, что провожали их в Венеции, спросил Амброджо.

Да, они очень похожи, ответил Арсений, но это другие женщины. Совсем другие. Как раз

в Венеции я подумал о том, что повторения на
свете нет: существует только подобие.

К2̅

За Критом был Кипр. На Кипр прибыли поздно
вечером и на берег не сходили. Видели очертания горного хребта и верхушки кипарисов. Слышали пение неизвестных птиц, причем одна из
них сидела на мачте. Птице нравилось петь покачиваясь.

Кто ты, птица, спросил ее в шутку капитан.

Не давала ответа, пела о своем. Кратко преры-
валась, только чтобы почистить перья. Наблюдала сверху, как пополняли запас воды и продоволь-
ствия. Когда очертания гор стали светлеть, *Святой Марк* отчалил.

Уже с утра стояла сильная жара. О том, что будет днем, путешествующим не хотелось и думать.
Надеясь, что в море будет прохладнее, капитан
поторопил отплытие. Чтобы подбодрить раскисших от жары пассажиров, он делился с ними ес-
тественно-научными сведениями, которыми рас-
полагал в большом количестве. Глядя на пылаю-
щее в небесах солнце, капитан рассказал о водах,
омывающих атмосферу и остужающих светила.
В том, что эти воды были солеными, он не сомневался. По его представлениям, речь шла о самом
обычном море, в силу определенных причин рас-
положенном над небесной твердью. Иначе почему же, спрашивал капитан, в недавнее время люди в Англии, выйдя из церкви, обнаружили
якорь, спущенный на веревке с небес, после чего

сверху донеслись голоса моряков, пытавшихся поднять якорь, и когда наконец какой-то моряк спустился по якорной веревке, он умер, едва достигнув земли, словно бы утонул в воде? Неясность состояла лишь в том, соединяются ли воды, находящиеся над твердью, с водами, по которым плаваем мы. От ответа на этот вопрос зависела, если угодно, безопасность дальнего плавания, потому что, поднявшись по неведению на верхнее море, капитан (он вытер выступивший на лбу пот) уже никому не мог дать гарантии, что ему вновь удастся опустить корабль на море нижнее.

Но опасность в то утро находилась гораздо ближе. Она располагалась под небесной твердью и исходила от того моря, по которому капитан много лет водил *Святого Марка*. После полудня жара сменилась духотой. Ветер стих, и паруса на мачтах обвисли. Солнце скрылось в мареве. Потеряв в яркости, оно расползлось по небу огромной бесформенной массой. На горизонте возникли свинцовые тучи, которые стали стремительно приближаться. С востока шел шторм.

Капитан приказал убрать паруса. Он надеялся, что шторм пройдет стороной, но понимал, что в последнее мгновение убрать паруса не успеет. Похоже, тучи и в самом деле шли не на корабль, все больше уклоняясь на юг. И хотя поднялся ветер и на гребнях волн появились барашки, сам шторм разыгрывался довольно далеко по правому борту. Там, на полпути между кораблем и горизонтом, свинцовые тучи пустили в море свинцовые же лучи, и соединение вод, о котором говорил капитан, осуществилось. На черно-синем фоне то и дело появлялись молнии, но грома слышно не было, и это означало, что они были действительно далеки. Слева по борту с небес все еще лился свет. *Святой Марк* стоял на самой границе шторма.

От возникшей качки Арсений почувствовал тошноту. Сделал несколько глотательных движений. Перегнувшись за борт, безучастно наблюдал за струйкой жидкости, тянущейся из его горла. Струйка терялась внизу, где неистовствовала морская вода. Где пенилась и ходила водоворотами. Играла напрягшимися мышцами волн. Огромную массу воды он ощутил и сзади. Даже не видя ее, внимал ее медленному полету, как спиной внимают приближению убийцы. Это была первая большая волна, взвившаяся (Амброджо поднял голову) у кормы. Она застыла (Амброджо попытался сделать шаг к Арсению) над палубой и опустилась (Амброджо попытался крикнуть) на спину Арсения, легко оторвав его от перил и увлекая вниз.

Амброджо склоняется над перилами. Там, внизу, ничего кроме воды. Сквозь воду постепенно проступает лицо Арсения. Распустившись в воде, волосы его светятся волнующимся нимбом. Арсений смотрит на Амброджо. К Амброджо бегут капитан и несколько матросов. Амброджо садится верхом на перила, перекидывает вторую ногу и отталкивается. На лету заглатывает воздух. Арсений смотрит на Амброджо. Капитан и матросы всё еще бегут. Амброджо накрывает волной. Он выплывает на поверхность и снова заглатывает воздух. Арсения не видно. Амброджо ныряет. Из свинцовых глубин навстречу ему медленно поднимается мысль, что море велико и ему не найти Арсения. Что он найдет его, только если утонет. Только тогда у него будет время искать. От этой мысли его отпускает страх утонуть. Страх сковывал его движения. Амброджо поднимается на поверхность и вдыхает. Ныряет. Рукой ощущает склизкую поверхность борта. Вдыхает. Ныряет. Касается рукой руки Арсения. Цепляется за нее что есть силы. Выныривает и поднимает голову Арсения над водой. Сверху им бросают бревно на канате. Арсений хватается за бревно, и его начинают тащить вверх. Арсений срывается. Амброджо помогает ему снова схватить бревно. Бревно выскальзывает из рук Арсения. С борта бросают бревно, привязанное к веревочной лестнице. Лестницу Амброджо надевает на ноги Арсения на манер качелей. Арсений хватается за веревки. Амброджо охватывает Арсения одной рукой, другой держится за лестницу. Десять пар рук тянут их наверх. Они раскачиваются над водой. Если их ударит о борт, они разобьются (они уже не боятся). Грустные глаза матросов. От борта откатывает волна (остатки воды стекают с обнажившихся водорослей и ракушек), и с ней уходит все море. Лестница зависает над возникшей пропастью. Следующая волна поглощает борт целиком, доходя Амброджо и Арсению до пояса. Полнеба все еще свободно от туч. Их вытаскивают на палубу.

Море волновалось, но это был еще не шторм. Шторм, первоначально уйдя на юг, очевидным образом менял свой курс. Капитан молча следил за тем, как свинцовая стена двинулась в сторону *Святого Марка*. Это движение было медленным, но неуклонным. Светлая часть неба становилась все меньше, а дальние вспышки молний начали сопровождаться громом.

Стало темно. Не так темно, как ночью, потому что в ночной темноте есть свое спокойствие. Это был тревожный мрак, пожравший свет вопреки установленной смене дня и ночи. Он не был однородным, он клубился, сгущаясь и растворяясь в зависимости от плотности туч, и граница его была у самого горизонта, где все еще светилась тонкая лента неба.

Арсения и Амброджо повели в трюм. Перед тем как спуститься, Арсений обернулся. Словно заметив его движение, ударила молния, и раздался гром, какого он еще никогда не слышал. С этим звуком раскалывалась небесная твердь, и трещина пролегала по корнеобразной, с бесчисленными ответвлениями, линии молнии. Из трещины изверглась вода. Возможно, это была вода верхнего моря.

Морская вода извергалась и из Арсения – пока не вышла вся. Его и Амброджо выбросило из гамаков и катало по полу. Оба находились в полузабытьи. Свеча, опрокинувшись, погасла. Арсения выворачивало наизнанку, но выходить из него было уже нечему, и теперь шла только желчь. Он подумал, что, если корабль утонет, его по крайней мере перестанет рвать. Там, внизу, его охватит холодное спокойствие моря.

В трюме Арсению было темно и душно. Два бедствия соединялись и усугубляли друг друга. Темная духота. Душная темнота. Они были одной неделимой сущностью. Арсению показалось, что он умирает. Что он сейчас же умрет, если не глотнет воздуха. Невидимый для Амброджо, он нашел на ощупь дверь, ведущую к лестнице на палубу. Толкнул дверь. Поскользнулся на лестнице. Полз по ней на четвереньках. Соскальзывал и снова полз. Его било о поручни. Дополз до двери на палубу и открыл ее. Его обожгло ураганом.

Он закричал, ужаснувшись увиденному, и не услышал своего крика. Ужаснула не грозящая смерть, но величие стихии. Ураган вырвал крик Арсения из его уст и мгновенно отнес за сотню миль. Этот крик смог прозвучать лишь там, где еще оставалась лента чистого неба. Но эта узкая лента была уже розовой, из чего стало ясно, что спускается ночь и последняя полоска неба исчезнет. И Арсений снова закричал, потому что наступающий всеобщий мрак нес с собой безнадежность.

Волны били в борт, и все сущее на судне сотрясалось, и после всякого удара Арсений удивлялся, что оно еще цело. Огромные волны то подпирали судно, то уходили из-под него. Оно заваливалось на борт, неуклюже, боком кланяясь волнам, едва не касаясь их верхушками мачт. Крутилось в водоворотах, подпрыгивало и ныряло.

Арсений все еще стоял в дверях. Мимо него по палубе пробирались два матроса. Двигались полусогнутыми, широко расставив ноги. Разведя руки, словно для объятий. Они тащили какой-то канат от мачты к борту, пытаясь его натянуть, и сами были привязаны к мачте канатами. То и дело скользили и падали на колени. Их непонятная Арсению работа была похожа то ли на танец, то ли на моление. Может быть, они и в самом деле молились.

Арсений увидел, как по левому борту шел огромный пенистый вал. Несмотря на темноту, вал был хорошо виден, и гребень его переливался в непонятно откуда идущем свете. Это мерцание и было самым страшным. Вал был гораздо выше палубы. В сравнении с валом корабль казался маленьким, почти игрушечным. Арсений беззвучно крикнул матросам, чтобы спасались, но они продолжали свое странное движение. Надвинутые капюшоны уподобляли их удивительным существам из *Александрии*. И канаты тянулись за ними, как хвосты.

Волна не ударила в корабль, она просто подмяла его под себя и прокатилась по нему. Арсения сбросило вниз, и он уже не увидел, что творилось на палубе. Придя в себя, он попытался вновь подняться к выходу наверх. В дверях стоял капитан. Он молился. Палуба была пуста. Из того, что Арсений прежде видел с этого места, не хватало многого. Пушки, перил, мачты. Не хватало двух матросов, тянувших канат. Арсений хотел спросить у капитана, удалось ли им спастись, но не спросил. Капитан почувствовал его присутствие и обернулся. Что-то прокричал Арсению. Арсений не расслышал слов. Капитан наклонился к самому уху Арсения и крикнул:

Ты видел святого Германа?

Арсений отрицательно покачал головой.

А я видел. Капитан прижал голову Арсения к своей. Верю, что его молитвами спасемся.

Шторм не то чтобы стихал – он перестал усиливаться. Корабль все еще бросало из стороны в сторону, но было уже не так страшно. Оттого, может быть, что с приходом ночи исчез последний свет и не стало видно огромных волн. Теперь корабль уже не противостоял стихии – он был ее частью.

К3

Когда наутро Арсений вышел на палубу, в безоблачном небе светило солнце. Дул легкий ветер. Две мачты из трех были сломаны, а все, что находилось на палубе, смыто или искорежено. Матросы и паломники пели поминальную молитву. Их руки и лица были в ссадинах.

Арсений не увидел нескольких знакомых ему лиц. Он не знал имен погибших матросов и едва ли слышал от них при жизни больше одной-двух фраз, простого приветствия, но их отсутствие было зияющим. Он понял, что отныне будет лишен их приветствия навсегда.

Навсегда, прошептал Арсений.

Он вспомнил их последние танцующие движения. Он представил матросов плывущими сейчас в морской воде. В той толще воды, которая делала их недоступными для любых штормов.

После молитвы капитан сказал собравшимся на палубе:

Этой ночью я видел святого Германа семь раз. Он являлся, как обычно, в виде свечного пламени, которое при желании можно определить и как ясную звезду. Пламя то яркое, то приглушенное, размером в полмачты, всегда на возвышении. Если хочешь его, к примеру, взять, то оно уходит, если же неподвижно читаешь *Отче наш*, пребывает на месте около четверти часа, полчаса максимум, и после его появления всякий раз ветер становится тише, а волны меньше. Когда же корабли идут караваном, то сохранится тот корабль, которому святой Герман явился, а кто его не видел – утонет или разобьется. Если же явятся две свечи, что бывает редко, то корабль непременно погибнет, ибо две свечи суть не явление святого, но привидение.

Это оттого, сказал паломник Вильгельм, что бесы никогда не являются в единственном образе, но всегда во множестве.

Все Божественное и истинное единственно, сказал паломник Фридрих, все бесовское и поддельное множественно.

Бранденбургские паломники больше не спорили с капитаном, и он был этому рад.

Амброджо задумчиво смотрел на север. Он видел шторм в Белом море 1 октября 1865 года. Пароход Соловецкого монастыря *Вера* шел с острова Анзер на остров Большой Соловецкий. Он вез паломников из Верхнего Волочка. С бортов сорвало шлюпки, а в трюме поломалась помпа, откачивавшая воду. Корабль швыряло как щепку. Паломников тошнило. Шторм был удивителен тем, что происходил в условиях полной видимости. Дул ураганный ветер, но ни туч, ни дождя не было. И по правому борту просматривался мерцающей белой точкой Большой Соловецкий остров. Один из паломников спросил капитана:

Почему мы не идем прямо на остров?

Не отрываясь от рулевого колеса, капитан показал, что говорящего не слышно.

Почему мы уходим от острова вместо того, чтобы идти к нему, закричал паломник в самое ухо капитану.

Потому что мы идем галсами, ответил капитан. Иначе нас разобьет боковой волной.

Длинная борода капитана *Веры* развевалась на ветру.

Команда, состоявшая из соловецких монахов, была спокойна. Это было спокойствие тех, кто даже не умеет плавать. Моряки Белого моря обычно не умеют плавать. Да это им и не нужно. Вода Белого моря столь холодна, что более нескольких минут в ней не выдерживают.

Капитан *Святого Марка* смахнул слезу, потому что безмерно скорбел о погибших мореходах. Капитан возблагодарил Бога и святого Германа за то, что остался жив. Он стоял на залитой солнцем палубе, любуясь длиной и резкостью утренней тени. Вдыхал запах высыхающего дерева. Ему хотелось упасть на доски палубы, лежать и ощущать щекой их шершавость, но он этого не сделал. Как капитан он должен был владеть своими чувствами. Капитан вообще не должен быть сентиментальным, думал он, иначе команда взбунтуется. Он принял решение вести корабль к ближайшему берегу на единственном сохранившемся парусе. Другого выбора у капитана не было. Через день тихого хода, весь в позолоте вечернего солнца, *Святой Марк* подошел к порту Иоппии.

КИ

Это был Восток. Тот Восток, о котором Арсений много слышал, но сколько-нибудь четкого представления не имел. В Пскове он видел товары с Востока. В Пскове он видел даже восточных людей, но там эти люди приспосабливались к северно-русскому образу жизни, неброскому и негромкому. В Пскове восточные люди были кротки и опрятны. Говорили тихими голосами и загадочно улыбались. Их сопровождал запах нерусских трав и благовоний. В Иоппии они оказались совсем другими.

Обступившие путешественников иоппийцы, преимущественно арабы, были шумны, гортанны и многоруки. Они то и дело хватали приехавших за одежду, пытаясь привлечь к себе их внимание. Распахивая дырявый халат, били себя в грудь. Засаленными рукавами вытирали потные лбы и шеи.

Чего хотят эти люди, спросил Арсений у Амброджо.

Амброджо пожал плечами:

Думаю, того же, что и все остальные, – денег.

Один из арабов подвел к Арсению верблюда и попытался вложить ему в руку верблюжий повод. Обеими руками он сжимал пальцы Арсения, но повод все выскальзывал, потому что Арсений его не держал. Араб на пальцах показывал цену верблюда. С каждым поднятием руки количество пальцев уменьшалось. Арсений смотрел на удивительное животное, а оно смотрело на Арсения – откуда-то сверху. Какой же у этого создания надменный взгляд, подумал Арсений. Араб ударил себя в грудь и, вложив, наконец, повод в руку Арсения, сделал вид, что уходит.

Арсений зачем-то потянул за повод, и верблюд задумчиво на него посмотрел. По своему характеру он был противоположностью хозяина, порядком его, похоже, утомлявшего. Неожиданное исчезновение араба животное восприняло как благо и в сторону ушедшего не смотрело. Увидев движение Арсениевой руки, рядом с верблюдом вновь возник араб и вновь показал его цену. Все загнутые прежде пальцы вернулись на свое место. Арсений улыбнулся. Араб подумал и тоже улыбнулся. Показал зубы и верблюд. Несмотря на непростые условия жизни, все они умели найти повод для улыбки.

Жизнь Иоппии была действительно непростой. Город, два века назад превращенный мамлюками в груду развалин, так и не смог возродиться. Он вел призрачное, почти потустороннее существование за счет немногочисленных судов, в силу тех или иных причин причаливавших к остаткам его порта. Нет, Иоппия не была мертвым городом. Проведя в нем два дня, Арсений и Амброджо отметили, что по вечерам и здесь протекала жизнь, в которой были свои события и страсти. Они также обнаружили, что жителям Иоппии, столь поразившим их своей активностью в первый вечер, не была чужда и созерцательность.

Именно она определяла жизнь иоппийцев в дневные часы. Знойный день эти люди проводили в двориках глиняных домов, ловя размякшими телами слабый морской ветер. Они лежали на разбитых портовых парапетах и следили за тем, как в бухту входили рыбацкие лодки и (гораздо реже) корабли. Иногда помогали их разгружать. Но только вечером жители Иоппии были по-настоящему деятельны и подвижны. Накопленные за день силы и тепло они выплескивали друг на друга и на приезжих. Все продажи, обмены, договоры и убийства совершались в течение двух часов, предшествующих закату.

В предзакатное время следующего дня Арсению, Амброджо и другим паломникам удалось договориться с арабами о дороге в Иерусалим. За полдуката путешествующим предлагалось нанять по их выбору верблюда или осла. Многие, включая Арсения и Амброджо, хотели идти пешком, но им сказали, что так они отстанут от каравана.

Обычно караван двигается медленно, сказал Амброджо арабам через толмача.

Обычно, но не сейчас, ответили арабы. Ты даже оглянуться не успеешь, как будешь на месте.

Было понятно, что предложение о найме ослов и верблюдов обсуждению не подлежит. Помня о двух ослах брата Гуго, Арсений и Амброджо выбрали верблюдов. Фридрих же и Вильгельм решили ехать на ослах.

До отправления каравана еще оставалось время, но паломники не стали возвращаться в город и остались в порту. Некоторые спали, привалясь к разогретым за день камням. Иные беседовали или чинили прохудившуюся за время странствий одежду. Достав лампаду, Амброджо вставлял в нее адаманты. Он был уже на Святой земле и решил вернуть лампаде ее изначальную красоту. Клал каждый из шести камней на дно выемки и прижимал его шипами, как показывал ему посадник Гавриил.

За работой Амброджо безмолвно наблюдали арабы, нанятые паломниками для защиты карава-

на. За охрану потребовали с каждого по полтора
дуката, что паломникам показалось очень дорого, потому что путь до Иерусалима был не так уж
далек.

Путь недалек, но опасен, возразили арабы.
Здесь повсюду таится смерть. А за жизнь надо
платить.

$$\overline{K\Theta}$$

На верблюда садятся не так, как на лошадь. Помогая сесть Арсению, араб заставил верблюда опус-
титься на колени. Арсений удивился способности
животного стоять на коленях и разместился между двух горбов. Когда верблюд вставал, Арсений
чуть не слетел на землю. Первыми у верблюда
распрямляются задние ноги, отчего всадника
бросает вперед. Встав, верблюд грустно посмотрел на Арсения. Отчего он грустил и что предчув-
ствовал?

Караван тронулся на рассвете. Вопреки обеща-
ниям арабов, он шел не торопясь. Лица паломников отражали все краски светлеющей пустыни.
Солнце поднималось неправдоподобно быстро,
и с той же скоростью прохлада сменялась жарой.
Лица паломников покрывались пóтом и пылью
из-под копыт арабских лошадей, шедших впереди каравана.

Через два часа пути арабы потребовали приба-
вить им еще по дукату с человека. Они объяснили
это тем, что видели вдали отряд мамлюков, а за-
щита от мамлюков стоила особых денег. Пока
с ними торговались, один из арабов ускакал впе-

ред, сказав, что проверит дорогу. Арабам прибавили еще по дукату.

Время от времени арабы отставали от каравана и о чем-то совещались. Поведение их вкупе с виденным ими отрядом мамлюков обеспокоило бранденбургских паломников, и они стали настаивать на возвращении в Иоппию. Возвращаться арабы отказались, что же касается мамлюков, то они поспешили признать их миражом, который нередко преследует путешествующих в пустыне. Тогда бранденбургские паломники, а вслед за ними и другие стали требовать назад данные сопровождающим дополнительные дукаты, но вернуть их арабы тоже отказались.

У меня какое-то тяжелое чувство, сказал Амброджо, но ничего определенного о нашем будущем сказать не могу, ибо его события лежат слишком близко. Легкого пути ждать не следовало, нам ведь этого никто не обещал, да его не было и прежде. Мы приближаемся к святому городу, и сопротивление нашему приближению утраивается.

Было бы обидно не войти в город, находясь в полудне пути от него, сказал паломник Фридрих.

Моисею было дано увидеть Землю обетованную издали, но не дано было войти в нее, возразил паломник Вильгельм.

Разве кто-то из нас похож на Моисея, спросил паломник Фридрих.

Всякий ищущий Землю обетованную похож на Моисея, сказал Амброджо. Так ли, брат Арсений?

Арсений молча смотрел на Амброджо, и ему казалось, что голова Амброджо приподнялась над его телом. Голова все еще говорила, но телу явным образом уже не принадлежала. Тело Амброджо облекла мутная пелена. Вначале оно стало полупрозрачным, а затем растворилось совершенно. Тела других еще проступали сквозь муть, но их грядущее было неочевидно. Они тоже начинали колебаться, понемногу обнаруживая, подобно телу Амброджо, свои прозрачные свойства. Арсений боялся, что сейчас потеряет сознание. Но он его сохранил.

Движение каравана стало еще медленнее. Порывы горячего ветра швыряли в глаза едущим песок. Верблюды то и дело останавливались пожевать колючку, а ослы останавливались без видимой причины. Небо теперь было таким же желтым, как земля, потому что все его пространство заняло солнце. От солнца и песка слезились глаза, но слезы высыхали на ресницах, не успевая упасть на щеки. Вот почему за сгусток солнца и песка паломники приняли отряд мамлюков.

Вначале он был и вправду неотличим от солнечного блика или песчаного вихря и перемещался, казалось, так же беспорядочно. Но так только казалось. Этот вихрь несло прямо на караван. Египетские хозяева Палестины скакали во весь опор и, похоже, знали, чего ищут. Когда мамлюки приблизились, паломники заметили среди них араба, отправлявшегося проверить дорогу. Всадники окружили караван.

Мамлюки были одеты в подбитые ватой красные халаты, на головах их возвышались желтые тюрбаны. Это спасало мамлюков от солнечных лучей, но очевидным образом не спасало от жары. Несвежий запах их халатов чувствовался даже на открытом воздухе. Этот смрад вдыхали окруженные мамлюками паломники. Арабы же сгрудились поодаль и, улыбаясь, следили за происходящим. Они не предпринимали ни малейшей попытки вмешаться.

Предводитель мамлюков – его выделял расшитый золотом пояс – приказал всем паломникам спешиться. Сразу же это смогли сделать лишь те, кто ехал на ослах, с остальными все оказалось не так просто. Брат Жан из Безансона, сидевший на верблюде, попытался слезть на землю, но это у него не получилось. Он висел, держась за верблюжий горб. Прыгать брат Жан боялся, и ноги его беспомощно покачивались в воздухе. Мамлюки и арабы громко смеялись. Один из мамлюков ударил монаха плетью по рукам, и тот свалился на землю. От неожиданности верблюд заревел. Он забил передними ногами и попал копытом по голове лежавшего на земле брата Жана. Это вызвало новый взрыв хохота. Лишь предводитель мамлюков едва заметно улыбался. Смеяться в полный рот ему, возможно, не позволяло положение. Брат Жан, как пьяный, шарил руками в пыли. Его седые волосы быстро пропитывались кровью.

К верблюдам подошли их хозяева. Они постукивали верблюдов палками по ногам, и те опускались на колени. Паломники не без труда слезали с верблюдов, разминая онемевшие ноги. Арсений подошел было к брату Жану, но его отшвырнули ударом кулака. Арсений почувствовал, как у него носом пошла кровь. Оглушенный монах продолжал свои странные движения. Пытаясь подняться, он напоминал упавшего на спину жука. Гарцующих всадников он по-настоящему забавлял, и прекращать развлечение не было позволено никому.

Арсений посмотрел на главного мамлюка, и ему стало страшно. Улыбка мамлюка перешла в гримасу. Эта гримаса не выражала ни смеха, ни ненависти, ни даже презрения. В такт вздувшейся жиле на виске в ней пульсировала необузданная страсть охотника к своей жертве. Даже будучи сытой, кошка бросается на птицу с перебитым крылом, потому что так устроена кошка и все предыдущие ее поколения, потому что птица ведет себя как жертва, а сладость расправы над жертвой у охотника сильнее голода и требовательнее похоти.

Со сладострастным воплем главный мамлюк взмахнул рукой, и в груди брата Жана закачалось копье. Брат Жан схватился за копье, чтобы оно не качалось и не взламывало ему ребра, и вместе с копьем перевернулся на бок. Он тоже закричал, и этот крик довел мамлюка до экстаза. Мамлюк протянул руку, и ему подали новое копье, и он метнул его с новым криком, и попал брату Жану в бок. Монах закричал и забился в пыли, и мамлюк опять протянул руку, и опять метнул копье, и попал ему в спину. На этот раз брат Жан не закричал. Он дернулся и испустил дух. И Арсению показалось, что лицом убиенного было лицо Амброджо.

Паломников начали обыскивать. После гибели брата Жана протестовать никто не осмеливался. Мамлюки разбились на пары и отводили паломников в сторону по одному. Обысканным было велено переходить в начало каравана.

В том, как мамлюки подходили к делу, чувствовались привычка и опыт. Сначала рылись в сумках, затем переходили к телесному досмотру. Мамлюки хорошо знали, где хранятся монеты. Они вспарывали подкладки и двойные донья сумок, отворачивали обшлага рукавов и отрывали подошвы сапог. Деньги в Средневековье не были бумажными, и спрятать их было очень непросто.

Наступила очередь Арсения. У него мамлюки отобрали только деньги, которые были вырезаны из подкладки одним движением ножа. То, что лежало в дорожном мешке, их не заинтересовало. Арсению показали, чтобы он со своим верблюдом прошел вперед. Арсений не двинулся с места, потому что увидел на земле отрубленную голову Амброджо. Глаза головы пристально смотрели на Арсения. В полуоткрытом рту виднелся язык. Из ноздрей сочилась кровь. Арсения подтолкнули вперед пинком. Арсений сделал несколько деревянных шагов. Он шел вперед, продолжая глядеть назад. Не в силах оторвать взгляда от головы Амброджо.

Освободившаяся пара мамлюков отвела Амброджо в сторону. Они заставили его поднять руки и обыскали. (Арсений оттолкнул сопровождавшего его мамлюка и сделал первый шаг по направлению к Амброджо.) Амброджо спокойно наблюдал за тем, как из его кафтана вырезáли золотые монеты. Его дорожный мешок, как и мешок Арсения, проверили без особой тщательности. Амброджо уже было отпустили, но подошедший араб, обменявшись взглядами с мамлюком, кивнул на дорожный мешок.

Из мешка Амброджо мамлюк вынул лампаду. На полдневном солнце она сияла всеми вставленными камнями. Амброджо выхватил лампаду у мамлюка и что-то сказал толмачу. (Стряхивая оплетавшие его руки, Арсений двигался по направлению к Амброджо.) Толмач переводил, следя за игрой лучей на камнях. Мамлюк снова потянулся за лампадой, но Амброджо отвел свою руку, не давая тому коснуться лампады. Амброджо не видел, как сзади подъехал мамлюк в расшитом поясе, как поднял меч, а в ногу мамлюка что было сил вцепился Арсений.

Амброджо видел, как в Петербурге на колокольню Петропавловского собора медленно опускался ангел с крестом. На мгновение ангел завис, выверяя точность приземления, а затем медленно погрузил основание креста в золоченое яблоко на шпиле. На прежнее место ангел возвращался после реставрационных работ. Создавая нисходящий воздушный поток, над ним распростер свои лопасти вертолет Ми-8. В этих непростых условиях промышленный альпинист Альберт Михайлович Тюнккюнен фиксировал основание креста болтами из особо прочного сплава. Длинные волосы альпиниста метались в разные стороны, попадали ему в глаза и рот. Тюнккюнен сожалел, что, спускаясь на купол с ангелом, позабыл в вертолете спортивную шапочку, которую всегда надевал, монтируя что-либо под винтокрылой машиной. В раздражении он корил себя за забывчивость, корил и за длинные волосы, которые в поднебесье всякий раз обещал себе постричь, и всякий раз нарушал это обещание на земле, втайне своими волосами гордясь.

Он искренне ругал сам себя, не переходя, впрочем, в выражениях определенной грани, ибо его сдерживало присутствие ангела. Несмотря на все помехи, с высоты 122 метров Альберту Михайловичу было видно многое – Заячий остров, Петербург и даже страна в целом. Ему было видно и то, как в далекой Палестине не позолоченный, а вполне реальный ангел возносил к небу душу итальянца Амброджо Флеккиа.

КНИГА
ПОКОЯ

а

Принято считать, что на Русь Арсений вернулся в середине восьмидесятых годов. Точно известно, что в октябре 1487 года он был уже в Пскове, поскольку тогда начался пережитый им великий мор. К возвращению Арсения в Псков некоторые успели его забыть. Так случилось не потому, что прошло много времени (его прошло не так уж много), а вследствие того, что память человеческая слаба и удерживает в себе только родных. Неродные же (таковым был для всех Арсений) в ней чаще всего не остаются. Ушедшего теряют из виду и обычно уже не воскрешают его образ своими силами. В лучшем случае припомнят, увидев на фотографии. Но в Средневековье не было фотографий, и забвение становилось окончательным.

Многие жители Пскова не припомнили Арсения, даже увидев его, потому что не узнали. Вернувшийся человек не был похож ни на пришедшего в город юродивого, ни на покинувшего город паломника. Арсений изменился. В сочетании с темным, не по-русски загорелым лицом его светлые волосы стали еще светлее. Сначала могло показаться, что они выгорели на жарком солнце Востока, но при ближайшем рассмотрении становилось ясно, что волосы Арсения больше не были светлыми – они были белы.

Арсений вернулся седым. Над переносицей через весь лоб тянулся шрам, который смотрелся как глубокая горькая морщина. Вкупе с появившимися у Арсения настоящими морщинами шрам придавал его лицу выражение скорбного бесстрастия иконы. И может быть, не седина, не шрам, а это выражение не давало псковским людям узнать Арсения.

Вернувшись, он никому ничего не рассказывал. Он вообще говорил очень мало. Не так, может быть, мало, как в бытность свою юродивым, но теперешние его слова звенели такой тишиной, какая не свойственна самому глубокому молчанию. Придя к посаднику Гавриилу, он сказал:

Мир ти, посадниче. А ты мя прости.

В глазах Арсения посадник Гавриил увидел всю его трудную дорогу. Увидел смерть Амброджо. И ни о чем его более не спросил. Обнял Арсения и заплакал у него на плече. Арсений стоял не шевелясь. Кожей шеи он чувствовал горячие слезы посадника, но глаза его оставались сухи.

Пребуди в дому моем, сказал посадник Гавриил.

Арсений склонил голову. Месту своего пребывания он придавал теперь мало значения.

Арсений хотел было пойти к юродивому Фоме, но Фомы к тому времени уже не было на свете. Вскоре после ухода Арсения Фома предсказал свою смерть и успел со всеми проститься. Изнемогая под грузом надвигающейся смерти, Фома нашел в себе силы совершить последний обход города и напоследок забросать камнями самых бесстыдных из бесов. И все знали, что Фома умирает, и весь город двинулся за ним, сопровождая его в последнем обходе. Ноги Фомы заплетались, и ему помогали их передвигать.

Тьма смертная обья мя, и отиде свет от очию моею, закричал, обойдя полгорода, Фома.

И поскольку он больше ничего не видел, камни вкладывали ему в руки, и он метал их в бесов из последних сил, и так обошел вторую половину города, потому что физическая слепота лишь обострила его духовное зрение.

Когда же город очистился, Фома сказал, возлегши на церковной паперти:

Неужели же вы думаете, что я изгнал их навеки? Ну, лет на пять, максимум – на десять. И что вы, спрашивается, будете делать дальше? А теперь пишите. Вас ждет великий мор, но вам поможет раб Божий Арсений, вернувшись из Иерусалима. А потом уйдет и Арсений, ибо ему понадобится покинуть град сей. Вот тогда-то вам придется проявить крепость духа и внутреннюю сосредоточенность. В конце концов, вы сами уже не дети.

Проследив, чтобы все было записано, юродивый Фома закрыл глаза и умер. Затем он открыл на мгновенье глаза и добавил:

Постскриптум. Пусть Арсений имеет в виду, что его ждет монастырь аввы Кирилла. Всё.

Сказав это, юродивый Фома умер окончательно.

В

Прочитав послание Фомы, Арсений впал в задумчивость. Семь дней и семь ночей он не покидал пристройки к дому посадника Гавриила, предоставленной ему для жилья. Может быть, он пребывал бы в ней и дольше, но на восьмой день его сидения по Пскову распространилось известие о море. Войдя к Арсению, посадник сказал:

Се сбыться реченное Фомою. Мы же уповаем на милость Господню и твой, Арсение, великий дар.

Коленопреклоненно Арсений стоял лицом к иконам и спиной к посаднику Гавриилу. Он молился, и было непонятно, услышал ли он сказанное посадником. Посадник постоял еще какое-то время, но слов своих повторять не стал, ибо догадался, что Арсений и так уже все знает. Осторожно, чтобы не скрипнуть половицами, посадник Гавриил вышел. Окончив на следующий день молитву, вышел и Арсений.

У крыльца его ждала толпа. Он обвел ее взглядом и ничего не сказал. Толпа тоже молчала. Она понимала, что говорить здесь ничего не требуется. Помня предсказание Фомы, толпа знала, что Арсений – единственный, кто способен помочь в пришедшей беде. Арсений же знал, что возможности его ограниченны, и толпа знала о его знании, и знание толпы передавалось Арсению. Они смотрели друг на друга до тех пор, пока у толпы не осталось неоправданных ожиданий, а у Арсения не исчез страх эти ожидания обмануть. Когда же это произошло, Арсений сошел с крыльца и двинулся навстречу мору.

Он обходил дом за домом и осматривал больных людей. Обрабатывал их бубоны и давал им толченой серы в яичном желтке, отмывал их тела от рвоты и прокуривал их жилища можжевеловой щепой. И даже обреченные не хотели отпускать его от себя, потому что, пока он находился рядом, им было не так тяжело и безнадежно. Они цеплялись за руку Арсения, и он не находил в себе силы освободиться от их рук, и просиживал с ними ночи напролет до самой их смерти.

Мне кажется, сказал Арсений Устине, что я вернулся на много лет назад. В руках моих те же гноящиеся тела и, веришь ли, любовь моя, едва ли не те же люди, которых я некогда лечил. Не пошло ли время вспять, или – поставим вопрос иначе – не возвращаюсь ли я сам к некой исходной точке? Если так, то не встречу ли я на этом пути тебя?

Руки Арсения быстро вспомнили забытую работу и теперь сами обрабатывали чумные язвы. Глядя на ловкие движения своих рук, он стал бояться, что действия их станут рутиной и спугнут ту удивительную силу, которая через них вливалась в больных, но к врачебному искусству прямого отношения уже не имела. Исцеляя людей, Арсений все чаще замечал, что именно с этой силой, а не толченой серой и желтком связано их выздоровление. Сера и желток не вредили, но, как стало казаться Арсению, существенно и не помогали. Важной была внутренняя работа Арсения, его способность сосредоточиться на молитве, одновременно растворяясь в больном. И если больной выздоравливал, это было его, Арсения, выздоровление.

Если же больной умирал, с ним умирал и Арсений. И ощутив себя живым, обливался слезами и стыдился того, что больной мертв, а он жив. К Арсению пришло понимание того, что виной смерти была не сила болезни, а слабость его молитвы. Он стал считать себя прямым виновником случившихся смертей и исповедовался ежедневно, иначе груз вины был бы для него непосилен. И к каждому следующему больному он входил как к первому, будто и не было до него сотен осмотренных им людей, и нес болящему свою удивительную силу нетронутой, ведь только это давало надежду на выздоровление.

Арсений боролся не только с болезнью, но и с человеческим страхом. Он ходил по городу и убеждал людей не бояться. Советуя соблюдать осторожность, Арсений предостерегал их от паники, которая губительна. Он напоминал им, что без воли Божией не упадет с головы человека и волос, и призывал не запираться в домах, забывая о помощи ближним. Многие забывали.

Первые недели мора Арсений думал, что не выдержит. Он падал с ног от усталости. Часто у него не хватало сил добраться до дому, и он оставался для краткого сна у больного. Спустя время Арсений с удивлением отметил, что ему стало чуть легче.

Похоже, я привыкаю к тому, к чему привыкнуть невозможно, сказал он Устине. Это лишний раз доказывает, любовь моя, что нет нехватки сил, а есть малодушие.

Арсений спал по два-три часа в сутки, но даже во сне не мог освободиться от окружавшего его горя. В цветных снах он видел опухших больных, и они просили его об исцелении, и он ничем не мог им помочь, потому что знал, что они уже умерли. И в снах его больше не было фантазий, это были правдивые сны – сны о бывшем. Время действительно возвращалось вспять. Оно не вмещало отведенных ему событий – так велики и пронзительны были эти события. Время расползалось по швам, как дорожная сумка странника, и теперь предъявляло страннику свое содержимое, и он рассматривал его как в первый раз.

Г

Вот я, Господи, и та моя жизнь, которую успел прожить, прежде чем пришел к Тебе, сказал Арсений у Гроба Господня. А также и та моя жизнь, которую по неизреченной благости Твоей еще могу прожить. Я ведь уже не чаял быть здесь, ибо перед самым градом Иерусалимом был ограблен и посечен мечом, а то, что я стою здесь пред Тобою, рассматриваю как великую Твою милость. Мы с незабвенным моим другом Амброджо везли Тебе лампаду в память о дочери псковского посадника Анне, яже в реце утопе. Ныне же руки мои пусты, и нет у меня лампады, и друга моего Амброджо тоже нет, и ряда иных, кого я встретил в пути, но тоже потерял по грехам моим. Зде помяну стражника Власия, иже положи живот свой за други своя. Грехи Власия я обещал ему исповедать пред Тобою, сам же он лежит в польской земле в ожидании всеобщего воскресения. Покой, Спасе наш, с праведными преждереченных раб Твоих и сих всели во дворы Твоя, якоже есть писано, презирая, яко благ, прегрешения их вольная и невольная и вся, яже в ведении и не в ведении, Человеколюбче. Обращаюсь к Тебе и с главным молением моей жизни, касающимся рабы Твоей Устины. Прошу не по праву мужа ее, ибо я ей не муж, хотя и мог бы им быть, не попадись в сети князя мира сего. Прошу по праву ее убийцы, поскольку мое преступление связало нас в веке сем и грядущем. Умертвив Устину, я лишил ее возможности раскрыть заложенное Тобою, развить это и заставить сиять Божественным светом. Я хотел отдать за нее свою жизнь, вернее же говоря – отдать *ей* свою жизнь за ту жизнь, которую отнял у нее. И я не мог этого сделать иначе как через смертный грех, а кому такая жизнь была бы нужна? И я решил отдать ее единственным доступным для меня способом. Я попытался, как мог, заменить Устину и творить от ее имени добрые дела, которые никогда бы не сумел сотворить от своего. Я понимал, что каждый человек незаменим, и не испытывал особых иллюзий, но как еще, скажи, я мог воплотить свое раскаяние? Беда лишь в том, что плоды трудов моих оказались так малы и нелепы, что ничего, кроме стыда, я не испытывал. И я не бросал этого только потому, что все остальное получилось бы у меня еще хуже. Я не уверен в своем пути, и оттого мне все труднее двигаться дальше. По неизвестной дороге можно идти долго, очень долго, но нельзя идти по ней бесконечно. Спасительна ли она для Устины? Если бы был мне хоть какой-то знак, хоть какая-то надежда... Знаешь, я ведь постоянно разговариваю с Устиной, рассказываю ей о том, что творится в мире, о своих впечатлениях, чтобы в любой момент она была, что называется, в курсе происходящего. Она мне не отвечает. Это не молчание непрощения, я знаю ее добросердечие, она бы не мучила меня столько лет. Скорее всего, у нее нет возможности мне ответить, а может быть, она просто щадит меня от дурных вестей, ведь, положа руку на сердце, мне ли рассчитывать на добрые вести? Я верю в то, что своей любовью могу спасти ее посмертно, но помимо веры мне нужна об этом хоть капля знания. Так подай же мне, Спасе, хоть какой-нибудь знак, чтобы мне знать, что путь мой не уклонился в безумие, а уж с таким знанием можно идти по самой трудной дороге, идти сколь угодно долго и более не чувствовать усталости.

Какого знака ты хочешь и какого знания, спросил старец, стоявший у Гроба Господня. Разве ты не знаешь, что всякий путь таит в себе опасность? Всякий – и если ты этого не осознаешь, так зачем же и двигаться? Вот ты говоришь, что тебе мало веры, ты хочешь еще и знания. Но знание не предполагает духовного усилия, знание очевидно. Усилие предполагает вера. Знание – покой, а вера – движение.

Но разве не к гармонии покоя стремились праведники, спросил Арсений.

Они шли через веру, ответил старец. И вера их была столь сильной, что превращалась в знание.

Я лишь хочу узнать общее направление пути, сказал Арсений. В том, что касается меня и Устины.

А разве Христос не общее направление, спросил старец. Какого же направления ты еще ищешь? Да и что ты понимаешь под путем – не те ли пространства, которые оставил за спиной? Со своими вопросами ты дошел до Иерусалима, хотя мог бы задавать их, скажем, и из Кириллова монастыря. Я не говорю, что странствия бесполезны: в них есть свой смысл. Не уподобляйся лишь любимому тобой Александру, имевшему путь, но не имевшему цели. И не увлекайся горизонтальным движением паче меры.

А чем увлекаться, спросил Арсений.

Движением вертикальным, ответил старец и показал вверх.

В центре храмового купола чернело круглое отверстие, оставленное для неба и звезд. Звезды просматривались, но вид их был поблекшим. Арсений понял, что светает.

Д

К февралю мор стал спадать. Конец зимы был столь холодным, что чума просто вымерзла. И хотя работы у Арсения стало ощутимо меньше, именно в феврале он почувствовал, что силы его на пределе. Месяцы борьбы с чумой Арсения совершенно измотали, а к этому добавилась и обычная предвесення слабость. Вставать по утрам ему становилось все тяжелее. Выходя проведать больных, он по дороге несколько раз садился отдыхать. Увидев изможденность Арсения, посадник Гавриил сказал:

Граждане Пскова, на ваши многочисленные исцеления он истратил все свои силы, так поберегите же его ради Бога.

К концу февраля случаи заболевания чумой совершенно прекратились. И когда у Арсения появилась возможность отдохнуть, он заснул. Он спал ровно полмесяца – пятнадцать дней и пятнадцать ночей. Арсений знал, что силы, розданные во время мора, он брал взаймы у своего будущего, и теперь восполнял растраченное. Иногда он просыпался, чтобы утолить жажду, но тут же снова засыпал, оттого что веки его не разлеплялись. Ему продолжал сниться Иерусалим, и путь в Палестину, и Амброджо – совершенно еще живой. На шестнадцатый день великий сон Арсения закончился, и он почувствовал, что силы постепенно к нему возвращаются.

Очнувшись, Арсений понял, что наступила весна. Он привык мерить годы веснами. В отличие от других времен года приход весны был наиболее ощутим и пронзителен. Обычно Арсений ждал ее появления, а сейчас проснулся посреди уже наступившей весны, как внезапно просыпаются погожим днем и видят, что солнце уже высоко, и рассматривают трепет его бликов на полу, и серебро паутины в луче, и плачут слезами благодарности. Арсению показалось было, что по запахам и общему состоянию воздуха эта весна была точь-в-точь такой, как когда-то в детстве, но он тут же себя одернул. Арсений был теперь совершенно другим, и оттого нынешняя весна не имела с его детской весной ничего общего. В отличие от той весны, нынешняя не заполняла уже всего мира. Она была его прекрасным цветком, но Арсений давно знал, что в этом саду имелись и другие растения.

Он шел по Пскову, и в такт его движению деревянно звучали мостовые. На деревьях надувались почки, а в воздухе летала первая после зимы пыль. Подойдя к Иоаннову монастырю, Арсений отыскал пролом в стене и проник на кладбище. Увидел свои деревья у стены и прослезился, потому что это были деревья прошлой и невозвратной жизни.

На кладбище Арсения уже ждала настоятельница с сестрами. Настоятельница сказала:

Пророчество Фомы обладает свойством необходимости. Это означает, что даже при желании его нельзя обойти. Так что тебе, человече, следует отправляться в Кириллов монастырь – и чем раньше, тем лучше.

В кремле посадник Гавриил только развел руками. Он помнил сказанное Фомой, но в глубине души рассчитывал на то, что Арсений пребудет в Пскове до предполагаемого конца света. Так ему было спокойнее. В целесообразности дальнейшего присутствия Арсения посадник уверен не был.

В принципе мы готовы его принять, сказали из Кириллова монастыря. Посаднику же Гавриилу передайте, чтобы не роптал и не вставлял отбывающему палки в колеса, если речь, конечно, идет не о пешем движении.

Кто же отправит его пешим после такового истощения, удивился посадник Гавриил. Уж наверное соорудим ему нечто отвечающее его заслугам перед градом Псковом и окрестностями.

Арсению хотели предложить повозку самого посадника, но он выбрал лошадь. Повозки служили по преимуществу слабым телом, а также женщинам и детям. Зная это, все понимали, что Арсений хотел ехать так, как подобает мужу. Даже не вполне еще здорового, никто не пытался уговорить его отказаться от поездки верхом. Посадник Гавриил настоял лишь на том, что даст Арсению сопровождение из пяти человек на случай непредвиденных обстоятельств. В то непростое время большинство обстоятельств были, в сущности, непредвиденными.

Провожать Арсения вышло едва ли не все население Пскова. Он был бледен, почти прозрачен, но в седле держался хорошо.

Дорога его окончательно вылечит, сказала настоятельница Иоаннова монастыря. Дорога – лучшее лекарство.

Обычно сдержанный, посадник Гавриил не скрывал слез. Он знал, что видит Арсения в последний раз. Из-за отъезда Арсения псковичам было немного страшно. Их успокаивало лишь то, что мор кончился и в город возвращалась привычная жизнь – если не навсегда, то по крайней мере на пять ближайших лет. Ввиду возможного конца света нового мора жители Пскова уже не ожидали.

є

В дороге Арсений действительно почувствовал себя лучше. С волнением полей и шумом лесов в него входило выздоровление. Пространства Русской земли были целебны. Тогда они еще не были бескрайни и не требовали сил, но давали их. Арсения радовала дробь копыт. Он не оглядывался на своих спутников и представлял, что, чуть отстав, за ним едет его бесценный друг Амброджо, а за тем – караван, а в караване все, с кем он когда-либо расстался.

Всадники ехали быстро. Не оттого, что куда-то спешили (Арсений ехал в вечность, так куда же ему было спешить?), просто быстрое движение отвечало внутреннему состоянию Арсения и поднимало его дух. Но быстрее всадников ехала великая слава Арсения. Она опережала их и выгоняла им навстречу толпы людей. Арсений спешивался. Он пытался выслушать всех, кто хотел к нему обратиться.

Многие ждали помощи в болезни. Арсений отводил их в сторону и внимательно осматривал. Он определял, в силах ли помочь этим людям. Если чувствовал, что в силах, то помогал. Если же помочь было нельзя, искал возможные слова ободрения. Он говорил:

Болезнь твоя превосходит мои силы, но милость Господня превыше сил человеческих. Молись и не отчаивайся.

Или:

Я знаю, что боли ты боишься сильнее, чем смерти. И я говорю тебе, что уход твой будет тих и ты не будешь терзаем болью.

Многие же задавали вопросы, не связанные с болезнями. Им просто хотелось поговорить с человеком, о котором они много слышали. Таковых Арсений касался рукой, не вступая с ними в беседы. И его прикосновение было глубже любых слов. Оно рождало ответ в голове самого вопрошавшего, ибо тот, кто задает вопрос, часто знает и ответ, хотя не всегда себе в этом признается.

Было, наконец, великое множество тех, кто ничего не лечил и ни о чем не спрашивал, поскольку в каждом народе большинство здорово и не имеет вопросов. Эти люди слышали, что само созерцание Арсения благодатно, и приходили его увидеть.

Дорожные встречи Арсения требовали времени и существенно удлиняли путь его шествия. Но Арсений не пытался ускорить свое движение.

Если я не выслушаю всех этих людей, сказал он Устине, путь мой не может считаться пройденным. Тебя, радость моя, спасут наши добрые дела, а их можно ли явить на самом себе? Нет, отвечаю, не можно, только на других людях, и слава Господу, что Он нам этих людей посылает.

О приезде Арсения становилось известно за несколько дней, и жители заранее решали, у кого он будет останавливаться. Эти люди исходили из наибольшего удобства Арсения, а также из надежды на собственное благополучие. Ведь вместе со славой Арсения разносилось и мнение, что пребывание его в чьем-либо доме сулило хозяину большое благо. Арсений же не всегда селился там, где ему предлагали, но, выбрав глазами человека из толпы, спрашивал у него:

А позволишь ли, друже, мне у тебя остановиться?

И жизнь избранного Арсением с того дня менялась – по крайней мере в глазах земляков. Арсений же ощущал, как менялась и его жизнь. Еще никогда он не испытывал такого прибавления силы. Несмотря на то, что он не жалел себя, помогая просящим, силы ему прибывало гораздо больше, чем он тратил. И он не уставал этому удивляться. Арсений чувствовал, что силу давали те сотни людей, с которыми он встречался. Он лишь передавал эту силу тем, кто в ней наиболее нуждался.

Путешественники проезжали через места, в которых Арсений бывал много лет назад, когда отправился из Белозерска в Псков. Он узнавал виденные прежде холмы, реки, церкви и дома. Ему казалось, что он узнает даже людей, хотя и не был в этом уверен до конца. Все-таки люди быстро меняются.

Арсений вспоминал скорбные события своей юности, но воспоминания его были теплы. Это были уже воспоминания о ком-то другом. Он давно подозревал, что время прерывисто и отдельные его части между собой не связаны, подобно тому, как не было никакой – кроме, может быть, имени – связи между белокурым мальчиком из Рукиной слободки и убеленным сединами путником, почти стариком. Собственно, по ходу жизни менялось и имя.

В одном из богатых домов Арсений увидел себя в венецианском зеркале: он и в самом деле был стариком. Это открытие поразило его. Арсению совершенно не жаль было молодости, да он и раньше чувствовал, что меняется. И все-таки взгляд в зеркало произвел на него сильное впечатление. Длинные седые волосы. Заострившиеся, вобравшие в себя глаза скулы. Он не думал, что изменения зашли так далеко.

Посмотри-ка, что из меня получилось, сказал он Устине. Кто мог подумать. Ты бы, любовь моя, меня таким не узнала. Я и сам себя не узнаю.

Арсений ехал и думал, что тело его уже не так гибко, как раньше. Не так неуязвимо. Теперь оно чувствовало боль не только после ударов, но и без них. Точнее, порой оно чувствовало себя, как будто после ударов. Напоминало о своем существовании нытьем то здесь, то там. А раньше Арсений о нем не помнил, ибо лечил чужие тела, заботясь о каждом из них как о сосуде, вмещающем дух.

Однажды по дороге в Кириллов монастырь он увидел тело, дух из которого уже почти вышел. Оно принадлежало глубокому старику, смотревшему на Арсения голубоглазо, но без выражения. Старика к нему привели родные, говоря, что тот слаб. Арсений вглядывался в голубые глаза долгожителя и удивлялся, что они не выцвели, в то время как в душе его выцвело уже все.

А хощеши ли жити, старче, спросил Арсений.

Хощю умрети, ответил старик.

Вот он умер давно, а тело его не отпускает, так что же вы держитесь за оболочку, сказал Арсений его родным. То, что вы в нем любили, уже не здесь.

Да оно, как говорится, и заметно, подтвердили родственники, нет в нем прежней душевности. Говоришь ему: многая лета, дедушка. А он: да катитесь вы... Такая жуткая метаморфоза. Но что же нам с ним делать тем не менее?

А ничего не делать, ответил Арсений. Все решится в пределах сорока дней.

Так и произошло. Старика не стало в тот день, когда Арсений прибыл в обитель святого Кирилла.

ẽ

Арсений подъезжал к монастырю под вечер, и встречало его множество народа. Увидев стены монастыря, Арсений вспомнил свою детскую поездку с Христофором. Вспомнил ночную телегу и негромкие разговоры слободских мужиков у него над головой. Он подумал, что от любившего его Христофора остались лишь кости. И ему стало радостно, что теперь он приблизился к этим костям. Арсений начинал чувствовать их родственное тепло. Он попытался представить себе лицо Христофора, но не смог.

Сойдя с коня, Арсений опустился на колени и поцеловал землю у монастырских врат.

После долгого путешествия я, любовь моя, вернулся домой, сказал Арсений Устине.

Твое путешествие только начинается, возразил старец Иннокентий. Просто теперь оно пойдет в другом направлении.

Арсений поднял голову и посмотрел на старца снизу вверх.

Мне кажется, я узнаю тебя, старче. Не с тобой ли мы беседовали в Иерусалиме?

Очень может быть, ответил старец Иннокентий.

Он взял Арсения за руку и ввел его в монастырские врата. В монастыре же старец сказал:

В монахи мы обычно постригаем лет через семь после прихода. Но твое, Арсение, житие нам известно, оно и доселе было иноческим, так что дополнительного испытания тебе вроде бы не требуется. Да и обстановка в целом, как ты знаешь, к долгому раскачиванию не располагает. И если нас действительно ждет конец света, лучше бы тебе его встретить постриженну. Хотя, может, еще и обойдется.

Старец подмигнул.

Сопровождавшая их толпа загудела. Вопрос о конце света волновал ее чрезвычайно. Она видела перед собой двух людей святой жизни и ждала от них разъяснений. Пришедшие знали, что Арсению дан дар исцеления, но не исключали, что он обладает и даром пророчества. В сущности, знание о конце света было для них важнее исцелений, потому что подтверждение близости светопреставления в их глазах сводило исцеления на нет.

Так когда же, спрашивается, конец света, закричала толпа. Нам это важно, простите за прямоту, и в отношении планирования работы, и в смысле спасения души. Мы многократно обращались в монастырь за уточнениями, но однозначного ответа не получали.

Старец Иннокентий обвел толпу строгим взглядом.

Не дело человеков знать времена и сроки, сказал он. Каких еще дат ждете вы, когда всякий христианин должен быть готов к концу ежечасно? Даже самые юные из здесь стоящих проживут не более лет семидесяти, ну, может быть, восьмидесяти. (Юные заплакали.) И никого из тех, кого здесь видите, через сто лет уже не будет. Велика ли эта отсрочка в сравнении с вечностью? Потому (старец посмотрел на юных) говорю вам: плачьте о своих грехах. Но главное – бодрствуйте и молитесь. И радуйтесь, что обрели еще одного молитвенника о душах ваших. И прощайтеся с Арсением, яко обретаете Амвросия.

После сказанного старец Иннокентий повел Арсения к игумену. По обычаю монашеское имя выбирали на ту же букву, с которой начиналось мирское. И Арсений уже знал, какое имя ему будет предложено, и любовался им в глубине своей души.

Мы выбираем тебе имя в память святителя Амвросия Медиоланского, сказал старец Иннокентий. И наслышаны – так уж оно всегда получается – о твоем преданном друге, произносившем это имя на иной лад. Пусть это имя в правильном произношении будет воспоминанием и о твоем друге. Сколько же жизней ты будешь проживать отныне одновременно?

По благословению архиерея игумен утвердил новое имя Арсения. Через семь дней строгого поста Арсений был пострижен.

З

Не ищи меня среди живых под именем Арсений, но ищи меня под именем Амвросий. Так сказал Амвросий Устине. Помнишь ли, любовь моя, мы говорили с тобой о времени? Здесь оно совершенно другое. Время более не движется вперед, но идет по кругу, потому что по кругу идут насыщающие его события. А события здесь, любовь моя, связаны преимущественно с богослужением. В первый и третий часы каждого дня мы поминаем суд Пилата над Господом нашим Иисусом Христом, в шестой час – Его крестный путь, а в девятый час – крестное страдание. И это составляет суточный богослужебный круг. Но каждый день недели, подобно человеку, имеет свое лицо и свое посвящение. Понедельник посвящен бесплотным силам, вторник – пророкам, среда и пятница – воспоминанию крестной смерти Иисуса, суббота – поминовению усопших, главный же день посвящен воскресению Господню. Все это, любовь моя, составляет седмичный богослужебный круг. А самый большой из кругов – годовой. Он определяется солнцем и луной, к которым, я надеюсь, ты ближе, чем все мы здесь. С движением солнца связаны двунадесятые праздники и дни памяти святых, луна же говорит нам о времени Пасхи и зависящих от нее праздников. Я хотел тебе сказать, сколько времени уже нахожусь в монастыре, но, знаешь, что-то не соберусь с мыслями. Я этого, кажется, уже и сам не понимаю. Время, любовь моя, здесь очень зыбко, потому что круг замкнут и равен вечности. Сейчас осень: это, пожалуй, единственное, что я могу сказать более или менее достоверно. Падают листья, над монастырем несутся тучи. Едва не цепляют за кресты.

Амвросий стоял на берегу озера, и ветер покрывал его лицо мелкими брызгами. Он смотрел, как вдоль стены к нему медленно приближался старец Иннокентий. Ноги старца скрывала мантия, и оттого не было видно его шагов, так что нельзя было даже сказать, что он шел. Он – приближался.

Монастырское время действительно смыкается с вечностью, сказал старец Иннокентий, но не равно ей. Путь живых, Амвросие, не может быть кру́гом. Путь живых, даже если они монахи, разомкнут, ведь без выхода из круга какая же, спрашивается, свобода воли? И даже когда мы воспроизводим события в молитве, мы не просто вспоминаем их. Мы переживаем эти события еще раз, а они еще раз происходят.

Сопровождаемый вихрем желтых листьев старец прошел мимо Амвросия и скрылся за изгибом стены. Берег у стены вновь стал безлюдным. Подчеркнуто пустынным (будто никто и не проходил здесь), не предусмотренным для ходьбы. Существование Амвросия на этом берегу делала возможным только его неподвижность.

Ты полагаешь, что время здесь не круг, а какая-то разомкнутая фигура, спросил у старца Амвросий.

Вот именно, ответил старец. Возлюбив геометрию, движение времени уподоблю спирали. Это повторение, но на каком-то новом, более высоком уровне. Или, если хочешь, переживание нового, но не с чистого листа. С памятью о пережитом прежде.

Из-за туч показалось слабое осеннее солнце. С противоположной стороны стены показался старец Иннокентий. За время беседы с Амвросием он успел обойти монастырь вокруг.

Да ты, старче, круги делаешь, сказал ему Амвросий.

Нет, это уже спираль. Иду, как и прежде, сопровождаем вихрем листьев, но – заметь, Амвросие, – вышло солнце, и я уже немного другой. Мне кажется, что я даже слегка взлетаю. (Старец Иннокентий оторвался от земли и медленно проплыл мимо Амвросия.) Хотя и не очень высоко, конечно.

Да нет, нормально, кивнул Амвросий. Главное, что объяснения твои наглядны.

Есть сходные события, продолжал старец, но из этого сходства рождается противоположность. Ветхий Завет открывает Адам, а Новый Завет открывает Христос. Сладость яблока, съеденного Адамом, оборачивается горечью уксуса, испитого Христом. Древо познания приводит человечество к смерти, а крестное древо дарует человечеству бессмертие. Помни, Амвросие, что повторения даны для преодоления времени и нашего спасения.

Ты хочешь сказать, что я снова встречу Устину?

Я хочу сказать, что непоправимых вещей нет.

И

Привыкнув к монастырской жизни, Амвросий попросился в поварню. Служба там считалась одной из самых тяжелых монастырских обязанностей. Через службу в поварне проходили многие, но далеко не все охотно. И даже те, кто шел в поварню по своей воле, рассматривали труд там как испытание. Амвросий же испытанием поварню не считал. Такая работа была ему по душе.

Амвросию нравилось носить воду и колоть дрова. Первое время с непривычки у него появлялись мозоли. Они лопались, оставляя на рукоятке топора темные влажные пятна. Когда при заготовке дров он стал надевать рукавицы, мозоли исчезли. Потом он колол дрова и без рукавиц, но мозоли уже не появлялись. Кожа его ладоней огрубела. И уставал Амвросий уже не так сильно. Он научился бить топором точно в середину полена, и оно раскалывалось с коротким ладным звуком. Раскрывалось, как два лепестка большого деревянного цветка. Когда он не попадал в середину, звук был другим. Тонким и фальшивым. Звуком плохой работы.

Среди ночи, когда братия спала, Амвросий зажигал свечу от храмовой лампады и, прикрыв ладонью, нес по монастырскому двору. Шел медленно, вдыхая ночную свежесть и медовый запах свечи. Прикрытая ладонью и не освещавшая Амвросия, издали свеча казалась самостоятельной сущностью. Перемещаясь по воздуху, она несла свой огонь в поварню.

От этого огня загорался огонь в огромной печи. Через некоторое время печь накалялась докрасна. Она была такой горячей, что находиться рядом с ней было тяжело. А Амвросий готовил на ней братии пищу. Ставил и убирал горшки, подливал воды, подбрасывал дров. Огонь опалял Амвросию бороду, брови, ресницы.

Терпи огнь сий, Амвросие, говорил он себе, да сим пламенем вечного огня избудеши.

В больших глиняных горшках Амвросий варил щи. Он клал в них капусту – свежую или квашеную, иногда свеклу или дикорастущий щавель. Добавлял лук, чеснок и заправлял конопляным маслом. Варил кашу – гороховую, овсяную и гречневую. В скоромные дни к щам подавались вареные яйца – по два на брата. Тогда же в сковородах жарил рыбу, выловленную братьями в озере. Или варил из рыбы уху. В Успенский пост кормил огурцами, подавая их с медом. В обычные дни Великого поста подавал капусту с маслом, крошеную редьку, тертую с медом бруснику, в дни же субботние и воскресные – черную икру с луком или красную икру с перцем. Обслуживая братию, ел обычно не за трапезой, а после, у себя на кухне. Ел Амвросий хлеб и запивал его водой, к приготовленным им блюдам не прикасаясь. Сидя у огня.

Случалось, он видел в огне свое лицо. Лицо светловолосого мальчика в доме Христофора. У ног мальчика свернулся волк. Мальчик смотрит в печь и видит свое лицо. Его обрамляют седые волосы, собранные в пучок на затылке. Оно покрыто морщинами. Несмотря на такое несходство, мальчик понимает, что это его собственное отражение. Только много лет спустя. И в иных обстоятельствах. Это отражение того, кто, сидя у огня, видит лицо светловолосого мальчика и не хочет, чтобы вошедший его беспокоил.

Брат Мелетий топчется у порога и, приложив палец к губам, шепчет кому-то через плечо, что Врач всея Руси Амвросий сейчас занят. Наблюдает пламя.

Впусти ее, Мелетий, говорит Амвросий, не оборачиваясь. Чего ты хочешь, жено?

Жити хощу, Врачу. Помози ми.

А умереть не хочешь?

Есть которые хотят умереть, поясняет Мелетий.

У меня сын, Амвросие. Пожалей его.

Вот такой? Амвросий показывает на устье печи, где в контурах пламени угадывается образ мальчика.

Ты напрасно, княгиня, на колени становишься (Мелетий взволнован и грызет ногти), он ведь этого не любит.

Амвросий отрывает взгляд от пламени. Подходит к стоящей на коленях княгине и опускается на колени рядом с ней. Мелетий, пятясь, выходит. Амвросий берет княгиню за подбородок, смотрит ей в глаза. Тыльной стороной ладони вытирает ее слезы.

У тебя, жено, опухоль в голове. Оттого ухудшается твое зрение. И притупляется слух.

Амвросий обнимает ее голову и прижимает к своей груди. Княгиня слышит биение его сердца. Затрудненное стариковское дыхание. Сквозь рубаху Амвросия она чувствует прохладу его нательного креста. Жесткость его ребер. Ей самой удивительно, что она все это замечает. За закрытыми дверями режет лучины Мелетий. Выражение на его лице отсутствует.

Веруй Господу и Пречистой Его Матери и обрящеши помощь. Амвросий касается сухими губами ее лба. А опухоль твоя будет уменьшаться. Иди с миром и более не печалься.

Отчего ты плачешь, Амвросие?

Я плачу от радости.

Амвросий безмолвно поворачивается к волку. Волк слизывает его слезы.

Ѳ

И в поварне дан был Амвросию дар слез, и, когда он был один, слезы беспрестанно омывали его лицо. Слезы текли по морщинам щек, но им не хватало этих морщин. И тогда слезы пробили себе новые пути, и на лице Амвросия появились новые морщины.

Сначала это были слезы печали. Амвросий оплакивал Устину и младенца, за ними же – всех, кого он в жизни любил. Еще он оплакивал тех, кто любил его, так как полагал, что жизнь его не подарила им радости. Амвросий оплакивал и тех, кто его не любил и порой мучил, как, впрочем, и тех, кто любил, но мучил, ибо так выражалась их любовь. Он оплакивал себя и свою жизнь, и не знал, о чем здесь в точности может идти речь. Надеясь, что проживает жизнь Устины, чтобы она зачлась ей как ее собственная, Амвросий уже не понимал, где пребывает *его* жизнь, раз он все-таки не умер. Наконец, он горько плакал о тех, кого ему не удалось спасти от смерти, ведь таковых было много.

А потом слезы печали сменились слезами благодарности. Он благодарил Всевышнего за то, что Устина не осталась без надежды, а он, Амвросий, может просить о ней, пока жив, и трудиться в духовное ей благо. Слезы благодарности у Амвросия вызывало то, что он все еще жив, а значит, способен совершать добрые дела. Амвросий благодарил Господа и за великое множество исцеленных, за предоставленную им возможность жить в то время, когда они должны были быть мертвыми и не способными более к совершению добрых дел.

Слезы омыли не только его лицо, но и душу. Впервые в жизни Амвросий чувствовал, что душа его умиротворяется. Постепенное умиротворение Амвросия было рождено не всеобщим почитанием (слава его была велика как никогда прежде), однако же и не равнодушием, охватывающим к старости многих достойных людей. Умиротворение было связано с надеждой, которая с каждым прожитым в монастыре днем крепла в Амвросии все больше и больше. Он теперь не сомневался в правильности своего пути, потому что уверился, что идет путем единственно возможным.

Глядя в бушующее пламя, он не ощущал прежней тревоги. Точнее, тревога оставалась, но мысль о грядущем вечном огне временами уступала место воспоминаниям о прошлом. Теперь он видел не только детство. Он видел свою жизнь в Пскове и свои странствия. Закрыв глаза у жаркой печи, Амвросий представлял Иерусалим.

Низкие деревья Гефсиманского сада. С широкими рассохшимися стволами. С вывернутыми пальцами веток. Изогнутые и изломанные, как застывший крик. Каменные плиты мостовых, отполированные многовековым хождением к Нему. Солнечное тепло они хранят всю ночь. На них можно лежать, не боясь простудиться. Амвросий понял это, когда укладывался на теплые плиты спать. Когда больше ночевать было негде. Когда еще был Арсением.

Его выходили под Иерусалимом после удара мамлюкской сабли. Двое стариков евреев, он и она. Боясь мамлюков, жили вне пределов Иерусалима. И у них не было детей, это было ясно по их лицам. Звали их Тадеуш и Ядвига. Они и ухаживали за ним. Нет, те ухаживали за умирающим Власием, а за умирающим Арсением ухаживали иные. Возможно, Авраам и Сарра. Старики всегда за кем-то ухаживают. Случилось так, что умирающий Арсений выжил. Старики дали ему на дорогу овсяных лепешек, воды, немного денег, и он отправился в Иерусалим.

Т̇

К Амвросию продолжали ходить болящие. Их было много, хотя в иных обстоятельствах пришедших могло бы быть и больше. Сокращению потока способствовало несколько причин. Главной из них был старец Иннокентий, который запретил беспокоить Амвросия попусту. Лечение зубов, сведение бородавок и тому подобные вещи он не считал достойными поводами для обращения, ибо они отвлекали Амвросия от других, более серьезных случаев.

Такие вопросы, объявил старец, прошу решать по месту жительства.

Обилие же посетителей отвлекало не только Амвросия. Оно мешало и братии монастыря, удалившейся от мира. Кроме того, многих беспокоило, что люди зачастую отправлялись прямо к Амвросию, не помышляя о молитве, покаянии и спасении.

Эти люди, говорил отец эконом, забывают о том, что исцеления дает не брат Амвросий в монастыре, но Господь наш на небесах.

Пришедших за помощью первым встречал брат Мелетий, который и решал, как поступать в каждом случае. Некоторых он сразу же отправлял домой, даже не дослушав их до конца. К таковым относилось великое множество потерявших мужскую силу или же не имевших ее никогда. Восстанавливать ее Мелетий не видел необходимости, заявляя, что, по его собственному опыту, достичь противоположного гораздо труднее. Исключение составляли живущие в бездетном браке. Лишь таких людей после подобающей молитвы Мелетий приводил к Амвросию. После посещения монастыря у них приходили в движение постельные помыслы. После рождения ребенка, однако же, помыслы эти молитвами Мелетия немедленно исчезали.

Строгость старца Иннокентия и брата Меле-тия не была единственной причиной того, что по-ток приходивших к Амвросию не увеличивался, а уменьшался. Многие жители Белозерского края не обращались потому, что ввиду возможного кон-ца света не усматривали в том острой необходимо-сти. Им казалось, что краткое время, оставшееся до грозного события, можно перетерпеть. На худой конец – просто умереть, ибо отсрочка смертного часа многим не представлялась значительной.

Были, однако же, и те, кто не только не хотел мириться со смертью, но и задумывался о преодо-лении ее даже в случае всеобщего конца. Именно среди них стал распространяться слух о наличии у Амвросия эликсира бессмертия. О том, что этот эликсир Амвросий, будучи еще Арсением, якобы привез из Иерусалима.

Несмотря на нелепость слуха, появление его никого в монастыре не удивило.

В ожидании конца света у некоторых сдают нервы, сказал старец Иннокентий. И в том, что они ждут эликсира бессмертия от Амвросия, есть своя логика. Ища телесного бессмертия, к кому же им еще обращаться, как не к врачу?

Многим из них брат Мелетий пытался объяс-нить, что никакого эликсира у Амвросия нет, но ему не верили. Боясь, что в нужный момент элик-сира на всех не хватит, некоторые устраивались жить у стен монастыря и сооружали себе подобие жилья. Монастырь представлялся им в качестве нового ковчега, куда в случае необходимости их, возможно, примут.

Когда число таких людей перевалило за сот-ню, к ним вышел Амвросий. Он долго смотрел на их убогие жилища, а затем сделал знак следовать за ним. Войдя в ворота монастыря, Амвросий повел их в храм Успения Пресвятой Богородицы. В то самое время в храме заканчивалась служба, и из Царских врат с причастной чашей вышел старец Иннокентий. От решетчатого окна отделился луч утреннего солнца. Луч был еще слаб. Он медленно пробивался сквозь густой дым кадила. Одну за другой поглощал едва заметные пылинки, и уже внутри него они начинали вращаться в задумчивом броуновском танце. Когда луч заиграл на серебре чаши, в храме стало светло. Этот свет был так ярок, что вошедшие зажмурились. Показав на чашу, Амвросий сказал:

В ней эликсир бессмертия, и его хватит на всех.

аі

Одно время в монастыре не хватало писцов, и игумен перевел Амвросия из поварни в книгописную келью. Кроме него там сидели еще три человека. Рукописи для переписки приносил старец Иннокентий. На листах рукописных книг повсюду стояли его размашистые *отселе* и *дозде*. Этим указаниям Амвросий следовал неукоснительно.

Всякий день работа Амвросия начиналась с очинки перьев и разметки бумаги. На переписываемую рукопись, чтобы не закрывалась, клал деревянный брусок. По листу рукописи скользила узкая полоска бумаги, что позволяло не терять нужное место. Он держал полоску левой рукой, а правой писал. Полоска двигалась вниз, открывая строку за строкой.

Пакы же ин брат, много болев, умре. И некто из друзей отер его губкой и пошел в пещеру, желая видеть место, где будет положено тело его друга, и спросил об этом преподобного Марка. Блаженный ему отвечал: пойди, скажи брату, чтобы подождал до завтра, пока я выкопаю ему могилу, и тогда отойдет от жизни на покой. Пришедший же брат сказал ему: отче Марко, я уже и губкой отер его тело, которое мертво. Кому велишь мне говорить? Марко же опять сказал: видишь, место не подготовлено. Велю тебе, иди, скажи умершему: говорит тебе грешный Марко – брат, поживи еще этот день, а завтра отойдешь к возлюбленному Господу нашему. Когда же приготовлю место, куда положить тебя, пришлю за тобой. Пришедший брат послушал преподобного и, придя в монастырь, застал братию за пением, по обычаю, над умершим. И стал рядом с мертвым, и сказал: говорит тебе Марко, что не приготовлено, брате, для тебя место, подожди до завтра. И все удивились этому слову. И когда брат произнес это пред всеми, тотчас мертвый прозрел, и душа его возвратилась в него. И пребывал он день тот и всю ночь с открытыми глазами, но ничего никому не говорил.

Некоему воину после покаяния случилось впасть в блуд с женой земледельца. По совершении же прелюбодеяния он умер. И смилостивившись, иноки ближнего монастыря похоронили его в монастырской церкви, и был тогда третий час службы. Когда же пели они девятый час, то услышали из могилы вопль: помилуйте меня, рабы Божии. Откопавши гроб, обнаружили в нем сидящего воина. После того как извлекли его оттуда, стали они расспрашивать о произошедшем. Он же, захлебываясь от слез, ничего не мог им рассказать и просил лишь, чтобы отвели его к епископу Геласию. И только на четвертый день смог он рассказать епископу о случившемся. Умирая в грехах, увидел воин неких страшилищ, чей облик был ужаснее любых мук, и при виде их стала душа его метаться. Еще же он увидел двух прекрасных юношей в белых ризах, и душа его полетела к ним в руки. И подняли они его душу на воздух, и повели по мытарствам, неся с собой ковчежец с добрыми делами этого воина. И на каждое злое дело находилось в ковчежце дело доброе, и они доставали его оттуда, и покрывали им дело злое. На последнее же мытарство, которое было связано с блудом, недостало его добрых дел. Когда вынесли бесы все плотские и блудные грехи, что сотворил он со дней отрочества своего, сказали ангелы: все, что сотворил он до покаяния, Бог ему простил. На это отвечали им грозные противники: это так, но после покаяния прелюбодействовал он с женой земледельца, а затем сразу умер. Услышав такие слова, ангелы опечалились и отошли, ибо не было у них больше доброго дела, чтобы покрыть этот грех. И тогда восхитили его бесы, и разошлась земля, и бросили они его в место узкое и темное. Пребывал он там, плача, от третьего часа до девятого, когда внезапно увидел двух сошедших туда ангелов. И стал он их молить, чтобы они вывели его из темницы и избавили от страшной той беды. Они же отве тили ему: всуе нас призываешь, ибо никто из оказавшихся здесь не выходит отсюда до самого воскресения мира. Но воин продолжал плакать и молить их, говоря, что, вернувшись на землю, послужит пользе живущих. И тогда спросил один из ангелов своего друга: поручишься ли за человека сего? И ответил ему второй ангел: поручусь. Тогда они понесли душу воина к гробу и велели ей войти в тело. И светилась душа, как бисер, мертвое же тело было черным, как тина, и смердело. И вскричала душа воина, что не хочет входить в тело омрачения его ради. Ангелы же сказали воину: не сможешь ты покаяться иначе как телом, которым согрешил. И вошла душа в тело через уста, и воскресила его. Услышав рассказанное, епископ Геласий велел дать воину поесть. Тот же, поцеловав пищу, отказался ее есть. И прожил сорок дней, постясь и бдя, и рассказывал о виденном, и обращал на покаяние, и узнал о своей смерти за три дня. Об этом поведали заслуживающие доверия отцы для нашей духовной пользы.

Царь Феофил был иконоборцем, и от этого царица Феодора пребывала в великой печали. Случилось Феофилу гневом Божиим разболеться лютою болезнью. Разошлись его челюсти, так что не закрывались уста, отчего был вид его нелеп и страшен. Царица же, взяв икону Пречистой Богородицы, приложила ему к устам, и они вновь сошлись. И по мале времени ищезает от жития сего Феофил и в той болезни умре. Царица же весьма печалилась, ибо знала, что муж ее будет веден на муку с еретиками, и непрестанно думала о том, как бы ему помочь. Сущих в изгнании или в темницах она освободила и умоляла патриарха, чтобы все епископы, священнический и иноческий чин молились за Феофила-царя, дабы избавил его Господь от муки. Патриарх же вначале не поддался, но, тронутый мольбами царицы, сказал: воля Господня да будет. Велел он, чтобы все епископы, священнический и иноческий чин молились за царя Феофила. Сам же патриарх написал имена всех царей-еретиков и положил писание в Святой Софии на трапезе. И молились они о Феофиле первую неделю Великого поста. Когда же в пятницу пришел патриарх взять свое писание, то все имена в нем пребывали целы, имя же Феофила Божиим судом было заглажено. И рече ему ангел: услышася моление твое, о епископе, и милость получи царь Феофил, уже бо не достужай о сем Божеству. Почудимся, братие, человеколюбию Господа Бога нашего и разумеем, колико могут молитвы святителей его. Удивимся же вере и любви к Богу блаженныя царицы Феодоры: о таковых женах речено, яко и по смерти мужа спасет. Обаче же помним, яко едина есть душа, едино житию есть время, и не уповаем чужими приносы спастися.

Рукописи Амвросия в настоящее время хранятся в Кирилло-Белозерском собрании Российской национальной библиотеки (С.-Петербург). Изучающие их исследователи единодушно отмечают, что рука писавшего их тверда, а почерк округл. Это, по их мнению, свидетельствует об обретении Амвросием крепости и внутренней гармонии. Высокая мачта буквы *ерь* указывает на то, что к тому времени он покинул поварню окончательно и вопросами пищи телесной интересовался в очень небольшой степени.

ві

Амвросий сказал на исповеди старцу Иннокентию: На богослужении я не всегда внимателен и порой раздумываю о вещах посторонних. Вчера, например, вспоминал одно из видений незабвенного Амброджо.

О чем оно, если вкратце, спросил старец.

Вот что рассказал старцу Амвросий.

30 августа 1907 года, деревня Маньяно. Девица Франческа Флеккиа, двенадцати лет, чей род восходит к Альберто Флеккиа, брату Амброджо, просыпается от смутного чувства страха. Страх поднимается откуда-то из живота. Она чувствует бурление в утробе, выскакивает из постели и бежит в туалет, стоящий во дворе дома. Там ей становится легче. Франческа слегка приоткрывает дверь туалета и наблюдает за происходящим во дворе. Ее бабушка стоит в дрожащем утреннем луче. Он пробивается сквозь ветви пинии, это они делают луч дрожащим. Бабушка бледна и морщиниста. Бабушка задумчива. Франческа с грустью отмечает, что такой ее никогда еще не видела. Возможно, это тоже влияние пинии. А может быть, бабушка, не зная, что за ней наблюдают, просто расслабилась. Франческа уже когда-то видела, как на людях человек выглядел молодо, потом же заходил за угол и сразу старился. Какие-то вещи зависят от волевого усилия, а постоянно напрягать волю невозможно. Франческа видит, что бабушка по-настоящему стара. Она понимает, куда заведет бабушку ее старость. Желудок девочки вновь прихватывает спазмом, а из глаз ее текут слезы. Бабушка скрывается в летней кухне.

Во двор выходит сестра Франчески Маргарита. Маргарита видит, что туалет занят, и возвращается в дом. Появляется мать Франчески. В ее руках подвенечное платье Маргариты, которая сегодня выходит замуж. Мать сдувает с платья невидимые пылинки и опять заходит в дом. Входит с улицы отец. На вытянутых руках он вносит огромный букет белых роз. Розы стоят в ведре с водой, они обвязаны марлей. Из-за марли совершенно не видно отцовского лица. Из дома выходит Маргарита и просит Франческу поторопиться. Набрав в рот воды из кружки, отец с шумом распыляет ее над цветами. Франческа вспоминает, что сегодня ей приснилась отрубленная голова.

Маргарите только что исполнилось восемнадцать. Она выходит замуж за Леонардо Антонино. Франческа уже несколько месяцев любит Леонардо. Он гибкий, как леопард, и его имя постоянно напоминает Франческе о его гибкости. О том, как он тонок – прежде всего душою и умом. Иногда она ловит грустные взгляды Леонардо, и ей кажется, что он ухаживает за Маргаритой только для отвода глаз. Только для того, чтобы находиться рядом с Франческой. И если это так, то непонятно, почему же он венчается с Маргаритой. Франческа снова плачет.

Маргарита считает, что Франческа нарочно сидит в туалете так долго, чтобы не пустить ее. Она жалуется матери. Франческа смутно надеется, что Маргарита пойдет под венец обделавшись. Мать вытаскивает Франческу из туалета. Она делает это доброжелательно, потому что знает, что завтра Франческу ждет дорога. Мать хочет дать ей хоть немного тепла впрок. Франческу приняли в католический интернат для девочек, и она уезжает во Флоренцию. Чтобы достичь чего-то в жизни, недостаточно приходской школы в Маньяно. Франческе страшно.

Свадьба неторопливо спускается с горы. Из Маньяно она идет в долину, где одиноко стоит церковь Святого Секунда. Это красивая романская церковь XII века. Регулярных служб в ней нет, но ее открывают для венчаний жителей Маньяно. Впереди, увитые гирляндами цветов, едут кареты с женихом, невестой, их родителями и свидетелями. Едут медленно, очень медленно. Их окружают многочисленные гости. Дорога широка и позволяет идти рядом с каретой. Процессия двигается на фотографа, который прячется под черной накидкой на треноге.

Кучера в цилиндрах придерживают на крутом спуске лошадей. Поднявшийся ветер расправляет фату, и она плывет над идущими призрачным белым знаменем. Деревья над дорогой раскачиваются и шумят. На процессию с них слетают созревшие каштаны. Один каштан звонко отскакивает от цилиндра кучера. Все, включая кучера, смеются. На упавшие каштаны с хрустом наезжают колеса карет.

В церкви Святого Секунда холодно. Это холод веков, от которого присутствующим немного страшно. Самой беззащитной выглядит, конечно же, невеста. Выглядит бабочкой, залетевшей в мрачный склеп. Падре улыбается. Позади Франчески стоит толстяк Сильвио. Он дышит ей в спину. Дышит и сопит. Спиной она ощущает тепло его дыхания, и от этого приятно. Даже если оно исходит из ноздрей такого толстяка, это – дыхание жизни.

В сравнении с древностью храма толпа присутствующих кажется Франческе недоразумением. Собранием призраков, которые через мгновение растворятся и оставят храм (сколько он таких видел!) наедине с вечностью. Франческа пытается представить всех в виде скелетов. Полная церковь скелетов, один из них – в фате.

Выходя наружу, все жмурятся. Молодых осыпают мелкими монетами и зерном. Свадьба возвращается в Маньяно. На обратной дороге Франческа успевает рассказать падре свой сон. О том, как на обезглавленной шее пузырилась кровь. Как выходила толчками из перерубленной аорты.

Я думаю, что речь в данном случае идет об Амброджо Флеккиа, говорит падре. Неудивительно, что он приснился именно тебе, поскольку вы все-таки родственники. Если тебе приснится о нем что-нибудь еще, будь добра – запиши это. В сущности, об Амброджо Флеккиа у нас до сих пор очень мало фактического материала.

На деревенской площади установлены столы с угощением. Вдоль столов – доски на табуретах. На досках – покрывала. Перед обильной трапезой все в приподнятом настроении. Все радуются за молодых. Дедушка Луиджи сворачивает самокрутку, берет ее двумя пальцами и затягивается. Окаменевшие мозоли не дают его пальцам согнуться. Лицо его похоже на пемзу. Он говорит, что такой пышной свадьбы еще никогда не видел. Его слова выходят с дымом и кажутся овеянными древностью.

Вечером на столах расставляют свечи. Тени от них пляшут на охристых фасадах. За некоторыми столами свечи задувают. Их дым долго плывет в остановившемся воздухе. То и дело из-за столов встают пары и исчезают в темноте. На самом деле далеко они не уходят. Стоят, прислонившись к теплым стенам домов. Иногда возвращаются, чтобы выпить бокал вина.

Франческа встает из-за стола. Она знает, что уже не принадлежит этому миру, и чувствует себя несчастной. И не знает, какому миру принадлежит. Они празднуют, а она уже не здесь. Они пируют, а она не смогла проглотить ни кусочка. Франческа становится в дверную нишу, и вот ее уже никому не видно. Ее поглощает мрак. Это успокоение.

Кто-то проводит рукой по ее лицу. Чей-то палец движется со лба к носу, с носа на подбородок. Франческа неподвижна. Кто-то гладит ее по волосам. Она чувствует спиной холод дверной ручки и находит ее рукой. Хватается за нее изо всех сил. Ее губ касаются его губы. Выйдя из мрака ниши, он оборачивается. Это Леонардо.

На следующее утро Франческа уехала во Флоренцию и с тех пор не была в Маньяно ни разу. Окончив католическую школу для девочек, двадцати лет от роду она вышла замуж за лейтенанта Массимо Тотти. Они переехали в Рим. В 1915 году лейтенант Тотти отправился на фронт, и его убили в первом же сражении. От лейтенанта, к тому времени уже покойного, у Франчески родился сын Марчелло. Воспитывая сына, Франческа училась на физическом факультете университета и работала в обувном магазине. Иногда ей хотелось все бросить и уехать в Маньяно. Окончив университет, она получила диплом преподавателя физики. Франческа с трудом нашла себе половину ставки в одном из реальных училищ Неаполя. Денег катастрофически не хватало. Чтобы как-то удержаться на плаву, Франческа возвратилась в Рим и пошла работать в морг. В морге платили неплохо. В редкие свободные минуты своих дежурств она читала Джойса. Иногда записывала свои сны об Амброджо. В конце концов она издала их под общим названием *Амброджо Флеккиа и его время*. На материале записанных снов Франческа среди прочего развивала в книге теорию Эйнштейна об относительности времени. В отличие от трудов гениального физика книга была написана простым, доходчивым языком и имела бешеный успех. Франческа стала богатой и знаменитой. Она ушла из морга. Купив особняк на остийском побережье, жила в нем двадцать восемь лет до самой своей смерти. В одном из последних интервью Франческу спросили, какой день из ее жизни запомнился ей больше других. Подумав, Франческа ответила:

Пожалуй, это был день свадьбы моей сестры Маргариты.

ГІ

В один из дней в монастырь пришли люди от московского боярина Фрола. В браке со своей женой Агафьей боярин Фрол пребывал пятнадцать лет, но детей у них не было. И хотя посещали они многие монастыри и приглашали самых искусных врачей, чрево боярыни Агафьи не отворялось. Мало-помалу их надежда стала угасать, а с приближением года семитысячного от Сотворения мира угасло и само желание иметь ребенка, ибо жизнь его ввиду возможного конца света предполагалась короткая и безрадостная. Вот почему, когда до боярина Фрола дошла весть об удивительном целителе из Кириллова монастыря, он не обрадовался.

Зачем рождать для смерти, сказал боярин Фрол людям дома своего.

Так ведь все рождаются для смерти, возразили люди, других мы пока не видели.

Сообщаю вам, что Енох и Илия были взяты живыми на небеса, ответил боярин, но вы их действительно не видели.

Знаешь, не надо останавливать жизнь, пока она не остановлена Всевышним, посоветовали люди дома его.

Боярин Фрол подумал и согласился. Он сказал:

Идите же в Кириллов монастырь и просите у инока Амвросия молитв о даровании мне плода детородия.

Посланные боярином Фролом отправились в путь и ехали двадцать дней. Когда же утром двадцать первого дня вошли они в ворота монастыря, их встретил Амвросий. Ничего не спросив у пришедших, он сказал:

Верю, что путь ваш не напрасен и молитвами Владычицы нашей Богородицы даст Господь боярину Фролу и его боярыне плод детородия.

С этими словами Амвросий протянул им две просфоры для боярина и боярыни. Поцеловав руку дающего, приехавшие пошли на службу. Полдня отстояли коленопреклоненно, а следующие полдня и ночь отдыхали от дороги. С рассветом люди боярина Фрола отправились в обратный путь, и длился он вдвое меньше, потому что запах просфор утолял их голод, а вид снимал усталость. Когда же они вернулись в Москву, первым делом боярин спросил у них о просфорах. И они вручили ему просфоры, и в течение двух лет у него родилось двое детей: сначала мальчик, потом девочка.

Откуда ты знал о просфорах, спросили боярина Фрола люди его дома.

И боярин рассказал, что в ночь, когда посланные отдыхали в монастыре от дальнего пути, ему и боярыне приснился светолепный старец с двумя просфорами. Старец говорил, не размыкая уст, но речь его была внятна:

Будете утешены сыном и дочерью. Мы же здесь будем молиться о том, чтобы до Пасхи сего года ничего не случилось. Ибо лишь в день Пасхи можно будет надеяться, что мир устоял.

Д҃і

В великий день Пасхи семитысячного года звучали все колокола Кириллова монастыря. Этот звон лился над Белозерской землей, возвещая, что Господь явил человекам свою безграничную милость и дал еще время для покаяния. Было решено возобновить составление пасхалии, ведь до этого дня никто не знал, придет ли Пасха года семитысячного.

Из глаз многих текли слезы благодарности. Любящие утешились, потому что их разлука откладывалась, не завершившие дел успокоились, так как получили время для завершения, и только жаждавшие конца не радовались, потому что в своих ожиданиях обманулись.

В день Пасхи семитысячного года Амвросий сказал старцу Иннокентию:

Ищу, старче, уединения.

Знаю, ответил старец Иннокентий. Есть время для общения, и есть время для уединения.

Я долго познавал мир и накопил его в себе столько, что дальше могу познавать его внутри себя.

Теперь, когда в отношении конца света мы более или менее спокойны, настало время для уединения. Готовься, Амвросие, сего лета приимеши схиму.

Приуготовлением Амвросия стало лечение больных. Когда стало окончательно ясно, что жизнь в обозримом будущем продолжится, поток больных вырос десятикратно. Те, кто заболел недавно, в этом потоке соединились с теми, кто все последние годы предпочитал терпеть, но ввиду открывшейся благоприятной перспективы изменил свое решение.

Такое количество посетителей смущало братию и мешало ей сосредоточиться на молитве. Некоторые из них пожаловались на это игумену.

А что, раньше вы могли сосредоточиться на молитве, спросил жалобщиков игумен.

Не могли, ответили жалобщики, и игумен поблагодарил их за честность.

Но Амвросий и сам испытывал сомнения в правильности происходящего. Иногда вспоминал

слова отца эконома о том, что многие из пришедших к нему думали лишь о здоровье, не помышляя о молитве и покаянии. Эти слова посеяли
в Амвросии зерна сомнения. Он почувствовал
беспокойство, но старца Иннокентия рядом уже
не было. К тому времени старец Иннокентий перешел в отходную келью в дне пути от монастыря. Зная, что старец пренебрегает расстоянием,
Амвросий сказал ему из монастыря:

Боюсь, что мои исцеления становятся для них
привычным делом. Они не побуждают души этих
людей к движению, потому что исцеления они
получают автоматически.

Что ты знаешь об автоматизме, Амвросие, ответил из отходной кельи старец Иннокентий. Если есть у тебя дар исцеления, пользуйся им, ведь
зачем-то же он тебе дан. Их автоматизм быстро
пройдет, когда тебя с ними не будет. А чудо исцеления они, поверь, запомнят навсегда.

͠ΕΙ

18 августа года семитысячного от Сотворения
мира в храме Успения Пресвятой Богородицы
Амвросий принял схиму. Чин принятия схимы
напоминал чин, по которому несколько лет назад
его постригали в мантию. Но в этот раз все было
торжественней и строже.

В храм Арсений вступил, как и подобало, во
время малого входа литургии. Войдя, снял с головы покров, а с ног сандалии. Трижды поклонился
земно. Глаза привыкли к полумраку храма, и темная масса присутствующих обрела лица. В хоре

стоял человек, похожий на Христофора. Может быть, это и был Христофор.

Содетелю всех и Врачу недужных, Господи, прежде даже до конца не погибну, спаси мя, прошептал Амвросий вслед за хором.

Из открытых дверей веяло ветром позднего лета. Огни заметались было над свечами, но затем замерли, вытянувшись в общем направлении. В детстве, когда он стоял в этом храме с Христофором, огни вели себя точно так же. И это было единственным, что связывало Амвросия с тем временем, потому что сам он давно был другим, а Христофор лежал в могиле. По крайней мере был туда положен. Амвросий подумал, что в точности уже не помнит, как Христофор выглядел. Откуда здесь быть Христофору? Нет, это был не Христофор.

Отрицаешися ли мира и яже в мире, по заповеди Господней, спросил Амвросия игумен.

Отрицаюся, ответил Амвросий.

Он услышал, как сзади захлопнули дверь, и пламя свечей выровнялось. Теперь в пламени не было никакого волнения. Такою должна стать и душа, подумал Амвросий. Бесстрастной, безмятежной. А моя душа все не приходит к покою, потому что болит об Устине.

Игумен сказал:

Возьми ножницы и подаждь ми я.

И Амвросий подал ему ножницы и поцеловал руку. Игумен же разжал свою руку, и ножницы упали на пол.

И Амвросий поднял ножницы, и вручил их игумену, и игумен вновь бросил их.

И тогда Амвросий вновь подал ножницы, и игумен бросил их в третий раз.

Когда же Амвросий поднял ножницы и в этот раз, все присутствующие уверились, что Амвросий постригается добровольно.

Игумен приступил к пострижению. Он крестообразно остриг две пряди с головы Амвросия, чтобы вместе с волосами тот оставил долу влекущие мудрования. Глядя на седые пряди на полу, Амвросий услышал свое новое имя:

Брат наш Лавр постригает власы главы своея во имя Отца и Сына и Святаго Духа. Рцем о нем: Господи, помилуй!

Господи, помилуй, отвечала братия.

18 августа, когда Амвросий принимал большую схиму, было днем святых мучеников Флора и Лавра. С этого дня Амвросий стал Лавром.

Старец Иннокентий сказал из отходной кельи:

Хорошее имя Лавр, ибо растение, тебе отныне тезоименитое, целебно. Будучи вечнозеленым, оно знаменует вечную жизнь.

Я более не ощущаю единства моей жизни, сказал Лавр. Я был Арсением, Устином, Амвросием, а теперь вот стал Лавром. Жизнь моя прожита четырьмя непохожими друг на друга людьми, имеющими разные тела и разные имена. Что общего между мною и светловолосым мальчиком из Рукиной слободки? Память? Но чем дольше я живу, тем больше мои воспоминания кажутся мне выдумкой. Я перестаю им верить, и оттого они не в силах связать меня с теми, кто в разное время был мной. Жизнь напоминает мозаику и рассыпается на части.

Быть мозаикой – еще не значит рассыпаться на части, ответил старец Иннокентий. Это только вблизи кажется, что у каждого отдельного камешка нет связи с другими. В каждом из них есть, Лавре, что-то более важное: устремленность к тому, кто глядит издалека. К тому, кто способен охватить все камешки разом. Именно он собирает их своим взглядом. Так, Лавре, и в твоей жизни. Ты растворил себя в Боге. Ты нарушил единство своей жизни, отказался от своего имени и от самой личности. Но и в мозаике жизни твоей есть то, что объединяет все отдельные ее части, – это устремленность к Нему. В Нем они вновь соберутся.

Через три недели после принятия схимы Лавр покинул монастырь и отправился искать себе отходную келью. Это было внутренним стремлением самого Лавра, но со стороны игумена и братии оно не вызвало возражений.

Как ни странно, с уходом Лавра они почувствовали определенное облегчение, поскольку поток чающих исцеления нарушал установленную жизнь монастыря. И хотя для пришедших ворота открывали по особому разрешению, толпы ожидающих под стенами не могли не смущать братию.

К ищущим Лавра и братия, и игумен старались относиться с пониманием. Они помнили слова Господа о том, что не может укрыться град, стоящий на верху горы, и что, зажегши свечу, не ставят ее под сосудом, но на подсвечнике, и светит она всем в доме. Другое дело, что свет этот в общежительном монастыре мог казаться слишком ярким тем, кто полагал, что сила монастыря прежде всего в совокупной молитве. Таким он, видимо, и казался.

Лавр вышел из монастыря, взяв с собой лишь краюху хлеба. Его пытались принудить взять больше, поскольку было непонятно, что ожидает его на новом месте, но Лавр сказал:

Если на месте том Бог и Пречистая Его Матерь забудут обо мне, так зачем я буду и нужен?

И Лавр отправился на поиски того места, где его душа чувствовала бы себя в покое. Он шел сквозь сырой осенний лес, не запоминая направления пути. Ему это было не нужно, потому что он не предвидел возвращения. Он понимал, что его движение было началом другого, более важного ухода.

Лавр ступал по полусгнившим веткам, и под его ногами они ломались без хруста. На желтых листьях по утрам белел иней. К полудню иней превращался в мелкие капли, и они холодно блестели на солнце. Из черных лесных озер Лавр пил воду. И всякий раз, как он наклонялся над водой, из глубины к нему поднималось изображение ветхого старца в куколе, с белыми крестами на плечах. Лавр поднимал глаза к расчерченному ветвями небу и указывал на озерного старца Устине:

Следует полагать, что это я, поскольку больше здесь отражаться некому. Я же продолжаю жить тобой и вижу тебя, оставшуюся неизменной, но ты, любовь моя, меня бы уже не узнала.

Иногда Лавру казалось, что это отражение он уже видел, что было это много лет назад, но когда и при каких обстоятельствах видел, вспомнить никак не удавалось. Возможно, думал Лавр, это было во сне, ибо, предъявляя образы, сон не заботится о соблюдении вещей условных, одной из которых является время.

Каждый день Лавр отламывал от взятой им краюхи хлеба, но она при этом не уменьшалась. Удивленный этим обстоятельством, он спросил у старца Иннокентия:

Послушай, старче, а может быть, мне только кажется, что я ем?

Ты взрослый человек и к тому же врач, а рассуждаешь как ребенок, рассердился старец. Ну как, скажи, может прожить организм без питания? По каким биологическим законам? Понятно, что ты ешь самым натуральным образом. Другое дело, что и краюха ежедневно прирастает в весе, иначе ты бы так легко не отделался.

Успокоенный объяснением старца Иннокентия, Лавр продолжал свое движение. На пути он видел много достойных мест, но ни одному из них не отдал предпочтения. По внутреннему своему чувству он каждый раз понимал, что это еще не конечная точка его странствий. Одни места были слишком узки. Деревья там сходились друг с другом почти вплотную и могли, по мнению Лавра, теснить всякую поселившуюся здесь душу. Другие места были, напротив, слишком широки, и простор их требовал больших усилий для освоения, то есть превращения душою в свое. Сказано же было в одной из грамот Христофора, что русским людям покорятся многие пространства, но они не смогут эти пространства освоить. Будучи русским человеком, Лавр опасался такого поворота событий.

Он странствовал много дней, так много, что в иных частях леса узнавал на деревьях свои зарубки. В одну из ночей ему приснилось место на возвышенности. Это была поляна, окруженная высокими соснами. По краям поляны росли кусты, в гуще которых виднелась каменная пещера. Лучи солнца свободно проходили между стволами сосен, что делало место светлым и спокойным.

Проснувшись утром, Лавр направился к этому месту. Он шел без внутренних сомнений, шел бодрым шагом человека, знающего путь. К концу дня Лавр достиг желанного места. Оно оказалось в точности таким, каким он его видел во сне. Прочитав благодарственную молитву, Лавр поцеловал обретенную землю и сказал:

Се покой мой в век века, зде вселюся.

Сказал:

Приими мя, пустыня, яко мати чадо свое.

Собрав хвороста и нарвав травы, сложил их в пещере. И лег там спать, и сон его был безмятежен, как в настоящем доме. И во сне он был счастлив, так как знал, что это его последний дом.

з҃і

Несколько дней Лавр занимался обустройством своего нового жилища. Пещера, в которой он поселился, представляла собой два огромных валуна, покрытых сверху еще большей каменной глыбой. Одной из своих сторон глыба касалась земли, образуя третью, покатую, стену. Четвертую стену принялся строить сам Лавр.

Из инструментов у него был лишь взятый в монастыре нож.

Заметив неподалеку стволы поваленных деревьев, Лавр попытался подтащить их к пещере. К самым толстым стволам он даже не подходил. Когда же он обхватил руками один из средних стволов и попытался сдвинуть его с места, не удалось и это. Справившись с сердцебиением, Лавр задумался о том, что было тому причиной – тяжесть дерева или его старость, и решил, что все-таки старость.

И тогда он взялся за тонкие молодые стволы, которые были повалены при падении больших деревьев. Подтаскивая эти деревца к валунам, он вкапывал их нижнюю часть в землю, а верхнюю прижимал к неровной поверхности камня. Стволы друг с другом связывал толстыми сплетенными из вьюна веревками. Промежутки между стволами заполнял травой и мхом. Из связанных веток Лавру удалось сделать даже дверь. Дверь не висела на петлях, а приставлялась, но от холода спасала не хуже настоящей.

Соорудив стену, Лавр понял, что тонкие стволы здесь и были самыми подходящими, потому что толстые стволы не прилегали бы друг к другу так плотно. Он сказал Устине:

То, что человеку дается по силе его, и есть наилучшее. А что сверх силы его, то, любовь моя, не полезно.

Из валявшихся там и тут камней Лавр сложил очаг. Понимая, что пришла старость, на крепость своего тела он более не рассчитывал. Чтобы сохранить в теле жизнь, в самые холодные дни Лавр стал разводить в очаге огонь. Впослед-

ствии, обжившись на новом месте, начал топить
один раз в неделю. По субботам он разводил
огонь при помощи кресала и трута, которые всегда держал сухими в обнаруженном им углубле-
нии под потолком. Топил Лавр с утра до вечера,
глядя, как сырой дым от собранных им веток
медленно вытягивало в дверной проем. За день
топки камни пещеры вбирали в себя столько тепла, что его хватало до следующей субботы. По-
ти всегда хватало. Если пещера выстуживалась
раньше, Лавр терпел, но установленного дня не
менял.

Лавр полюбил свое жилище. Оно защищало
от холодных северных ветров и оказалось неожиданно просторным. В ближайшей ко входу части можно было стоять в полный рост. Там же,
где гранитная плита уходила вниз, нужно было
сгибаться. Иногда Лавр забывал о нависающей
глыбе и сильно ударялся о нее головой. Утирая
выступившие слезы, он обвинял себя в нежелании склонять голову и гордыне. Улыбаясь, радовался, что даваемые ему уроки смирения столь
легки.

Лавр понимал, что с ним обращаются как с ребенком. Впервые со времени детства ему было
так спокойно. Се покой мой в век века, повторял
он про себя и удивлялся глубине своего покоя.
Ему казалось, что он слышит источники вод под
землей. Дыхание облаков в небесах. В прежней
жизни с ним происходило много чего, но так или
иначе все происходило на людях. А теперь он
был совершенно один.

Ему не было одиноко, потому что он не чувствовал себя оставленным людьми. Все когда-либо

встреченные им ощущались им как присутствующие. Они продолжали тихую жизнь в его душе – независимо от того, отправились ли в иной мир или были всё еще живы. Он помнил все их слова, интонации и движения. Их старые слова рождали новые слова, они взаимодействовали с позднейшими событиями и словами самого Лавра. Жизнь продолжалась во всем своем многообразии.

Она двигалась хаотично, как и положено жизни, состоящей из миллионов частиц, но вместе с тем просматривалась в ней и какая-то общая направленность. Лавру стало казаться, что жизнь движется к своему началу. Не началу всеобщей жизни, сотворенной Господом, а к его собственному началу, с которым всеобщая жизнь открылась и для него.

Мысли Лавра, прежде занятые событиями последних лет, все чаще стали обращаться к первым годам его жизни. Идя по осеннему лесу, в своей руке он порой чувствовал руку Христофора. Она была шершавой и теплой. Поглядывая на Христофора снизу вверх, Лавр вспомнил, наконец, где видел лицо, отразившееся в озере. Это было лицо Христофора. От деда внуку в день старости его.

Христофор вел его по звериным тропам, время от времени останавливаясь, чтобы передохнуть. Он рассказывал о травах, засыпающих в это время года, и о свойствах тронутых заморозками корней. Рассказывал о путях птиц, стремящихся от холода на юг, об их непростой жизни на чужбине и об удивительном умении возвращаться.

Возвращаться, Лавре, свойственно не только птицам, но и людям, сказал однажды Христофор. Должна быть в жизни какая-то завершенность.

Почему ты называешь меня Лавром, спросил Лавр. Ты же знал меня как Арсения.

Какая разница, ответил Христофор. А помнишь, ты тоже хотел стать птицей?

Помню. Я тогда недолго летал...

Когда мальчик утомлялся, дед сажал его в сумку за плечами. Он нес его домой, и от мерного шага Христофора глаза мальчика слипались. Ему снилось, что он стал птицей харадром. Взяв на себя чужие язвы, он взлетает в поднебесье и развеивает их над землей. Просыпался уже ночью, на своей лежанке. Слушал, как в углу пещеры мерно капает вода.

ГЛ

К ноябрю краюха, взятая Лавром в монастыре, стала ощутимо таять. Лавр отметил ее таяние, но это не вызвало в нем беспокойства. Он понимал: если его присутствие на земле еще имеет какой-то смысл, хлеб насущный будет ему дан во благовремении. Так и произошло.

Однажды утром Лавр услышал осторожные шаги у пещеры. Он вышел наружу и увидел человека с буханкой хлеба в руках.

Я – мельник Тихон и принес тебе хлеба, сказал человек.

Одежда его была в муке, и лет ему было около тридцати. Поклонившись, мельник Тихон дал Лавру буханку. Лавр взял ее молча и тоже поклонился. Мельник ушел.

На следующий день он вернулся, ведя за руку жену, которая сильно хромала.

На мою ногу упал мельничный жернов, и с тех пор я не могу на нее ступить, сказала мельничиха. Состояние же моего здоровья с каждым днем ухудшается.

Как ты добралась сюда с такой ногой, если муж не нес тебя на руках, спросил Лавр. До моей чащи дойдет ведь и не всякий здоровый.

Это не так трудно, сказал мельник Тихон, ибо твоя, Лавре, чаща всего в полутора часах пешего движения от Рукиной слободки. Тебя видели ходившие по лесу, и все в слободке теперь знают, что ты здесь живешь.

Лавр внимательно посмотрел на пришедших. Он понял, что многодневный его путь оказался на деле не таким уж длинным. И что он заблудился в своем пути, но в итоге пришел туда, куда и должен был прийти.

Помози нам, Лавре, попросил мельник Тихон, ведь какая же она на мельнице помощница с больной ногой.

По щекам мельничихи струились слезы, поскольку она знала, что речь идет не о ее ноге, а о ее жизни. Лавр знаком приказал ей снять платок, намотанный на болевшую ступню. Когда она это сделала, Лавр опустился у ее ног на корточки. Ступня была опухшей и начинала гнить. Он стал ее медленно ощупывать. Мельник Тихон отвернулся. Лавр сжал ступню обеими руками, и мельничиха зарыдала. Он вновь намотал платок на больное место.

Не плачь, жено, сказал Лавр. Нога твоя заживет, и вернешься к работе на мельнице, и будешь помощница мужу твоему.

И будет все по-прежнему, спросила мельничиха.

Нет, не все будет по-прежнему, ответил Лавр, так как ничто на свете не повторяется. Да ты, я думаю, этого и не хочешь.

И они поклонились Лавру и ушли.

С того дня из Рукиной слободки к нему начали ходить люди. Увидев, что схимник Лавр помог больной мельничихе, они понимали, что он не откажет и им. Услышав рассказ мельника о том, как Лавр принял его хлеб и как благодарил его низким поклоном, они стали носить ему пищу. И всякий раз, как они приносили ее, Лавр просил их этого не делать. И они все равно приносили ему то хлеб, то вареную репу, то овсяную кашу в горшочках. Из рассказа мельника следовало, что подобные приношения не повредят. Кроме того, в Рукиной слободке уже давно считали, что только оплаченный труд приносит результаты. Даже если это труд исцеления.

Поняв, что отказаться невозможно, Лавр стал делиться пищей с птицами и животными. Он разламывал хлеб надвое и распахивал руки, и на его руки садились птицы. Они клевали хлеб и отдыхали на его теплых плечах. Овсяную кашу и репу обычно съедал медведь. Он никак не мог найти подходящей берлоги для сна, и это отравляло ему жизнь.

Приходя к Лавру, медведь жаловался на морозы, отсутствие питания и свою общую неустроенность. В самые холодные дни Лавр пускал его в пещеру погреться, призывая гостя не храпеть во сне и не отвлекать его от молитвы. Само же их соседство Лавр предлагал ему рассматривать как меру временную. В самом конце декабря медведь все-таки нашел себе берлогу, и Лавр вздохнул с облегчением.

ōї

Начиная с той зимы Лавр потерял счет времени, устремленного вперед. Теперь он чувствовал только время круговое, замкнутое на себе, – время дня, недели и года. Он знал все воскресенья в году, но счет лет был им безнадежно утрачен. Иногда ему сообщали, какой на дворе год, но он тут же это забывал, потому что давно уже не считал такое знание ценным.

События в его памяти более не соотносились со временем. Они спокойно растеклись по его жизни, выстроившись в особый, со временем не связанный порядок. Некоторые из них всплывали из глубин пережитого, некоторые же погружались в эти глубины навеки, потому что их опыт никуда не вел. Само пережитое постепенно теряло отчетливость, все более превращаясь в общие идеи добра и зла, лишенные подробностей и красок.

Из временных указаний все чаще ему приходило на ум слово *однажды*. Это слово нравилось ему тем, что преодолевало проклятие временем. И утверждало единственность и неповторимость всего произошедшего – однажды. Однажды он понял, что этого указания вполне достаточно.

(Однажды) к пещере Лавра привезли новгородскую боярыню Елизавету. Много лет назад она поскользнулась и ударилась головой о камень. С тех пор зрение ее стало меркнуть, и через некоторое время она видела одни лишь очертания предметов. Незадолго до прихода к Лавру боярыня Елизавета перестала видеть даже их.

Когда Лавр вышел из своей пещеры, она сказала:

Помажь мне глаза той водой, которую берешь из родника, чтобы я опять прозрела.

Лавр подивился вере пришедшей и сделал так, как она сказала. И в тот же час она увидела очертания лица Лавра, а за его спиной движение сопровождавших ее. Боярыня Елизавета стала показывать на них пальцем и называть их по именам. Еще она называла имена трав и цветов, росших вокруг пещеры Лавра. Иногда она ошибалась, потому что в глазах ее все еще стояла муть, но уже тогда она видела главное – свет. То и дело она поднимала голову вверх и смотрела не щурясь на яркое летнее солнце, и глаза ее не болели и все не могли насытиться солнцем. К началу осени зрение боярыни Елизаветы вернулось к ней полностью.

(Однажды) к Лавру привели раба Божьего Николая, связанного цепями. Вели его десять человек, потому что меньшее количество было не в состоянии сдерживать его и управлять его движением. Николай был невысок, но неистовую силу ему давали вселившиеся в него бесы. Облик его был страшен. Николай рычал и выл, и грыз свои цепи, обнажая обломанные о железо зубы. На губах его вскипала кровавая пена. Он дико закатывал глаза, так что видны были одни лишь белки. На висках его и на шее вздувались синие кровяные жилы. Из одежды на нем не было почти ничего, поскольку все, что на него надевали, он разрывал в клочья. И, несмотря на мороз, ему не было холодно: грели его сидевшие в нем чуждые силы.

Отпустите его, сказал Лавр державшим Николая.

Державшие переглянулись. Помедлив немного, они бросили цепи и отошли от Николая. Наступила тишина. Николай уже не выл и не бился. Полусогнутый, он стоял и смотрел прямо в глаза Лавру. Рот его был полуоткрыт. Изо рта, раскачиваясь, тягуче стекала слюна. Лавр сделал шаг к Николаю и положил руку на его голову. Так они стояли некоторое время. Глаза Лавра были закрыты, а губы шевелились. Головы обоих медленно сближались, пока лоб Лавра не коснулся лба Николая.

Именем Спаса нашего Иисуса Христа повелеваю вам покинуть раба Божия Николая, громко сказал Лавр.

При этих словах Николай протянул руки к Лавру, словно хотел его обнять. Тело его обмякло. Звеня цепями, Николай медленно съехал на землю. Он лежал на снегу у ног Лавра, и никто не смел к нему подойти. Глаза Николая были открыты, как у мертвого, но он не был мертв.

Они покинули его, и дух его на пути к выздоровлению, сказал Лавр. Дайте ему передышку до исхода ночи, утром же пусть идет к причастию.

И Николая унесли в Рукину слободку, и он лежал в беспамятстве конец этого дня и всю ночь. Когда же рано утром он открыл глаза, то в них уже сиял свет разума, как и подобает человеку, носящему образ Божий. Николай был еще очень слаб, потому что с бесами из него вышла та кромешная сила, которой он обладал.

Молитвами окружающих и своей собственной Николай нашел в себе силы дойти до церкви и причаститься. Причастившись же, он почувствовал себя лучше, потому что с кровью и телом Христовыми в него вошла новая крепость. Прямо из церкви Николай, сопровождаемый народом, направился к пещере Лавра.

Лавр вышел им навстречу и благословил их безмолвно. И все пали перед Лавром на колени, потому что видели, что сила этого человека крепче бесовской силы. Затем все спросили Николая, отчего это, когда его вели к пещере Лавра, он так сопротивлялся и кричал криком, превышающим по своей силе человеческие возможности. И тогда Николай ответил им:

Вы били меня, понуждая идти сюда, бесы же били меня, возбраняя это делать, и я не знал, кого из вас слушать. И будучи побиваем и теми и другими, я кричал двойным криком.

И все удивились произошедшему, и восславили небесного Бога и Его земного светильника Лавра.

К

В год великого голода к Лавру пришла отроковица Анастасия, потерявшая девственность. Плача, она пала ниц перед Лавром и сказала:

Чувствую, что я понесла во чреве моем, но не могу рожать, не имея мужа. Ведь когда родится ребенок, его назовут плодом греха моего.

Чего же ты хочешь, жено, спросил Лавр.

Ты и сам знаешь, Лавре, чего я хочу, но я боюсь тебе это сказать.

Знаю, жено. Так ведь и ты знаешь, что́ я тебе отвечу. Почему же, скажи, ты ко мне пришла?

Потому что если я обращусь к знахарке в Рукиной слободке, о моем грехе узнают все. А ты лишь помолись, и плод греха моего выйдет из меня так же, как вошел.

Взгляд Лавра поднимался по верхушкам сосен и терялся в свинцовых небесах. На ресницах его застыли снежинки. Поляну покрывало первым снегом.

Я не могу молиться об этом. Молитва должна иметь силу убежденности, иначе она не действенна. А ты просишь меня молиться об убийстве.

Анастасия медленно поднялась с колен. Села на поваленное дерево и подперла щеки кулаками.

Я сирота, а сейчас голодное время, и я не прокормлю ребенка. Как ты не понимаешь?

Сохрани дитя, и все образуется. Просто поверь мне, я это знаю.

Ты убиваешь и меня, и его.

Лавр сел на дерево рядом с Анастасией. Погладил ее по голове.

Я тебя очень прошу.

Анастасия отвернулась. Лавр опустился на колени и прижался головой к ногам Анастасии.

Буду молиться о тебе и о нем всякий час. Пусть он станет чадом старости моея.

Ты отказываешь мне, потому что боишься погубить свою душу, спросила Анастасия.

Я боюсь, что уже погубил ее, тихо сказал Лавр.

Уходя, Анастасия оглядывалась на Лавра, а он плакал. И ей было его жалко.

К̄А

Зима оказалась морозной. С небес летели не снежинки, а пыль. Белая искрящаяся пыль, которая
оседала на деревьях и кустах. Собственно, кустов
уже тоже не было. Сначала они стали сугробами,
а затем и сугробы исчезли в бескрайнем снежном
покрывале, наброшенном на лес. Еще в начале
зимы Лавр сказал Устине:

Мне кажется, любовь моя, это самая холодная
зима из тех, что мне довелось пережить. А может
быть, просто дело в том, что тело мое уже не способно сопротивляться трудностям. Чтобы оно не
разлучилось с душой раньше времени, попробую
топить дважды в неделю.

Но топить пещеру дважды в неделю у Лавра не
получилось. Приготовленный им запас сучьев
быстро таял, а находить сучья под глубоким снегом было затруднительно. По грудь в снегу Лавр
добирался до ближайших деревьев и обламывал
их ветви, но это требовало больших усилий. При-
неся в пещеру одну-две ветки, он долго не мог отдышаться. Лавр падал без сил на лежанку, и дыхание его, стесненное грудным кашлем, восстанав-
ливалось с трудом. Экономя дрова, он стал
топить часто, но понемногу. Камни от такой топки не прогревались, и в пещере всегда было холодно.

Подходила к концу и еда, которую до большого снега Лавру порой доставляли из Рукиной слободки. Когда еду приносили прежде, он отказы-
вался от нее, говоря, что у него много своих запа-
сов. Летом и осенью у него действительно были
многочисленные травы и корни, достаточные

для насыщения, но под завалившим их снегом они теперь были недоступны. По причине глубокого снега к Лавру перестали ходить и больные, перестав, соответственно, приносить еду. На это трудное время о нем забыли – не жестоким забвением злонамеренных, но вынужденным забвением страждущих. Снег соединился с голодом, и легко не было никому.

К середине зимы Лавр уже почти не выходил из пещеры. Он берег остававшиеся у него силы и тепло. В дальнем углу пещеры он однажды нашел остатки краюхи, принесенной им в свое время из монастыря.

Хлеб этот, возможно, не первой свежести, сказал Лавр Устине, да и осталось его не так уж много, но, знаешь, если не предаваться чревоугодию, этого на какое-то время хватит. В ситуациях, подобных моей, главное, любовь моя, не капризничать.

Разрешив сложности с питанием, Лавр нашел возможность и согреться. Он стал думать об Иерусалиме.

С утра до ночи Лавр бродил по его улицам, полным солнца, и, даже засыпая, ощущал запах остывающих камней. Гладил их шершавую поверхность. Камни отдавали свое тепло мерзнущим рукам Лавра, и ему больше не было холодно. Февраля третьего дня на Масличной горе он встретил старца Иннокентия. Лицо старца было загорелым, так что было понятно, что в Иерусалиме он уже не первый день. Вместо приветствия старец показал на Храмовую гору и тихо запел:

Ныне отпущаеши раба Твоего, Владыко, по глаголу Твоему с миром...

Старец Иннокентий пел, обнажив голову, и теплый февральский ветер шевелил его седины. По воздуху плыли насекомые Святой земли и сухие ленты трав, сорванные с насиженных мест. Они смешивались с древней пылью Иерусалима и попадали в глаза стоявшим. На ресницах старца Иннокентия блестели слезы. Он уже сомкнул уста, а его песнь все еще разливалась над долиной Кедрона. Глядя на него, Лавр думал, что так, должно быть, выглядел праведный Симеон на триста шестьдесят первом году своей жизни.

Да ведь сегодня и есть память праведного Симеона, улыбнулся старец Иннокентий, а ты об этом, что ли, забыл? И как же тут не воспеть освобождение, которое днесь для меня наступает?

Я понял это по тому, как ты приближался, сказал ему Лавр. Ты делал это освобожденно. Как человек, увидевший все, что должен был увидеть. По правде говоря, не ожидал тебя здесь встретить, хотя где же нам еще было проститься, как не здесь?

Старец Иннокентий обнял Лавра.

Не скорби, Лавре, ибо недолго тебе оставаться запертым во времени.

Они стояли на вершине горы. Лавр смотрел, как из-за плеча старца наплывает туча, из которой не прольется ни капли дождя.

КВ

Весной стало понятно, что и в наступившем году голод не кончится. В конце мая, когда из-под земли показались злаки, а плодовые деревья только отцвели, ударил сильнейший мороз. Он пришел посреди теплых дней и свирепствовал только одну ночь. Все, что было способно произрастать и цвести, в эту ночь погибло.

В Рукиной слободке бывали разные несчастья, но такого мороза в мае не помнил никто. Слободской мельник уподобил его дыханию Дьявола, которое леденит все, чего касается. Это уподобление многим открыло глаза на истинную природу произошедшего и дало направление для умозаключений. Было ясно, что такие вещи не приходят случайно.

Поиск причин не был долгим. Несмотря на просторные древнерусские одежды, к весне ни для кого уже не было тайной, что сирота Анастасия непраздна. Когда произошла беда, ее спросили, кто отец ее ребенка, но она отказалась отвечать. И больше ее не спрашивали, потому что всем в Рукиной слободке ответ был и так очевиден. Отцом ребенка был тот, чьим ледяным дыханием уничтожило всякий злак и плод всякого древа. И выход здесь был один, и никто не произнес, что это за выход, ибо все и так знали, как надлежит поступать.

Светлой июньской ночью ветхая изба Анастасии загорелась с четырех сторон. Никто из жителей Рукиной слободки не спал, но никто избу и не тушил. Многие плакали и молились, потому что, несмотря на связь Анастасии с нечистой силой, им было ее жалко. Многим казалось, что живущая без родителей девушка если и стала легкой добычей Дьявола, то в этом была вина не только ее, но и обстоятельств. И лишь забота о спасении Рукиной слободки от голода сковывала этих людей в свойственном им мягкосердечии. Они окружали избу Анастасии, чтобы не дать ей оттуда вырваться, и закрывали уши ладонями, чтобы не слышать ее предсмертных криков. В шуме пламени они их и не слышали.

Когда изба догорела, самые смелые отважились рыться в пепле, чтобы проткнуть осиновым колом то, что осталось от Анастасии. Не найдя же никаких следов сгоревшей, слободские еще более уверились в ее виновности, поскольку от невинного человека должно же было хоть что-то остаться. И все убедились в том, что Анастасия исчезла, яко исчезает дым, и погибла, яко тает воск от лица огня, от лица любящих Бога и знаменующихся крестным знамением.

Но Анастасия не исчезла. Понимая, к чему идет дело, в ночь пожара она тайно бежала из Рукиной слободки. Бегство ее осложняли тошнота и головокружение, но главное – тяжелый живот, в котором ворочалось ее дитя. Главная же сложность состояла в том, что бежать ей было некуда. На всем свете был у нее один лишь старец Лавр, предсказавший благополучный исход событий. И его предсказание (Анастасия на ходу размазывала слезы по щекам), кажется, не сбывалось.

Царапая лицо и руки о летевшие навстречу ветви, в сердце своем Анастасия ругала старца за отказ помочь ей и называла его чуть ли не виновником своих бед. Когда же вскоре после полуночи она приблизилась к пещере Лавра, гнев покинул ее сердце, а силы – тело. У нее уже не было ни упреков, ни даже слез. Тяжело дыша, Анастасия опустилась на землю и позвала Лавра. Ее вырвало.

С плошкой воды в руках из пещеры вышел Лавр. Он омыл Анастасии лицо и руки.

Меня пытались сжечь, прошептала Анастасия. Они думают, что я имею во чреве моем от Дьявола.

Лавр молча смотрел на Анастасию. Глаза его были полны слез.

Так почему же ты молчишь, крикнула Анастасия.

Лавр положил ей руку на лоб, и Анастасия почувствовала прохладу.

КГ

Лавр делит свою пещеру пополам. Они с Анастасией собирают ветки и, связывая их друг с другом веревками из вьюна, сооружают в пещере внутреннюю стену. В стене внешней прорезают вход, которым могла бы пользоваться Анастасия. Ко входу приставляют дверь из веток, в которые вплетены папоротники. Второй вход в пещеру они стараются сделать незаметным.

В солнечные дни Анастасия гуляет за пещерой, а Лавр становится на тропинке, по которой к нему приходят из Рукиной слободки. Он принимает больных на поляне перед пещерой и дает знак Анастасии, когда они уходят.

Лучше им ее не видеть, говорит Лавр Устине. Никогда не знаешь, что у этих людей на уме: в их головах, любовь моя, еще так много мрака.

Говори со мной, просит Лавра Анастасия. Я не могу, когда все время молчат.

Хорошо, я буду говорить с тобой, отвечает Лавр.

Больные опять приносят Лавру еду, но уже гораздо меньше, чем раньше, потому что в окрестных деревнях голод. К тому же они привыкли, что от вознаграждения Лавр отказывается. Только теперь Лавр не отказывается. Он лечит больных и с благодарностью принимает приносимое. Больные удивляются. Они говорят, что в прежние обильные годы Лавр у них ничего не брал, а теперь, в голодное время, берет все подряд, включая мясное. Больные с грустью отмечают, что даже аскетов трудности меняют не в лучшую сторону. Они слегка раздражены, но не подают вида. Лавр возвращает им здоровье и жизнь, без которых еда бесполезна.

Лавр ничего им не объясняет. Он знает, что Анастасии нужно хорошо питаться, и внимательно за этим следит.

Так хорошо я не ела еще никогда, говорит Анастасия.

Теперь ешь не только ты, но и твой мальчик, отвечает ей Лавр.

Откуда ты знаешь, что это мальчик?

Лавр долго смотрит на Анастасию.

Так мне кажется.

В один из дней Лавр говорит Устине:

Пожалуй, любовь моя, я научу ее грамоте, как когда-то – помнишь? – учил тебя. Может быть, впоследствии ей случится прочитать то, чего ей не скажут в Рукиной слободке.

Лавр начинает учить Анастасию грамоте. Грамота дается Анастасии на удивление легко. У Лавра нет книг, зато есть береста, на которой он пишет то, что Анастасия читает. Но чаще он пишет палочкой на земле. Чтобы написать новое, стирает старое. Иногда не стирает.

Приходящие к нему люди видят эти письмена, но о том, для кого они сделаны, не догадываются. Просто стараются на них не наступать. Они не знают, что именно написано на земле, но им известно, что славянские буквы священны, ибо способны обозначать священные понятия. Неславянских букв они не видели. Делают преувеличенно большие шаги и передвигаются вокруг надписей на цыпочках. Аристид праведник вопросим бысть: колико лет человеку добро жити? И отвеща Аристид: дондеже разумеет, яко смерть лучше живота. Уходят, так и не прочитав беседы с Аристидом. Кланяются Лавру и желают ему многая лета.

Не дай Бог, беззвучно отвечает им Лавр.

Перед сном Анастасия просит его что-нибудь рассказать. Лавр хочет рассказать о своем путешествии в Иерусалим, но не может его вспомнить. Он долго думает и вспоминает *Александрию*. Вечер за вечером Лавр рассказывает Анастасии о странствиях македонского царя, о виденных им диких людях и о его битве с персидским царем Дарием. К событиям жизни Александра Анастасия относится сочувственно. Они отодвигают в сторону события собственной жизни Анастасии, и она спокойно засыпает. А Александр лежит на железной земле под костяным небом. Ему тоскливо. Он не понимает, для чего были все его странствия. И для чего все завоевания. И он еще не знает, что его империя распадется в одночасье.

Открыв глаза, но не просыпаясь, Анастасия произносит:

Какая странная у Александра жизнь. В чем была ее историческая цель?

Лавр неотрывно смотрит в глаза Анастасии и читает в них свои собственные вопросы. Наклонившись к уху спящей, Лавр шепчет:

У жизни нет исторической цели. Или она не главная. Мне кажется, Александр понял это только перед самой смертью.

Ранним утром их будит шум голосов. Лавр выходит из пещеры и видит мужчин Рукиной слободки. В их руках вилы и колья. Лавр молча смотрит на них. Некоторое время они тоже молчат. Их лица в крупных горошинах пота, а волосы прилипли ко лбу. Они спешили. Они еще тяжело дышат.

Кузнец Аверкий говорит:

Ты знаешь, старче, что в прошлом году был голод. И причиной тому была связь девки Анастасии с Дьяволом.

Лавр смотрит перед собой, но непонятно, видит ли он кого-то.

Анастасию мы сожгли, продолжает кузнец Аверкий, но голод не утих. О чем это говорит, старче?

Лавр переводит глаза на кузнеца.

Это говорит о том, что в ваших головах мрак.

Ты, старче, неправ. Это говорит о том, что мы ее не сожгли.

Мы даже не нашли ее костей, вздыхает мельник Тихон.

Лавр делает несколько шагов по направлению к Тихону.

Здрава ли жена твоя, Тихоне?

Да, Божией милостью, отвечает мельник.

На подоле рубахи он замечает следы муки и начинает их стряхивать.

Анастасию видели здесь, говорит кузнец Аверкий. Видели, как она входила в твою келью... Мы знаем, старче, что она там.

Пришедшие смотрят на кузнеца Аверкия и не смотрят на Лавра.

Я запрещаю вам входить в мою келью, раздается голос Лавра.

Прости, старче, но за нами стоят наши семьи, тихо говорит кузнец Аверкий. И мы войдем в твою келью.

Он медленно идет к пещере и скрывается в ней. Из пещеры раздается крик. Через мгновение кузнец Аверкий выходит наружу. Он держит Анастасию за волосы. Льняными колосьями они намотаны на его красный кулак. Анастасия кричит и пытается укусить Аверкия за бедро. Аверкий бьет ее лицом о колено. Анастасия замолкает и повисает на руке Аверкия. Ее большой живот колышется. Стоящим кажется, что живот сейчас отделится от Анастасии и оттуда выйдет тот, на кого лучше не смотреть.

Ею овладел Дьявол, кричат стоящие.

Этими криками они подбадривают себя, потому что подойти к Анастасии не решаются. Они потрясены смелостью держащего ее кузнеца.

Дьявол овладел вами, говорит, задыхаясь, Лавр, ибо вы совершаете смертный грех.

Анастасия открывает глаза. Они полны ужаса. На ее опрокинутом лице они так страшны, что все невольно пятятся. На миг страх охватывает и кузнеца Аверкия. Он швыряет Анастасию прочь от себя. Она лежит на земле между ним и Лавром. Аверкий берет себя в руки и резко поворачивается к Лавру:

Она не назвала отца своего ребенка, потому что его нет среди земнородных!

Анастасия приподнимается на локте. Она не кричит, она хрипит. До ушей стоящих этот хрип летит целую вечность:

Вот отец моего ребенка!

Ее свободная рука указывает на Лавра.

Все замолкают. Стихает утренний ветер, и деревья больше не шелестят.

Это правда, спрашивает кто-то из толпы. Скажи нам, старче, что она лжет.

Лавр поднимает голову и обводит всех протяжным выцветшим взглядом.

Нет. Это правда.

Все выдыхают. Кроны сосен вновь начинают свое колебание, а облака пускаются в плавание. На губах кузнеца Аверкия мелькает улыбка:

Ах, вот оно что...

Улыбка Аверкия едва заметна, и это придает ей особую непристойность.

Со всеми случается, говорит кому-то на ухо мельник Тихон. Абсолютно со всеми. Уж такая это сфера, что, как говорится, никто не застрахован.

Пришедшие незаметно растворяются в лесу. Их вилы и колья превращаются в ветки кустарника. Их голоса глохнут. Они уже неотличимы от резких криков птиц. От трения стволов друг о друга. Этому исчезновению отсутствующе внимает Лавр. Он сидит, припав щекой к стволу старой сосны. Ее кора состоит из отдельных, словно приклеенных, плиток. Плитки морщинисты и шершавы, некоторые покрыты мхом. По ним вверх и вниз бегут муравьи. Копошатся во мху. В бороде Лавра. Муравьи не склонны отличать его от этой сосны, и он их понимает. Он и сам чувствует степень своей одеревенелости. Это уже началось, и этому трудно противиться. Еще немного, и он уже не вернется. Одушевленный голос Анастасии вытаскивает его из области древесного.

Тебе пришлось сказать им неправду.

Звуки складываются в слова. Неправду. Им пришлось сказать.

Разве я сказал им неправду?

В следующие дни вблизи кельи Лавра появляется множество праздношатающихся. Весть о нем и Анастасии разносится мгновенно, и теперь окрестные жители приходят для того, чтобы на них посмотреть. Любопытных не останавливают даже стесненные обстоятельства их жизни, ибо тяга увидеть чужое падение своими глазами у многих сильнее голода. Сенсаций в Средневековье мало, и произошедшее с Лавром является, несомненно, одной из них, потому что речь идет о падении праведника.

Жители ближних и дальних деревень не то чтобы радуются случившемуся, просто их нелепая, погрязшая в изменах и склоках жизнь кажется им теперь немного лучше. Они понимают, что на фоне такого события спрос с них невелик. В своих речах многие даже сочувствуют Лавру, отмечая при этом, что высота полета неизбежно грозит такой же глубиной падения. Неудивительно поэтому, что так высоко они в дальнейшем взлетать не собираются.

Спустя неделю поток приходящих резко уменьшается. Теперь посетителей гораздо меньше, чем в прежние, ничем не омраченные времена. Очевидно, свою роль в этом играет голодное время: в такое время люди меньше думают о здоровье.

Есть тому и другая причина, самая, пожалуй, важная. После всего, что произошло, многие теряют веру в целительные способности Лавра. Всегда было ведь понятно, что, в отличие от обычных врачей, его способности зиждились не на одном лишь знании человеческого тела. Лавр не лечил – он исцелял, а исцеления не связаны с опытом. Дар Лавра окрыляли высшие силы, им двигали самоотречение и невиданная по силе любовь к ближним. Никто не мог ожидать (говорящие при этом похохатывают в кулак), что эта любовь примет такие формы. Благонамеренность людской молвы состоит в том, что право на исцеление признается только за достойным. И Лавр таковым больше не является.

К нему еще приходят по старой привычке, но приходят как-то неуверенно и в основном по пустякам. Все чаще Лавру приходится заниматься зубной болью и сведением бородавок. Попадаются случаи и более серьезные, но их носители и сами не понимают, стоит ли вручать такие болезни в ненадежные руки.

В эти дни случается худшее: Лавр понимает, что уже не может справиться даже с простейшими из болезней. Он чувствует, что целительная сила более не исходит из его рук.

Всякое исцеление рождается прежде всего из веры в него, говорит Лавр Устине. Они мне больше не верят, и это, любовь моя, разрывает нашу с ними связь. Теперь я не могу им помочь.

И слезы омывают щеки его.

Те крохи, которые им еще продолжают приносить, Лавр отдает Анастасии. К радости Лавра, взятая им из монастыря краюха все еще недоедена. Он вкушает ее с благодарностью и трепетом.

С начала августа к Лавру не ходит уже никто. Его это не удивляет. Все понимают, что исцеления иссякли, и считают посещение Лавра напрасным. Некоторые, возможно, еще ходили бы к нему, но общее настроение передается и им. После того, что они слышали о Лавре в Рукиной слободке, ходить к нему как-то неловко. Они боятся показаться наивными или – что еще неприятнее – теми, кто потакает греху.

Лавру одиноко. Он не испытывал одиночества, когда бежал мира, потому что тогда не было чувства покинутости. Теперь мир бежит его, а это совсем другое. Лавру тревожно. Он видит, что время разрешения Анастасии от бремени приближается. И он не знает, как ему надлежит поступить.

Тревожно и Анастасии. Она чувствует волнение Лавра и не понимает его причины. Ее удивляет, что великий врач Лавр так неспокойно относится к принятию родов – ответственному, но, в общем, обычному делу. Лавр несколько раз предлагает ей отправиться рожать в Рукину слободку, где роды у нее могла бы принять повивальная бабка, но Анастасия наотрез отказывается. Она не знает, чего ей от Рукиной слободки ждать. Ей страшно туда возвращаться.

Бывают дни, когда ей страшно оставаться и с Лавром. Иногда Анастасии кажется, что рассудок его помутился. Временами Лавр называет ее Устиной. Он говорит ей, что не следует отказываться от помощи повивальной бабки. Что, если она боится идти в слободку, следует позвать бабку сюда. Лавр покрывается пóтом и дрожит. Таким она его никогда не видела.

Анастасия слушает обращенные к Устине слова и погожим августовским утром говорит «да». Она не пойдет рожать в Рукину слободку, но согласна на то, чтобы оттуда к ней пришла повивальная бабка. Лавр прижимает ее руку к своей груди. Анастасия слышит, как отчаянно бьется его сердце. Она чувствует, что час ее разрешения от бремени близок.

Впервые за долгие годы Лавр покидает место своего уединения. Он идет по тропе, протоптанной теми, кто приходил к нему за помощью. Теперь в помощи нуждается он сам. И ему некого послать за ней, потому что сюда больше никто не ходит. Лавр идет, думая о том, как будет чувствовать себя в его отсутствие Анастасия. Он старается спешить, но дыхание его сбивается. Перед тем как войти в Рукину слободку, Лавр на минуту останавливается и глубоко дышит. Закрывает глаза и дышит. Ему уже легче. Сдерживая сердцебиение, он входит в слободку.

В дверях домов появляются люди. Они беззвучно окружают Лавра. Не сводят с него глаз. Даже после всего, что случилось, жители Рукиной слободки не могут поверить в его приход. С тем же успехом к ним мог прийти Кириллов монастырь. Обращаясь к слободским, Лавр показывает на лес. В налетевшем порыве ветра его не слышно. Он просит о помощи. Губы его шевелятся. Слободские знают, что он просит о помощи, но помощи нет. Повивальная бабка сейчас в отъезде. Сроду никуда не ездила, а сейчас уехала, такой вот случай. И заменить ее некем. Абсолютно. Дело здесь не в их нежелании.

Лавр оглядывает толпу и опускается перед ней на колени. Он ничего не говорит. Все сказанное уже вошло в уши, которые он лечил. Впитано глазами, которые он тоже лечил. Он просит у них о милости, которую сам оказывал им столько лет. Многие плачут, ибо сердца их не каменны. Так все как-то не по-людски складывается, но что они могут сделать? Отворачиваясь, вытирают слезы. Смотрят на пришедшего сверху вниз. Фигура Лавра колеблется в их глазах, меняет форму и очертания. Поднимается. Удаляется.

Лавр не сразу понимает, что идет на хутор. Ноги все еще помнят этот путь. Сколько раз они его проделали с Христофором. Надеется ли он застать его там? Кажется, Христофор давно умер. Так давно, что уже ни в чем нельзя быть уверенным. Нет, конечно, умер и лежит на кладбище: он ведь сам укрывал его могилу кожухом. Зачем же он тогда к нему идет?

Христофор на месте, в своей могиле. Все прошедшие годы он провел здесь. Могила его все еще угадывается в густой зелени у ограды. Если, конечно, это его могила. А Христофорова дома нет. Как Христофор и предвидел, на месте дома стоит церковь. Церковь на кладбище важнее дома, ведь кладбище само по себе дом.

Дверь церкви открыта. Прежде чем в нее войти, Лавр вдыхает запах августа. Рассматривает неклейкие листья берез. Тронутые первой желтизной, немного уставшие от лета. Блики солнца на перилах. Задумчивое скольжение паука. Это возвращение, а дом его стал Домом.

В храме горят свечи. Из Царских врат выходит Алипий, настоятель Кириллова монастыря. В руках его причастная чаша.

Пришел еси, Лавре?

Пришел есмь.

Старец Иннокентий умер и не смог тебя сегодня встретить. (Алипий медленно движется навстречу Лавру.) А потому попросил об этом меня.

За спиной Лавра шелест теплого ветра. Пламя свечей колеблется, и иконы оживают. Причастившись, Лавр говорит:

Знаешь, у меня тоже есть просьба. Когда я покину мое тело, им же согрешил есмь, не церемоньтесь с ним особенно. Привяжите к ногам веревку и тащите его в болотную дебрь на растерзание зверям и гадам. Вот, собственно, все.

Стоя в дверях церкви, Лавр созерцает скорбное лицо Алипия.

Это мое завещание, говорит Лавр. И его следует выполнить.

К своей пещере Лавр возвращается вечером. У роженицы начинаются схватки. Он укладывает ее на лежанку в пещере и готовит воду, чтобы обмыть новорожденного. Готовит нож, чтобы перерезать новорожденному пуповину. На поляне перед пещерой он разводит огонь. Лавр спокоен. И снова чувствует силу в своих руках.

Анастасии (Анастасии?) не хочется лежать в темной пещере, и она просит устроить ей постель на поляне. Лавр смотрит на небо. На небе нет туч. Светлые облака, подкрашенные закатом, – дождя не будет. Он устраивает ей постель на поляне. Она ложится лицом к пещере. Два входа в пещеру напоминают ей пару огромных глаз, открытых и полных мрака. Пещера, как голова. Она просит помочь ей перевернуться на другую сторону. Теперь она смотрит в лес. Лес высок и добр. Уютен. Тих.

Не отходи от меня, просит она Лавра.

Я здесь, любовь моя, отвечает Лавр. И мы вместе.

Он берет в руки ее ладонь, и в нее вливается прохлада. Он берет в руки ее боль. Впитывает капля за каплей. Изредка встает, чтобы подбросить в костер веток. В наступившей темноте ей видно лишь его лицо. Оно освещено пламенем костра. Рельеф его морщин подвижен. Костер трещит и выбрасывает искры. Искры взлетают к самым кронам сосен. Некоторые гаснут. Некоторые летят выше, чтобы смешаться с первыми звездами. Глаза ее направлены в небо, она все видит. Глаза ее отражают блеск костра.

Рука Лавра на ее животе.

Так легче?

Легче.

Она кричит. С ней кричит весь лес.

Потерпи немного, любовь моя. Совсем немного.

Она терпит. И все равно кричит.

Руки Лавра чувствуют голову ребенка. Она словно прилипает к его рукам и мягко выходит наружу. Плечи. Живот. Колени. Пятки. Лавр пе-

ререзает пуповину. Омывает младенца теплой
водой.

Вот он, любовь моя.

Он показывает ей ребенка, и на складках его
щек блестят слезы. В отблесках костра мальчик
неправдоподобно розов. А может быть, он еще не
совсем отмыт от ее крови. Мальчик наполняет
легкие воздухом и кричит. Этот крик она вбирает
в себя весь без остатка. Она прикладывает младенца к груди. Глаза ее полузакрыты. Впервые за
много дней ей спокойно. Она засыпает. На мягкой и теплой траве Лавр пеленает новорожденного в чистый плат. Берет его на руки. Лавру тоже спокойно.

Ранним утром Анастасия просыпается от про-
хлады. Костер догорел. Лавр полусидит, прислонясь спиной к сосне. На руках он держит младенца. Ребенок дышит ровно. В объятиях Лавра ему
тепло. Взяв ребенка из рук Лавра, Анастасия дает
ему грудь. Ребенок просыпается и жадно чмокает.

Глаза Лавра закрыты. На его веках лежат первые лучи солнца. Лучи скользят сквозь утрен-
ние испарения. Иголки сосен светятся. Тени
длинны. Воздух густ, ибо еще не растерял запаха проснувшегося леса. Мох мягок. Полон существ, чей дом – лист, а жизнь – день. Анастасия
опускается перед Лавром на колени и долго на
него смотрит. Касается губами его руки. Рука
прохладна, но еще не холодна. Анастасия садится рядом с Лавром. Прижимается к нему. Анастасия знает, что Лавр мертв. Она поняла это
еще во сне.

Я проспала твою смерть, говорит Анастасия
Лавру, но тебя провожал мой ребенок.

Архиепископ Ростовский, Ярославский и Белозерский Иона идет по берегу озера Неро. Он всегда там гуляет перед утренней службой. Это самое глубокое озеро на свете, но чистая вода в нем лишь на поверхности. То, что глубже, илисто, оно не выпускает никого, кто туда попадает. Иона это знает. Он любуется озерной глубиной, отдавая себе отчет в ее опасности. Равняясь на полученное имя, он не боится глубин, но духовным чадам твердую почву покидать не советует. Видя человека, скользящего по поверхности озера, Иона удивляется.

Кто ты, идущий по воде, спрашивает архиепископ Иона.

Раб Божий Иннокентий. Докладываю тебе о смерти раба Божьего Лавра.

Ты там поосторожнее на глубине, качает головой Иона.

По улыбке Иннокентия Иона понимает, что совет его избыточен. С этой улыбкой Иннокентий является в тонком сне епископу Пермскому и Вологодскому Питириму. Он сообщает ему о смерти Лавра.

Попроси, чтобы его пока не погребали, говорит Иннокентию епископ Питирим.

Не волнуйся, епископе, отвечает Иннокентий, потому что его не погребут.

Анастасия берет ребенка и идет в Рукину слободку. Вокруг нее собираются слободские. Анастасия говорит им о смерти Лавра. Она объявляет, что настоящим отцом ее ребенка является мельник Тихон, запретивший ей о том рассказывать под страхом смерти.

Если информация соответствует действительности, говорят Тихону слободские, лучше признайся, потому что в данном случае брошена тень на праведника и на Страшном суде нелегким будет твое предстояние.

Некоторое время мельник Тихон не признается. Он хранит молчание, выбирая между судом земным и небесным. Взвесив все, мельник говорит:

Признаюсь пред всеми в том, что, предложив в голодное время муку́, означенную Анастасию растлил, а также и в том, что, боясь разоблачения, угрожал ей смертью, хотя, если вдуматься, кто бы ее словам поверил? Причину же моего падения усматриваю в молодости и свежести девицы, как, впрочем, и в увядшем состоянии моей собственной супруги, находившейся на излечении у покойного Лавра.

В Рукину слободку приезжает игумен Алипий. Он сумрачен. Алипий не велит трогать тела Лавра до приезда иерархов. Отслужив литургию, слободских старше семи лет он не допускает к причастию. Слободские встревожены. Алипий уезжает.

Весть о кончине Лавра распространяется молниеносно. Это ощущают прежде всего в Рукиной слободке, где ни в одной из изб вскоре уже нет места. Нет его и в ближайших деревнях. Прибывающие строят шалаши в окрестностях. Некоторые ввиду летнего времени ночуют под открытым небом. Все знают, что при погребении праведника могут явиться чудеса.

Съезжаются увечные, слепые, хромые, прокаженные, глухие, немые и гугнивые. Из разных, в том числе и дальних мест приносят расслабленных. Приводят бесноватых, которые связаны веревками или закованы в цепи. Приезжают бессильные мужи, бесплодные жены, безмужние, вдовы и сироты. Прибывает черное и белое духовенство, братия Кириллова монастыря, князья больших и малых княжеств, бояре, посадники и тысяцкие. Собираются те, кто был когда-то излечен Лавром, те, кто много слышал о нем, но никогда его не видел, те, кто хочет посмотреть, где и как Лавр жил, а также те, кто любит большое стечение народа. Свидетелям происходящего кажется, что собирается вся Русская земля.

Тело Лавра продолжает лежать под сосной у входа в пещеру. Оно не содержит следов тления, но охраняющие его начеку. Каждый час они подходят к телу и вдыхают исходящий от него запах. Их ноздри трепещут от усердия, но улавливают лишь аромат травы и сосновых шишек. Охраняющие оглашают поляну возгласами изумления, но в глубине души сами твердо знают, что именно так все и должно быть.

18 августа 7028 года от Сотворения мира, 1520-го – от Рождества Христова, когда число приехавших достигает ста восьмидесяти трех тысяч, тело Лавра поднимают с земли и бережно несут через лес. Перенесение сопровождается надгробным пением птиц. Тело усопшего легко. Сто восемьдесят три тысячи приехавших ждут на границе леса.

Когда тело Лавра показывается из чащи, все опускаются на колени. Сначала увидевшие его, а затем – ряд за рядом – все те, кто сзади. Тело принимают епископы и монашествующие. Они несут его на своих головах, и толпа перед ними расступается, как море. Путь их лежит в храм, построенный на месте Христофорова дома. Там проходит отпевание. Десятки тысяч безмолвно ждут снаружи.

Служба в храме толпе не слышна. Вначале ей не слышны и слова, произнесенные игуменом Алипием на церковной паперти: он оглашает завещание Лавра. Но эти слова Алипием произнесены. Они ширятся по толпе, как круги от брошенного в воду камня. Через минуту людское море замолкает, ибо предстоит нечто невиданное.

В полной тишине тело Лавра проносят сквозь толпу. На краю зеленого луга его кладут в траву. Трава мягко обтекает Лавра, выражая готовность принять его целиком, поскольку они друг другу не чужие. На этом лугу Христофор показывал усопшему схождение твердей, небесной и земной.

Ноги Лавра связывают веревкой, от которой уходят два конца. В толпе слышны крики. Кто-то бросается разорвать веревку, но его тут же скручивают и оттаскивают в толпу. Если глядеть сверху, стоящие представляются невиданным скоплением точек, и лишь Лавр имеет протяженность.

К одному концу веревки подходит архиепископ Ростовский, Ярославский и Белозерский Иона. К другому концу веревки подходит епископ Пермский и Вологодский Питирим. Они становятся на колени и беззвучно молятся. Берут в руки концы веревки, целуют их и выпрямляются. Одновременно крестятся. Однонаправленно полощутся полы их мантий и концы бород. Пропор-

ции их фигур одинаково искажены ветром, ибо
оба расширились вправо. Работа их двуедина.
Взоры обращены вверх.

Архиепископ Иона едва заметно кивает, и они
делают свой первый шаг. Этот шаг за ними повторяет бескрайняя толпа. Ее бескрайний вздох
перекрывает шум ветра. Руки на груди Лавра
вздрагивают и распахиваются, словно в объятиях. Тянутся вслед за телом. Перебирают пальцами траву, как перебирают четки. Веки дрожат,
и от этого всем кажется, что Лавр готов проснуться.

За спинами иерархов слышны сдавленные рыдания. С каждым мгновением рыдания становятся громче. Они переходят в сплошной вой, который несется над всем обитаемым пространством.
Иона и Питирим продолжают свое движение
молча. Их слезы ветром уносит в противоположный конец луга.

Лавр мягко скользит по траве. Первым за ним
следует псковский посадник Гавриил. Он сед
и дряхл, и его ведут под руки. Его почти волокут,
но он все еще жив. За Гавриилом идет мос-
ковский боярин Фрол с женой Агафьей и со
чады. Их количество увеличивается с каждым годом. Далее боярыня Елизавета, яже прозре, а также раб Божий Николай в здравом уме и трезвой
памяти. И за ними множество прозревших и вра-
зумленных. В самом конце шествия видны купец
Зигфрид из Данцига, оказавшийся здесь по торговым делам, и кузнец Аверкий, стыдящийся своего поступка.

Что вы за народ такой, говорит купец Зигфрид. Человек вас исцеляет, посвящает вам всю

свою жизнь, вы же его всю жизнь мучаете. А когда он умирает, привязываете ему к ногам веревку и тащите его, и обливаетесь слезами.

Ты в нашей земле уже год и восемь месяцев, отвечает кузнец Аверкий, а так ничего в ней и не понял.

А сами вы ее понимаете, спрашивает Зигфрид.

Мы? Кузнец задумывается и смотрит на Зигфрида. Сами мы ее, конечно, тоже не понимаем.

Оглавление

Литературно-художественное издание

16+

Водолазкин Евгений Германович

ЛАВР

Роман

Главный редактор *Елена Шубина*
Литературный редактор *Галина Беляева*
Редактор *Алексей Портнов*
Художник *Андрей Рыбаков*
Технический редактор *Татьяна Тимошина*
Корректоры *Мария Музыка, Надежда Власенко*
Компьютерная верстка *Елены Илюшиной*

 http://facebook.com/shubinabooks

 http://vk.com/shubinabooks

Общероссийский классификатор продукции
ОК-034-2014 (КПЕС 2008):
58.11.1 — книги, брошюры

Изготовитель: ООО «Издательство АСТ»
129085, Российская Федерация, г. Москва, Звездный бульвар, д. 21, стр. 1,
ком. 705, пом. 1, 7 эт.
Наш электронный адрес: www.ast.ru

«Баспа Аста» деген ООО
129085, Мәскеу қ., Звёздный бульвары, 21-үй, 1-құрылыс, 705-бөлме, I жай, 7-қабат.
Біздің электрондық мекенжайымыз: www.ast.ru

Интернет-магазин: www.book24.kz
Интернет-дүкен: www.book24.kz
Импортер в Республику Казахстан ТОО «РДЦ-Алматы».
Қазақстан Республикасындағы импорттаушы «РДЦ-Алматы» ЖШС.
Дистрибьютор и представитель по приему претензий на продукцию в республике Казахстан:
ТОО «РДЦ-Алматы»
Қазақстан Республикасында дистрибьютор
және өнім бойынша арыз-талаптарды қабылдаушының
өкілі «РДЦ-Алматы» ЖШС, Алматы қ., Домбровский көш., 3«а», литер Б, офис 1.
Тел.: 8 (727) 2 51 59 89,90,91,92
Факс: 8 (727) 251 58 12, вн. 107; E-mail: RDC-Almaty@eksmo.kz
Өнімнің жарамдылық мерзімі шектелмеген.
Өндірген мемлекет: Ресей
Сертификация қарастырылмаған

Евгений Водолазкин

СОВСЕМ ДРУГОЕ ВРЕМЯ

Роман Евгения Водолазкина «Лавр» о жизни средневекового целителя стал литературным событием 2013 года (премии «Большая книга» и «Ясная Поляна», шорт-лист премий «Национальный бестселлер» и «Русский Букер»), что вновь подтвердило: «высокая литература» способна увлечь самых разных читателей.

«Совсем другое время» — новая книга Водолазкина. И в ней он, словно опровергая название, повторяет излюбленную мысль: «времени нет, всё едино и всё связано со всем». Молодой историк с головой окунается в другую эпоху, восстанавливая историю жизни белого генерала («Соловьев и Ларионов»), и это вдруг удивительным образом начинает влиять на его собственную жизнь; немецкий солдат, дошедший до Сталинграда («Близкие друзья»), спустя десятилетия возвращается в Россию, чтобы пройти тот путь еще раз...

Евгений Водолазкин

ДОМ И ОСТРОВ,
или ИНСТРУМЕНТ ЯЗЫКА

Евгений Водолазкин (р. 1964) — филолог, автор работ по
древнерусской литературе и… прозаик, автор романов "Лавр"
(премии "Большая книга" и "Ясная Поляна", шорт-лист
премий "Национальный бестселлер" и "Русский Букер")
и "Соловьев и Ларионов" (шорт-лист премии "Большая книга"
и Премии Андрея Белого).

Реакция филологов на собрата, занявшегося литературным
творчеством, зачастую сродни реакции врачей на заболевшего
коллегу: только что стоял у операционного стола и —
пожалуйста — уже лежит. И все-таки "быть ихтиологом
и рыбой одновременно" — не только допустимо, но и полезно, что и доказывает книга "Дом и остров, или Инструмент
языка". Короткие остроумные зарисовки из жизни ученых,
воспоминания о близких автору людях, эссе и этюды — что-то
от пушкинских "table-talk" и записей Юрия Олеши —
напоминают: граница между человеком и текстом не так
прочна, как это может порой казаться.

Евгений Водолазкин
БРИСБЕН

Евгений Водолазкин — лауреат премий «Большая книга» и «Ясная Поляна». В романе «Брисбен» он продолжает истории героев («Лавр», «Авиатор»), судьба которых — как в античной трагедии — вдруг и сразу меняется. Глеб Яновский — музыкант-виртуоз — на пике успеха теряет возможность выступать из-за болезни и пытается найти иной смысл жизни, новую точку опоры. В этом ему помогает… прошлое — он пытается собрать воедино воспоминания о киевском детстве в семидесятые, о юности в Ленинграде, настоящем в Германии и снова в Киеве уже в двухтысячные. Только Брисбена нет среди этих путешествий по жизни. Да и есть ли такой город на самом деле? Или это просто мираж, мечтания, утопический идеал, музыка сфер?

Евгений Водолазкин
СОЛОВЬЕВ И ЛАРИОНОВ

Роман Евгения Водолазкина «Лавр» о жизни средневекового целителя стал литературным событием 2013 года (премии «Большая книга» и «Ясная Поляна»), был переведен на многие языки. Следующие романы — «Авиатор» и «Брисбен» — также стали бестселлерами.

«Соловьев и Ларионов» — ранний роман Водолазкина — написан в русле его магистральной темы: столкновение времён, а в конечном счете — преодоление времени. Молодой историк Соловьев с головой окунается в другую эпоху, воссоздавая историю жизни белого генерала Ларионова, — и это вдруг удивительным образом начинает влиять на его собственную жизнь. И вот уже сквозь современную научную конференцию проступает Ялта двадцатых годов и горящий в Гражданской войне Крым...

Евгений Водолазкин

АВИАТОР

Евгений Водолазкин — прозаик, филолог. Автор бестселлера "Лавр" и изящного historical fiction "Соловьёв и Ларионов". В России его называют "русским Умберто Эко", в Америке — после выхода "Лавра" на английском — "русским Маркесом". Ему же достаточно быть самим собой. Произведения Водолазкина переведены на многие иностранные языки.

Герой нового романа "Авиатор" — человек в состоянии tabula rasa: очнувшись однажды на больничной койке, он понимает, что не знает про себя ровным счётом ничего — ни своего имени, ни кто он такой, ни где находится. В надежде восстановить историю своей жизни, он начинает записывать посетившие его воспоминания, отрывочные и хаотичные: Петербург начала XX века, дачное детство в Сиверской и Алуште, гимназия и первая любовь, революция 1917-го, влюблённость в авиацию, Соловки... Но откуда он так точно помнит детали быта, фразы, запахи, звуки того времени, если на календаре — 1999 год?..